COLECCION GUADARRAMA
DE CRITICA Y ENSAYO

WITHDRAWN

COLECCION GUADARRAMA
DE CRITICA Y ENSAYO

10

RETRATO DE UNAMUNO

LUIS S. GRANJEL

RETRATO DE UNAMUNO

EDICIONES GUADARRAMA, S. L.

MADRID - BOGOTÁ

Copyright by
EDICIONES GUADARRAMA, S. L.
Madrid, 1957

PRINTED IN SPAIN

Impreso en España por
TIPOGRAFÍA MODERNA.—VALENCIA

MIGUEL DE UNAMUNO

A MI ESPOSA,

EN RECUERDO DE LOS DÍAS
VIVIDOS JUNTOS MIENTRAS
ESCRIBÍAMOS ESTE LIBRO.

PRÓLOGO

MI DON MIGUEL DE UNAMUNO

TE PIDIÓ VIDA, Y SE LA DISTE
LARGA, ETERNA.

Sal.; *21, 5*

Será este Prólogo una confesión, la del fin y los medios utilizados para alcanzarlo que forman el esquema de este Retrato de Unamuno *que tienes, lector, en tus manos. No encontrarás en él, quiero anticipártelo, ni un pormenorizado relato de su vida, ni una visión crítica de su obra literaria. El propósito que perseguí al realizarlo es, simplemente, el de ayudarte a conocer al hombre que fué don Miguel de Unamuno. Para lograrlo era suficiente saber escuchar. En las páginas de esta obra más que mi voz oirás la del propio Unamuno hablándonos de sí mismo.*

Acompañándote, lector, nos adentraremos por la biografía de Unamuno y procurando despojarla de su máscara social, descubriremos su auténtica faz. Ante el espectáculo de su íntimo vivir comprenderemos qué razones le hicieron ser como fué y le inspiraron unas obras que admiten pocos parangones. Al término de nuestra incursión espero convendrás conmigo en que en Unamuno, el genio y el ingenio, con valer tanto, fueron supe-

rados, sin embargo, por el hombre. Mientras me preparaba, leyéndole, para escribir este Retrato, se fué insinuando en mis pensamientos hasta llegar a convencerme la idea de que así como en sus libros se tropieza siempre con la humana personalidad de quien los concibió, a su vida la preside un anhelo o deseo en torno al cual cobró forma su existencia entera. Como mi Retrato quiere ser una biografía íntima, le cuadraría, creo, el unamunesco calificativo de "intrahistórica", pues la intrahistoria de su existir es la historia de la pasión a cuyo calor consumió su vida toda. Pasión por sobrevivir era la de don Miguel de Unamuno; deseo que siempre le acució, el de eternizarse tanto en el mundo de los hombres como en el otro, que escapa a nuestro conocimiento racional, de allende la muerte. Le sostenía en esta esperanza, con todo su empuje prerracional, el instinto de perpetuación, exaltado en Unamuno hasta un grado que a muy pocos hombres les ha sido dado conocer por personal experiencia. La afirmación del ser individual que era se hacía en ocasiones, en Unamuno, obsesión alucinante, como debía suceder —recojo la anécdota por lo reveladora— cuando abocando el rostro en la cisterna del convento dominicano de San Esteban, de Salamanca, lanzaba a su fondo, símbolo de su personalidad, un "¡Yo!" potente para escuchar cómo el eco se lo devolvía acrecentado; y al morir, apagándose, el reto de aquella respuesta, se afirmaba en sí mismo con otro estentóreo "¡Yo!" que de nuevo alzaba la multiplicada réplica del eco. Y era goce y era sufrimiento lo que Unamuno sentía. Era congoja; contrapunto de su agónico afirmarse. Es mi esperanza que el "¡Yo!" que también resuena, claro y sonoro, en las páginas de este Retrato suyo, breve historia de su pasión, despierte algún eco en la intimidad de quien leyere. Estoy seguro que al oírse contestar cobrará más brío su voz, pues se sabrá viviendo —no du-

rando— *con la vida que siempre deseó, la de volver a nacer en la memoria de los hombres, en constante renacimiento.*

De tres partes se compone mi Retrato de don Miguel de Unamuno. En la primera —El hombre— pretendo dibujar el perfil de su figura y contar los sucesos de su vida cuyo conocimiento ha de sernos preciso para comprender el sentido que orientó, tanto como su existencia, su obra de escritor. La segunda parte —El anhelo— la consagro a tratar, con pormenor, del instinto rector de su vida y a historiar los motivos que hicieron posible su preponderancia. Y en la tercera parte —La pasión— expongo el doble intento hecho por Unamuno para saciar la sed de vida perdurable con que aquel anhelo inquietó su ánimo, y también, por último, relato allí el desenlace al que abocó su afán de no morir, empujado a él por los cambios que en su intimidad impusieron los años de exilio.

Creo no equivocarme al pensar que este Retrato de Unamuno no es una biografía al uso; quiero decirte, lector, que, pretendiendo serlo, desde luego, se aleja en la prosecución de tal propósito de las normas a que de modo habitual se someten quienes se ocupan de un quehacer historiográfico. Y es que, en mi manera de entenderla, la biografía no supone una narración, más o menos pormenorizada, de los sucesos en los que se fueron desgranando los días de una existencia humana. A juicio mío, la biografía, que prefiero llamar retrato, buscará reproducir la singular, siempre única personalidad del biografiado, olvidando de intento muchos datos, mera anécdota, y también desechando, cuando ello sea conveniente, la rígida férula de la cronología. El biógrafo debe gozar de la libertad artística que el pintor se arroga al trasladar al lienzo la figura humana; el retrato pictórico puede haber reproducido la auténtica personalidad del retratado sin pretender por ello equipararse en fidelidad aparencial a la que puede alcanzar cualquier mediana fotografía. Pues igual en el retrato literario, en la biografía, que siempre será, cuando merezca este título, versión personal de una existencia vista, interpretada, a través de la singular humanidad de su biógrafo.

Esta reflexión, forzosamente breve, me recuerda algo que preocupó mucho a Unamuno; me refiero a la multiplicidad de personajes que coexisten en toda existencia, y junto con ello al problema de cuál pueda ser el que mejor encarna al ser humano en que todos moran; el verdadero por tanto. Esta cuestión la creyó resolver Unamuno aceptando la humorística explicación que de tan inquietante asunto dió el escritor norteamericano Olivier Wendell Holmes, en su obra The Autocrat of the Breakfast-Table *(1857); hay en este libro un párrafo, muchas veces citado por Unamuno, en el cual su autor viene a decirnos cómo cada uno de nosotros llevamos bajo la piel de nuestra individualidad tres personajes —tres "Juanes", dice Wendell Holmes— con los cuales entrará en relación la individual y trina personalidad —los tres "Tomases" del autor que cito— de quien busque ser su biógrafo. Permítaseme reproducir, textualmente, las palabras con que nos lo cuenta Wendell Holmes; escribe*: six personalities distinctly to be recongnised as taking part in that dialogue between John an Thomas.

Three Johns

1. The real John; known only to his Maker.
2. John's ideal John; never the real one, and often very unlike him.
3. Thomas's ideal John; never the real John, nor John's John, but often very unlike either.

Three Thomases

1. The real Thomas.

2. Thomas's ideal Thomas.
3. John's ideal Thomas."

La realidad es aún más compleja de lo que supuso el humorista norteamericano; en tantos se puede desglosar nuestra humana personalidad, el que somos, que quien pare atención en ello, y deje que el problema le preocupe, le obsesione, estará expuesto a que su razón naufrague en la sima que verá abrirse ante su mente, como le ocurrió al personaje creado por Pirandello para protagonizar su relato Uno, nessuno e centomila. *Puede haber tantos "Juanes" como "Tomases" se paren a contemplarlo; hay tantos don Miguel de Unamuno como mentes pretendan conocerlo.*

El Unamuno retratado en este libro es el mío, el que yo he creído descubrir persiguiéndole en cuantos recuerdos nos quedan de su vida. Sin traicionar, por lo menos deliberadamente, la verdad histórica, pienso no obstante que hay bastante de mí mismo en las páginas de este Retrato; y no lo advierto para despertar tu curiosidad, lector, y hacer que me busques, pues no te sería fácil hallarme, y tampoco creo encontrases placer alguno en tal pesquisa. Si te lo cuento es para llamar tu atención desde ahora sobre los límites que cierran el horizonte de esta obra, para advertirte que es parcial, aunque no tendenciosa; que es tan sólo, en una palabra, "mi don Miguel de Unamuno". La razón que puede explicar esto nos la proporciona el propio Unamuno en un artículo titulado "Decirse a sí mismo", que publicó en 1923; escribió allí: "Los libros más autobiográficos son las biografías que unos hombres escriben de otros. Y ocurre a las veces que el que se pone a escribir la vida de otro hombre que vivió acaso siglos antes que él acaba por persuadirse, aunque no se atreva a decirlo, que su biografiado es él, que él, el autor

*de la biografía, es una reencarnación de aquel cuya vida cuenta.
Y acaso sea así." Aunque no se admita tan extremosa opinión,
yo por lo menos no la suscribiría, ¿quién negará que siempre
algo de la personalidad del cronista, del biógrafo, se entromete
para deformarla, aunque sea muy levemente, en la estampa del
retratado?*

PRIMERA PARTE

EL HOMBRE

LIBRO PRIMERO

ESTAMPA DE UNAMUNO

CAPITULO PRIMERO

BOSQUEJO ICONOGRÁFICO

¿Cómo era el hombre que se llamó don Miguel de Unamuno y Jugo?; ¿qué rasgos sobresalían en el modo de ser de este personaje con tanto renombre dentro de la vida española, que vino a morir durante la trágica quema de nuestra última contienda civil? Dar respuesta a esta pregunta será mi primer cometido.

Era don Miguel de Unamuno, así lo recuerdo cuando le conocí viviendo el último año de su vigorosa senectud, de talla más bien elevada, de andar nada vacilante. Siempre fué así y se enorgullecía de ello; «es un hombre que presume de hombre», escribió de él, en 1930, César González Ruano [1]; «hombre alto, ancho, huesudo», dice Salvador de Madariaga al dibujar el perfil de su figura [2]. Sobre el busto, que siempre mantuvo

[1] C. González Ruano: *Vida, pensamiento y aventura de Miguel de Unamuno*; 20; Madrid, 1930.
[2] S. de Madariaga: *Semblanzas literarias contemporáneas*; 129; Barcelona, 1924.

erguido, se engallaba una cabeza destacando en ella el mirar de unos ojos claros. Bagaría presentó una vez a Unamuno con faz de mochuelo, y esta aguda perspicacia del caricaturista tuvo fortuna; desde entonces todos han recurrido a esta imagen para transmitir la impresión que en ellos despertaba aquella mirada penetrante. Escribe Madariaga [1]: «bajo la alta frente agresiva que prolonga un pelo acerado, dos ojos como barrenas... miran al mundo intensamente tras unas gafas que parecen apuntar al objeto como microscopios»; «mirada fija de buho», repite el Conde de Keyserling [2]; «su cara —rememora *Azorín* [3]— era la de una lechuza, o mejor, de un buho. Unamuno veía en las tinieblas»; Ramón Gómez de la Serna nos habla también de «su rostro de buho joven» [4]. Entre los ojos se proyecta la nariz afilada, caballete para unas gafas sencillas. El rostro, de color moreno, curtido, queda enmarcado por el pelo, muy corto, y la barba triangular, que los años blanquearon pronto; la cabeza, dice uno de sus comentaristas, es «pequeña, dolicocéfala, de vasco de raza» [5]. En conjunto, la faz de Unamuno «tenía algo de onagro y al mismo tiempo mucho de sabio como Séneca» [6]. Su voz era de timbre agudo, algo chillona. Era peculiar su manera de vestir; lo que llamó en más de una ocasión su uniforme civil se componía de traje negro o azul oscuro, sin ponerse sobre

[1] S. de Madariaga: *Ibid.*; 129.

[2] Conde de Keyserling: *Viaje a través del tiempo*; *II. La aventura del alma*; 172; Edic. esp.; Buenos Aires, 1951.

[3] *Azorín*: *Madrid*; *Obras Completas*; VI; 205; Madrid, 1948.

[4] R. Gómez de la Serna: «Don Miguel de Unamuno»; *Retratos Contemporáneos*; 403; Buenos Aires, 1944.

[5] H. Romero Flores: *Unamuno*; 11; Madrid, 1941.

[6] R. Gómez de la Serna: *Don Miguel de Unamuno*; *Retratos Contemporáneos*; 403; Buenos Aires, 1944.

él otras prendas, incluso en los rigurosos días del invierno castellano; un chaleco alto se cerraba hasta el cuello ahorrándole
el uso de la corbata, símbolo, para él, de esclavitud; con frecuencia cubría su cabeza un sombrero blando. Así se forjó
Unamuno una inconfundible estampa; expresión externa de su
afán de singularidad, de aquel individualismo que siempre alentó
en su ánimo. Las manos, inquietas, cuando no hacían pajaritas
de papel, la artimaña que tanto contribuyó a crear el halo popular de su fama, se movían, incansables, jugando con una miga
de pan; esto, que muchos pensaron era una de tantas «genia-
lidades» suyas, escondía, sin embargo, un significado bien distinto [1]: sus temores, no sé hasta qué punto justificados, a un
reumatismo articular, le inspiraron este ejercicio constante de
sus dedos, buscando con ello soslayar las consecuencias de tal
padecimiento.

Más que estos rasgos externos de su individualidad, importa
conocer los que singularizan, y de modo muy acusado por
cierto, su temperamento, el modo de ser de que siempre hizo
alarde. En ellos se descubre un manifiesto influjo racial; la
constancia del hecho, unido a su efectiva importancia, exige
destacarlo como merece; lo que de vasco había en Unamuno
ayudó mucho a perfilar su personalidad, a hacer de él lo que
fué. El primer rasgo que en su temperamento se apreciaba, aquél
que más pronto descubrían cuantos le trataban, era su agresividad; fué la suya una agresividad natural, que no precisaba de
motivos para exteriorizarse, que a todos apuntaba y antes que a
nadie a él mismo; el propio Unamuno nos lo confirma en este
párrafo de una carta suya: «Cuando más agriamente regaño
para refutar a otros es que me estoy refutando. Somos, como

[1] Debo la noticia al Profesor García Blanco.

Job, hijos de contradicción»[1]; escribió en un artículo[2]: «cuando arremeto contra otros es que estoy arremetiendo contra mí mismo, es que vivo en lucha íntima». A la agresividad se une en él una terquedad muy vizcaína: «Tengo temperamento de luchador, soy terco como vizcaíno»[3]; de los vascos dijo más de una vez que eran una «raza de luchadores». Aludiendo a este rasgo del temperamento de Unamuno, el que más contribuyó a crear la contrafigura difundida por muchos con su nombre, escribió Benavente: «Me entusiasman esas personas que, sea cualquiera el asunto de que se trata, son siempre de la opinión contraria. No hay que decir si admiraré a D. Miguel de Unamuno»[4]. Añadiré otro testimonio al que nos ofrece esta ironía benaventiana; lo firma el Padre J. Iriarte[5] y nos dice en él de Unamuno: «Fué un excéntrico en toda la extensión de la palabra»; considerando el término «excéntrico» en una de sus acepciones, el juicio podríamos, creo, aceptarlo todos. Su agresividad, aquella tendencia luchadora, nunca cristalizó en Unamuno en una acción pública sostenida y eficiente; se perdía en palabras y gesto. Y es que Unamuno, como Baroja, igual que sus restantes compañeros de generación, más que hombre de acción era hombre soñador, contemplativo e ideólogo; incapaz tanto de adaptarse al mundo en que le tocó vivir como de

[1] Carta a Ramón de Basterra; Salamanca, 20 de junio de 1917.

[2] «A mis lectores»; *Soliloquios y conversaciones*; *Obras Completas*; III, 987. Siempre que sea posible los textos de Unamuno serán citados por la edición definitiva de sus *Obras*, que consignaré con el número del volúmen y la paginación.

[3] Carta a *Clarín*; Salamanca, 10 de mayo de 1900.

[4] J. Benavente: *De sobremesa*; *Obras Completas*; VII, 335; Madrid, 1940.

[5] J. Iriarte: «El biocentrismo de Unamuno»; *Razón y Fe*; 120, 260-87; Madrid, 1940.

LA MADRE DE UNAMUNO

UNAMUNO NIÑO

influir sobre él hasta conformarlo a imagen y semejanza de sus
deseos. En Pío Baroja, que por este flanco de su personalidad
se parece mucho a Unamuno, aquella incapacidad tempera-
mental le indujo a adoptar una actitud nutrida por el resentimiento [1]; idénticas razones llevaron a Unamuno a postura muy
semejante. ¿Fué Unamuno un hombre resentido?; la pregunta,
aunque no me atreva a contestarla categóricamente, merece,
creo, respuesta afirmativa; apoyo esta opinión sobre un texto
del propio Unamuno escrito en un comentario donde rebatía
ciertas afirmaciones del doctor Marañón; el resentimiento, nos
dice allí [2], es «manantial inagotable de rebeldía, y la rebeldía
manantial inagotable de la más alta conciencia espiritual»; a este
resentimiento se le une la envidia: «Marañón —añade Unamuno— conoce mi novela quirúrgica *Abel Sánchez*, y puedo ase-
gurarle que ensayé en mí mismo la pluma-lanceta con que la
escribí». La falta de datos ciertos impide analizar los motivos,
estrictamente personales, que puedan haber contribuído en Unamuno a pensar de aquel modo; no puedo hacer sino señalar su
presencia.

Con la agresividad, exaltándola, aparece, en el temperamento
de Unamuno, la soberbia, la egolatría, rasgo también muy vasco;
definiéndonos la soberbia vasca escribe Ortega y Gasset [3]: «Es
una afirmación que se nutre exclusivamente de la energía individual, que vive en seco de sí mismo»; el diagnóstico orteguiano se
confirma en el ejemplo de Unamuno, quien, hablándonos de
esta faceta de su carácter, reconoce su filiación racial [4]. Esta

---

[1] Cf. Luis S. Granjel: *Retrato de Pío Baroja*; Barcelona, 1953.

[2] «Comentarios quevedianos»; *De esto y de aquello*; V, 174.

[3] J. Ortega y Gasset: «Para una topografía de la soberbia española»;
Goethe desde dentro; *Obras Completas*; IV, 465; Madrid, 1947

[4] «Decirse a sí mismo»; *De esto y de aquello*; V, 928-31.

soberbia, en opinión de Unamuno, le vendría al vasco como reacción desmesurada a una innata timidez; «el más fuerte distintivo del vascongado es la vergonzosidad», escribe Unamuno, y cuando consigue desprenderse de aquella costra que aprisiona su espíritu, el vasco se despeña por el vicio opuesto; tal le habría sucedido a él mismo: «En mis paisanos —añade Unamuno [1]— es fortísimo el temor a desentonar, a salirse de la línea media, a singularizarse. Lo cual hace que cuando rompemos la contención, cuando nos sacudimos de esa vergonzosidad, sea difícil ya detenernos. Al sacudirnos la vergonzosidad solemos ser bastante desvergonzados.» La egolatría fué, precisamente, el rasgo que señaló Unamuno como distintivo de su generación, muy evidente desde luego en su propia personalidad, como acabo de señalar, y tanto como en él en Baroja, el segundo gran prohombre vasco del Noventayocho [2]. Esta mezcla de agresividad, terquedad y egolatría la percibieron en su carácter cuantos trataron a Unamuno; cuenta alguien que compartió con él muchas horas de ocio de su vida profesoral, por los comienzos del siglo: «tiene más que un poquito de soberbia, de fe en sí mismo, de confianza en su cerebro, de insubordinación contra todo lo vulgar, y de espíritu de contradicción y de novedad» [3]; para Baroja, en aquel rasgo tan prominente en la personalidad de su hermano de raza y generación había algo de no normal: «Creo que Unamuno —escribe [4]— tenía mucho de patológico en la cabeza, sobre todo un egotismo tan enorme,

[1]   *Recuerdos de niñez y mocedad*; I, 105-06.
[2]   «Nuestra egolatría de los del 98»; *De esto y de aquello*; V, 331-37.
[3]   «El Unamuno de 1901 a 1903 visto por M.»; *Cuadernos de la Cátedra Miguel de Unamuno*; II, 13-31; Salamanca, 1951.
[4]   P. Baroja: *Desde la última vuelta del camino, III. Final del siglo XIX y principios del XX*; *Obras Completas*; VII, 734; Madrid, 1949.

que lo aislaba del mundo, a pesar de que él creía lo contrario.»
¿Qué impone la soberbia en el hombre a quien domina? Desde
luego, un importante rasgo psicológico, con influencia decisiva
en el plano intelectual, finamente analizado por Ortega y Gasset,
a cuyo testimonio recurro; si lo detallo es porque en Unamuno fué siempre muy evidente. La soberbia, ejemplificada en
el mundo peninsular por el vasco, provoca, viene a decirnos
Ortega, una incapacidad para la comprensión de lo ajeno, de
cuanto acontezca en el mundo circundante y no afecte de modo
inmediato a la personalidad; «dentro de su mundo hermético y
solipsista —escribe [1]— cada vasco vive encerrado dentro de sí
mismo como un crustáceo espiritual»; la mal encubierta hos-
tilidad que inspira la actitud de Ortega y Gasset ante el español
más singular dentro de la cultura nacional contemporánea, señala que aquél rasgo, para él grave defecto intelectual, lo des-
cubrió también en Unamuno; acaso fué tal hallazgo una de las
razones que le impulsaron a destacar como lo hizo esa faceta de
la personalidad psicológica del vasco.

A la soberbia y al egotismo se suma un desmedido afán de
singularidad; en realidad este rasgo se da ya implícito en la
egolatría. Este querer ser único, inconfundible, siempre él
mismo, dominó la existencia entera de Unamuno, hasta el
punto de que por ese caz se derramó buena parte de su sincero
y ferviente anhelo de eternidad, de no morir totalmente cuando
la muerte se lo llevara consigo; deseo de inmortalidad que dió
tema a su labor de escritor y motivó sus donquijotescas andanzas en el escenario de la vida pública española, reprobadas por
unos, aplaudidas por otros y malcomprendidas por casi todos.

---

[1] J. Ortega y Gasset: «Para una topografía de la soberbia española»;
Goethe desde dentro; *Obras Completas*; IV, 465-66; Madrid, 1947.

Uno que le conoció y trató, y ha querido reservar su identidad personal tras el anonimato de una simple inicial, nos cuenta la siguiente anécdota [1]: «anduvimos paseando por una carretera largo tiempo, hablándonos Unamuno...; estuvo explicando la razón de sus sinrazones, el porqué de sus chifladuras y locuras, el fin deliberado, según dice, que se ha propuesto haciéndose aparecer excéntrico y loco, que es el darse a conocer, el dar que hablar, el volver locos a los demás, para que así, formada atmósfera, como ahora dicen, poder hacerse oír y que no pase desapercibido. Todo esto lo exponía con detalles y circunstancias de sus campañas, muy curiosas por cierto». Sánchez Barbudo, excelente comentador de la personalidad de Unamuno, estampa en uno de sus estudios este agudo juicio: «se moría por el aplauso, y por eso agonizó tanto literariamente. Lo que le salva, tal vez, es que, dijera lo que dijese, no todo en él era comedia o novelería» [2]; páginas adelante nos dice que «esa mezcla oscura, romántica, de egotismo y exhibicionismo, pero también de verdadera soledad y verdadera ansia de Dios, es lo que formaba la compleja personalidad de Unamuno». Todo se confabula para nutrir el siempre exasperado individualismo unamuniano, con el que se topa cualquiera que sea la provincia de su personalidad en que penetremos con ánimo indagatorio; un corto rosario de textos de Unamuno, tomados de distintas etapas de su vida, confirmarán al lector en esta conclusión: Le hace decir al original personaje don Fulgencio Entrambosmares,

---

[1] «El Unamuno de 1901 a 1903 visto por M.»; *Cuadernos de la Cátedra Miguel de Unamuno*; II, 13-31; Salamanca, 1951.

[2] A. Sánchez Barbudo: «El misterio de la personalidad de Unamuno»; *Revista de la Universidad de Buenos Aires*; XV, 201-54; Buenos Aires, 1950.

en diálogo con Apolodoro Carrascal[1]: «Extravaga, hijo mío, extravaga cuanto puedas, que más vale eso que vagar a secas. Los memos que llaman extravagante al prójimo ¡cuánto darían por serlo! Que no te clasifiquen; haz como el zorro que con el jopo borra sus huellas; despístales. Sé ilógico a sus ojos hasta que renunciando a clasificarte se digan: es él, Apolodoro Carrascal, especie única. Sé tú, tú mismo, único e insustituíble. No haya entre tus diversos actos y palabras más que un solo principio de unidad: tú mismo. Devuelve cualquier sonido que a ti venga, sea el que fuere, reforzándolo y prestándole tu timbre». Estas palabras, escritas por Unamuno en 1902, reproducen el credo al que siempre fué fiel; porque también Unamuno quiso ser, y ciertamente lo logró, «especie única». Tres años más tarde, comenta así aquella frase de Don Quijote: «no hay otro yo en el mundo» (Parte 2.ª; Cap. 79): «¡No hay otro yo en el mundo! Cada cual de nosotros es absoluto. Si hay un Dios que ha hecho y conserva el mundo, lo ha hecho y conserva para mí ¡No hay otro yo!... Yo soy algo enteramente nuevo; en mí se resume una eternidad de pasado y de mí arranca una eternidad de porvenir»[2]. Dos textos más; el primero lleva la fecha de 1907 y dice así: «Yo no quiero dejarme encasillar, porque yo, Miguel de Unamuno, como cualquier otro hombre que aspire a conciencia plena, soy especie única»[3]; en el segundo, fechado en 1912, se lee lo que sigue: «para mí, el hacerme otro, rompiendo la unidad y la continuidad de mi vida, es dejar de ser lo que soy; es decir, es sencillamente dejar de ser. Y esto,

[1] *Amor y pedagogía*; II, 412.
[2] *Vida de Don Quijote y Sancho*; IV, 371.
[3] «Mi religión»; *Mi religión y otros ensayos*; III, 821.

no; ¡todo antes que esto!»[1]. Aludiendo a este rasgo, ciertamente fundamental en la manera de ser de Unamuno, escribía Ortega y Gasset en un artículo que publicó el diario *La Nación* de Buenos Aires a los pocos días de su muerte[2]: «No he conocido un yo más compacto y sólido que el de Unamuno. Cuando entraba en un sitio, instalaba desde luego en el centro su yo, como un señor feudal hincaba en el medio del campo su pendón. Tomaba la palabra definitivamente. No cabía el diálogo con él.»

Hombre de letras, aún a pesar suyo; justamente lo califica uno de sus comentaristas de «intelectual»[3], importa anotar en este primer esbozo de la figura de Unamuno qué rasgos descuellan en aquella faceta de su personalidad. El que más sobresale entre todos, aparente paradoja, es su resistencia a aceptar para sí el calificativo de intelectual, aunque, como digo, sí lo fué, bien que a su manera, con ejemplar constancia, desde sus mocedades hasta el momento mismo de llevárselo consigo la muerte. Pero todavía más que el título de intelectual, repugnó a Unamuno el mote de sabio; le escribió, hablándole de esto, a Jiménez Ilundain[4]: «aunque pienso por cuenta propia, no soy un sabio ni un pensador. Soy un sentidor»; «no soy un intelectual, sino un pasional», repite en uno de sus artículos[5]. Rechaza aquel calificativo por creer, y no le faltaba razón al sospecharlo, que aceptarlo supondría traicionar el sentido que quiso encarnar en su obra de escritor, el afán instintivo, pre-

---

[1] *Del sentimiento trágico de la vida*; IV, 469.

[2] J. Ortega y Gasset: «A la muerte de Unamuno»; *Obras Completas*; V, 262; Madrid, 1947.

[3] G. Torrente Ballester: *Panorama de la literatura española contemporánea*; 157; Madrid, Ediciones Guadarrama, 1956.

[4] Carta a P. Jiménez Ilundain; Salamanca, 7 de Diciembre de 1902.

[5] «A mis lectores»; *Soliloquios y conversaciones*; III. 986.

intelectual por tanto, que le empujaba a darse en sus escritos y sobre el que había de decirnos en una poesía encabezada con este rótulo: «Monsieur Unamuno, homme de lettres» [1]:

> *¿Hombre de letras? No, que soy tabla,*
> *ni humanista, ni literato;*
> *hombre de humañidad;*
> *soy soplo en barro, soy hombre de habla;*
> *no escribo por pasar el rato,*
> *sino la eternidad.*

El antiintelectualismo de Unamuno, más pretendido que real, tiene, como los rasgos de su temperamento antes enumerados, una filiación racial que él mismo se cuidó de descubrirnos. Haciendo la crítica de *Vidas sombrías*, el volumen de relatos con que ingresó en el mundo de las letras Pío Baroja, escribió Unamuno este curioso párrafo: «se me ha antojado más de una vez que nosotros [los vascos] no hemos nacido para elucubraciones, sino para obrar, y que las tristezas que nos invaden a los vascongados que nos metemos a intelectuales, son análogas a la morriña de un vigoroso cafre, a quien le obligan a ser telegrafista o escribiente» [2]. En su artículo «Alma vasca», vuelve al tema para decirnos ahora: «La inteligencia de mi raza es activa, práctica y enérgica, con la energía de la taciturnidad. No ha dado hasta hoy grandes *pensadores*, que yo sepa, pero sí grandes *obradores*, y obrar es un modo, el más completo acaso,

---

[1] *Cancionero*; 250; Buenos Aires, 1953.
[2] «Vidas sombrías»; *De esto y de aquello*; V, 192.

de pensar.» [1] Son los vascos, nos lo repite muchas veces, hombres de acción, y hombre de acción quiso serlo él también; amor a la lucha por la lucha misma es rasgo distintivo en la caracterología del vascongado, afirma Baroja, y nos lo dice también Unamuno cuando, encaramado en la agreste cima del Aitzgorri, contemplando a sus pies el mapa enmarañado de la tierra nativa, medita sobre ello para terminar con esta alusión personal: «¿Quién sabe si dentro de este rector universitario enjaulado en Salamanca, si dentro de este hosco predicador, no se revuelve prisionero el libre zorro cazador? Lo que ellos, mis nobles antepasados, hacían con la honda o el fusil, ¿no lo hago yo con la pluma?» [2] Su destino le reservaba suerte muy distinta de la que hizo de tantos hermanos suyos de raza guerrilleros, contrabandistas, marinos de altura o audaces hombres de empresa; pero, aún en el mundo de las ideas, que siempre circundó su vida, aquellas inclinaciones raciales pueden servirle de guía, piensa Unamuno, y este deseo nos lo descubre cuando le propone a Ramiro de Maeztu, compañero de generación y vasco como él [3]: «nosotros los vascos somos un pueblo ágil, y hasta ahora sólo se nos conoce por la agilidad corporal, por ser un pueblo de pelotaris: es menester que demos a conocer nuestra agilidad mental y que sabemos también jugar a la pelota con las ideas. Lo importante no deben ser para nosotros las ideas, sino el modo de pelotearlas».

Resta por describir la parcela más importante, también la más íntima, de la personalidad de Unamuno; me refiero a su núcleo creencial, a la actitud religiosa que hizo suya, y en la

---

[1]   *De esto y de aquello*; V, 441.
[2]   «De Oñate a Aitzgorri»; *Por tierras de Portugal y España*; I, 450.
[3]   «Más sobre el japonismo»; *De esto y de aquello*; V, 246.

cual cobraron vida tanto las incidencias más notorias de su existencia histórica como su obra entera de escritor, de polemista apasionado, contradictorio, paradógico, que si buscó el aplauso y la fama fué porque su razón le impedía morar en la única verdad capaz de hacerle creer en una vida donde la muerte no proyecte su sombra. Dos de sus amigos de la infancia, que le conocían bien, Pedro Jiménez Ilundain y Enrique Areilza, coinciden en calificar a Unamuno de hombre religioso. Jiménez Ilundain, ateo convicto y confeso, a quien había seducido aquella irreligiosidad cientifista que tantos adeptos hizo en los últimos decenios de la pasada centuria, le escribía a Enrique Areilza, hablándole del amigo común[1]: «Para mí Unamuno es un enfermo cerebral, atacado de manía religiosa y torturado por el más allá; pero simpático, y que, por lo menos, me causa lástima.» Años después, es ahora Areilza quien juzga, reaparece en la correspondencia que ambos sostuvieron el tema de Unamuno[2]: No podrá mejorarse, diagnostica Areilza, «mientras no se desprenda de la envidia y de la egolatría que le tienen consumido. Deseo que adquiera la firme convicción de su prioridad indiscutible ante Dios y ante los hombres y que el resto de su vida lo pase predicando. Es hombre decididamente perdido para la ciencia. Pero tiene condiciones excepcionales para el púlpito.» Coincide con estas opiniones el parecer de Baroja, quien le dijo en el curso de una interviú a un redactor de la revista *Santo y Seña*[3]: «Unamuno guardaba una seriedad de aldeano que se entozuda en pedirle cuentas a Dios. En realidad,

[1] Carta de P. Jiménez Ilundain a E. Areilza; París, 1899.
[2] Carta de E. Areilza a P. Jiménez Ilundain; 15 de Septiembre de 1905.
[3] «Visitas de «Santo y Seña». Pío Baroja»; *Santo y Seña*; Madrid, 15 de Octubre de 1941.

tenía una mentalidad de gendarme que quiere contestaciones categóricas.» Desprovistos del tono despectivo, y hasta insultante, que enturbia el acierto de los testimonios citados, sus conclusiones van a ser ratificadas por cuantos críticos y comentaristas de Unamuno han tratado el tema; a título de ejemplo, escogiéndola entre muchas que podrían ser aducidas aquí, voy a transcribir la opinión de César Barja [1], para quien Unamuno es «como una figura mística, como un alma poseída del sentimiento y la necesidad de la inmortalidad del alma; es decir, en definitiva, del sentimiento y la necesidad de Dios». Cuanto digamos en los restantes capítulos de esta obra no será, puedo anticiparlo, sino una machacona reiteración de lo que nos afirma el texto que acabo de citar.

Unamuno, preocupado en cierta ocasión por el problema tipológico, buscó dar nueva actualidad a la clasificación paulina que descubría en los hombres tres categorías: «sárcinos», «psíquicos» y «neumáticos» [2]; tras citarla, añadió por su cuenta, llamando a los psíquicos «intelectuales» y a los neumáticos «espirituales» o «místicos», que es su respectiva actitud ante la eterna cuestión religiosa «la principal piedra de toque para distinguir a los intelectuales de los espirituales» [3]. Su filiación en el grupo de los espirituales es indisputable, y nos lo confirma esta afirmación escrita en su más importante obra [4]: «Siéntome con un alma medieval.» Sobre lo mismo, sólo que empleando otros términos, le escribía en una carta a su antiguo discípulo Casimi-

---

[1] C. Barja: *Literatura española. Libros y autores contemporáneos*; 42; Madrid, 1935.
[2] *Rom.* y I *Cor.*
[3] «Intelectualidad y espiritualidad»; *Ensayos*; III, 467.
[4] *Del sentimiento trágico de la vida*; IV, 713.

ro González Trilla [1]: «Al paso que vamos nos hemos de dividir, no en buenos y malos, ni en liberales y católicos, sino en los que anhelamos otra vida, estemos o no seguros de su existencia, y los que, renunciando, desde luego, a ella, se contentan con ésta: en transcendentalistas y terrenales.» Trascendentalista o espiritual, poco hace el nombre, lo cierto es que Unamuno se sabía situado en el campo ocupado por aquellos que oponen a su existencia terrena, caduca, otra perdurable, y que creen firmemente en tal verdad, o aspiran, dudosos, agónicamente, a alcanzar creerla, como era su caso personal. El modo unamuniano de entender la religión, que nunca pasó de ser en él anhelo de creer, hambre de Dios, como se verá, tiene, a su propio juicio, una raíz vasca y otra netamente hispánica; oigámosle hablar de ambas. La raíz hispánica de su religiosidad la expuso Unamuno al comentar en un artículo, publicado en 1902, la obra de M. A. Hume *The Spanish people* (London, 1901); en sus reflexiones enlaza la predisposición religiosa, entendida ésta, repito, a su modo, con el individualismo exacerbado del español, rasgo que en él, concretamente, como ya se vió, alcanza desmesurada importancia; individualismo que, en opinión suya, «explica la intensísima sed de inmortalidad individual que al español abrasa, sed que se oculta en eso que llaman nuestro culto a la muerte» [2] Así generalizada, la tesis de Unamuno podrá ser falsa, pero aplicada a su personal existencia su certeza no admite dudas. Más detenidas fueron las consideraciones que urdió Unamuno acerca de la raíz vasca de su preocupación religiosa. Le escribía, en 1898, a Ganivet [3]: «Conozco entre mis paisanos muchos

[1] Carta a C. González Trilla; Salamanca, 12 de diciembre de 1909.
[2] «El individualismo español»; *Ensayos*; III, 395
[3] Carta a A. Ganivet; Salamanca, 14 de Octubre de 1898

obsesionados por el problema religioso a la manera de cualquier septentrional lleno de subjetivismo religioso.» En 1904, ahora en un artículo, repite esta observación: «No es extraño encontrar en nuestras montañas quienes vivan hondamente preocupados del *gran negocio de su salvación*, en un estado de espíritu genuinamente puritánico. Nuestro sentimiento religioso, hondamente individualista, no se satisface con pompas litúrgicas en que resuenan ecos paganos. Es por dentro un espíritu romano; la de un alma que quiere relacionarse a solas y virilmente con su Dios, un Dios viril y austero.» [1] Cabe discutir, claro, algunos aspectos de esta manera de entender Unamuno la religiosidad vasca, pero lo que no puede negarse es su acierto al destacar el modo como la preocupación religiosa, con uno u otro matiz, prepondera en la psicología del vasco; hecho éste que se confirma no sólo en el propio Unamuno, pues también se evidencia en hombres de su raza y miembros de su propia generación tan destacados como Ramiro de Maeztu, caso que no precisa ser ilustrado, y Pío Baroja, según he demostrado en obra reciente [2]. No deja de ser significativo sobre esto, y no se olvida de recordarlo Unamuno, el que fuesen vascos Ignacio de Loyola, forjador de la Contrarreforma, y el abate de *Saint Cyran*, alma del jansenismo, que fué, habla ahora Unamuno [3], «uno de los más típicos representantes, con Iñigo de Loyola, del genio vasco».

[1] «Alma Vasca»; *De esto y de aquello*; V, 443
[2] Luis S. Granjel: *Retrato de Pío Baroja*; 275-84; Barcelona, 1953.
[3] «Decirse a sí msmo»; *De esto y de aquello*; V, 930.

CAPITULO II

MADRE VIZCAYA

Cuando antes hablaba de la personalidad de Unamuno, fué preciso aludir, con insistencia, a la filiación vasca de sus rasgos más prominentes; en su temperamento ególatra, agresivo y terco, en aquella negativa suya de dejarse calificar de intelectual o de sabio, en su preocupación religiosa sobre todo, advertíamos la huella de un influjo racial, reconocido y aceptado por el propio Unamuno. En este capítulo completaré lo que queda expuesto en el anterior.

Siempre se sintió orgulloso Unamuno de la limpia ejecutoria de su linaje vasco, y no se recata al confesarlo; «creo no tener nada de latino», escribió en cierta ocasión [1]. Los textos más explícitos de esta conciencia de raza se encuentran en su epistolario. Bernardo G. de Candamo reproduce en una antología confeccionada con trozos de sus cartas el siguiente testimonio: «tengo metido en la cabeza que si algo significo —confiesa en él Unamuno [2]— es porque mi raza ha llegado en mí a con-

---

[1] «Sobre la europeización»; *Ensayos*; III, 797.
[2] B. G. de Candamo: «Unas cartas de Unamuno»; *Santo y Seña*; Madrid, 20 de Noviembre de 1941.

ciencia de sí misma. Y téngase en cuenta que yo lo soy [vasco] puro, por los dieciséis costados». En dos cartas de las varias que dirigió a *Clarín* se recogen estas fórmulas de despedida: «Le ofrece un espíritu genuinamente vasco (es mi orgullo, a pesar de mi anticasticismo)»[1]. «A pesar de mis ideas sobre lo castizo —escribe en otra[2]—, una de las cosas que llevo más pegadas al alma es mi casta.» En un artículo fechado en 1911 hace Unamuno, públicamente, profesión de vasquismo; soy vasco, escribe aquí[3], «por todos sesenta y ocho costados, de casta, de nacimiento, de educación, y, sobre todo, de voluntad y afecto». Esta filiación racial que Unamuno tantas veces proclamó, nunca traicionada por él, no le condujo, sin embargo, como a tantos otros vascos, a enfrentarse con los pueblos hermanos de España; la actitud que adoptó Unamuno es idéntica a la que sostuvo Pío Baroja. El vasquismo de Unamuno es castellanista; muchas veces repitió, delectándose en ella, aquella sonada frase de Jaime Brossa en la que se define al vasco como alcaloide del castellano. Citándola una vez, le puso Unamuno el siguiente comentario: «digan lo que quieran los exaltados exclusivistas de mi tierra, los bizkaitarras, cada vez me parece más patente el castellanismo de los vascos... Creo que los vascos somos los que mejor hemos sentido a Castilla, y no me dejarán mentir los cuadros de Zuloaga y las novelas de Baroja. Creo más, y es que hay más de un aspecto íntimo de Castilla y de su espíritu que se lo hemos revelado a los castellanos mismos»[4]. Lo que luego se dirá sobre la manera de entender Unamuno la desér-

---

[1] Carta a *Clarín*; Salamanca, 31 de Mayo de 1895.
[2] Carta a *Clarín*; Bilbao, 26 de Junio de 1895.
[3] «Sobre el imperialismo catalán»; *De esto y de aquello*; V, 508.
[4] «Otro escritor vasco»; *De esto y de aquello*; V, 540.

tica llanura castellana ha de confirmarnos la verdad que encierra esta afirmación suya. Ya en 1900 le escribía Unamuno a Juan Arzadun [1]: «Creo ser hoy uno de los hombres más representativos de nuestra raza vasca —con perdón de esos desdichados que ahora me llaman traidor, mal hijo y renegado—, y si ellos se obstinan en su ceguera y en seguir apegados a sus mezquindades, quédense cantando el *Guernicaco* y hablando de los fueros, que nuestra raza irá conmigo a otros destinos y a otros rumbos.» Para Unamuno, y nunca dejó de pensar así, ser vasco «es ser más español todavía» [2]; significa poseer una conciencia de la españolidad más recia y viva, ardorosa y operante de la que puedan poseer los nacidos en las restantes regiones naturales de la península, incluído el habitante de la alta tierra castellana.

El vasquismo castellanista de Unamuno cuaja, como sucedió en Baroja [3], en una actitud ante la vida vasca muy peculiar, en preferencias y opiniones cuyo conocimiento importa para lograr un entendimiento cabal de su personalidad. Caracteriza a aquella, en primer lugar, su enemiga tanto para el regionalismo carlista como hacia el separatismo de los nacionalistas. De ella deriva asimismo su oposición al vascuence; a la pervivencia del viejo idioma achaca Unamuno el escaso influjo ejercido hasta entonces por Vasconia en el concierto de la vida nacional; he aquí su opinión, reproducida textualmente: «el vascuence se muere sin remedio. Se muere y se debe morir, porque su muerte y la adopción por mi pueblo de un idioma de cultura es el único medio para llevar a la cultura común nuestro

---

[1] Carta a J. Arzadun; Salamanca, 12 de diciembre de 1900.
[2] *La agonía del Cristianismo*; IV, 880.
[3] Cf. Luis S. Granjel: *Retrato de Pío Baroja*; 237-48; Barcelona, 1953.

espíritu y perpetuarlo en ella. Necesitamos hablar castellano, ante todo y sobre todo, para imponer nuestro sentido a los demás pueblos de lengua castellana primero, y a través de ellos, a la vida toda histórica de la humanidad» [1]. Esta tesis fué la que expuso, con escándalo de unos e interesado aplauso de otros, en su famoso discurso de los Juegos Florales de Bilbao, en 1901; María de Maeztu ha relatado en un artículo cuanto allí sucedió [2]. Que las palabras de Unamuno no querían decir lo que algunos se apresuraron a descubrir en ellas, no tardó en hacérselo ver a todos él mismo cuando reanudó la interpretación del problema, hablando ahora en el teatro Calderón de la Barca de Valladolid; lo que aquí dijo sirvió para despertar la airada protesta de los mismos que antes le aplaudieron tontamente. Unamuno pretendía que sus paisanos olvidaran la lengua de sus mayores y aceptasen el castellano como vehículo cultural para de este modo imponer mejor su espíritu, el alma de la raza, en la vida española; «el deber para con España de parte de Vasconia es el de tratar de vasconizarla», pensaba Unamuno [3]. Años antes le exponía así esta misma idea a Juan Arzadun [4]: «Los vascos debemos decir... no que nos dejen gobernarnos, sino que queremos gobernar a los demás, por ser los más capaces de hacerlo. Hay que hacer lo de Italia, en que el Norte se ha declarado contra el Sur, y ha declarado a los napolitanos indignos de gobernarse. Sí, hay que proclamar la inferioridad de los andaluces y análogos, y nuestro deber fraternal

---

[1]   «La crisis actual del patriotismo español»; *Ensayos*; III, 654.
[2]   María de Maeztu: «Visión e interpretación de España.—Vida y romance, Don Miguel de Unamuno, el hombre»; *La Prensa*; Buenos Aires, 25 de Febrero de 1940.
[3]   «La crisis del patriotismo español»; *Ensayos*; III, 660.
[4]   Carta a J. Arzadun; Salamanca, 12 de Diciembre de 1900.

UNAMUNO EN 1883

UNAMUNO A FINALES DE SIGLO

de gobernarlos. Málaga debe ser colonia, y hay que barrer el
beduinismo, o sea el Romero-Robledismo. Yo lo proclamaré,
y si quedo solo, solo quedaré». En 1931, al intervenir en la dis-
cusión que promovió en las Cortes Constituyentes la aprobación
del artículo referente al idioma oficial de la Constitución
republicana, se enfrentó Unamuno con vascos y catalanes para
defender los derechos del castellano a ser idioma de todos los
españoles; exhumó en su oración parlamentaria el viejo recuerdo del discurso en los Juegos Florales de Bilbao, para repetir, una vez más, la consigna que siempre proclamó ante sus
hermanos de raza: «Cuando yo fuí a mi pueblo, fuí a predi-
carles el imperialismo; que se pusieran al frente de España.» [1]
Unamuno supo enseñar con el ejemplo; toda su vida lo confirma, pues no otro sentido tiene su quijotismo. El espíritu de
Don Quijote, sostiene Unamuno, se ha expatriado de Castilla
para renacer en tierra de Vasconia; «así lo he visto —escribe [2]— al componer mi *Vida de Don Quijote y Sancho*, en la
que se transparenta cómo la meditación de la vida del Caballero
de la Fe me ha dado conciencia de lo que ha de esperarse de
mi raza vasca», y pensando en sí mismo, añade: «creo que es
el espíritu de Don Quijote, desterrado de la tierra en que nació
su cuerpo, el que, refugiado en las montañas de mi tierra, protesta de los bachilleres, los curas y los barberos que se han
hecho dueños de la suya». Se acepte o deniegue esta opinión
de Unamuno no podremos negar que él, hombre vasco, ha sido

---

[1] Discurso de Unamuno ante las Cortes Constituyentes de la República, sesión del 18 de Septiembre de 1931; *De esto y de aquello*; V, 586.

[2] «La crisis actual del patriotismo español»; *Ensayos*; III, 654-55.

una de las más logradas reencarnaciones del modo de entender la vida y vivirla que simboliza el inmortal hidalgo.

Aquella honda, sincera y tantas veces reafirmada filiación racial de Unamuno significa en él, y vuelvo a señalar aquí la semejanza que en esto muestra con Pío Baroja, un sentirse enraizado en la tierra que da asiento a la raza, atado con indestructibles lazos a su paisaje. La raza está ligada a la tierra que la sustenta y le presta cobijo, escenario para vivir; en este sentido, nos dice Unamuno, el viejo pueblo euskaldun es «amigo de la montaña que hay que trepar y del océano que hay que domar con los remos o las velas, amigo del cielo gris y de la acción enérgica»[1]. En cada uno de sus miembros, en él por tanto, se renueva esta predilección; pensándolo, o mejor sintiéndolo, escribió Unamuno[2]: «Nosotros mismos somos carne de la carne de nuestros padres, sangre de su sangre; nuestro cuerpo se amasó con la tierra de que se nutrieron ellos, y nuestro espíritu se formó del espíritu de nuestro pueblo»; y esto sucede, viene a decirnos, porque esa herencia, nunca infecunda, sigue nutriéndose en un paisaje que continúa siendo horizonte geográfico para su raza. Ante el caserío de los Jugo, solar de su abuelo materno, cantó Unamuno[3]:

> *Aquí, en la austeridad de la montaña*
> *con el viento del cielo que entre robles*
> *se cierne redondearon pechos nobles*
> *mis abuelos...*

[1] «El «Alma» de Manuel Machado»; *De esto y de aquello*; V, 195.
[2] «La crisis del patriotismo»; *Ensayos*; III, 253.
[3] *Rosario de sonetos líricos*; 46; Madrid, 1911.

Estas consideraciones nos colocan ante un problema que ciertamente importa; es éste el de valorar el influjo que en la personalidad de Unamuno haya podido ejercer el paisaje de Vasconia, tierra nativa suya y de sus antepasados todos. La trascendencia de este influjo, a mi juicio indudable, no ha sido valorada por los comentaristas de Unamuno como merece. La herencia biológica, opina Unamuno, aporta siempre un componente espiritual, y a consolidar los frutos de este influjo con que sobre nosotros obra el pasado del que procedemos, acudirían las emociones que el paisaje puede suscitar, por vía subconsciente, incluso mucho antes de que acontezca nuestro nacimiento a la vida del espíritu; esta doble influencia, reforzándose una a la otra, actuaría conjuntamente para inclinarnos a una compenetración, cada día más total, con la tierra que primero aprendieron a ver nuestros ojos y antes contemplaron nuestros ascendientes: «Muy cierto —escribe Unamuno [1]— que la comarca hace a la casta, el paisaje —y el celaje con él— al paisanaje; pero no tan sólo en un sentido terreno y corpóreo, material, y como de tierra a cuerpo —todo barro—, sino, además, y acaso muy principalmente, en otro sentido más íntimo, especulativo y espiritual, de visión a espíritu todo barro. Quiero decir que no es sólo como alimento de estómago, y por su gea y clima y fauna y flora, como nuestra tierra nos moldea y hiere el alma, sino como visión, entrándonos por los sentidos».

Permítaseme una breve digresión erudita. El «ámbito geográfico», el paisaje, obra, en ocasiones de modo decisivo, sobre el modo de ser del hombre, en su personal existir [2]. Hablando

[1] «Frente a los negrillos»; *Andanzas y visiones españolas*; I, 646.
[2] Cf. Luis S. Granjel: «Circunstancia espacial (geoclimática) y personalidad humana»; *Clínica y Laboratorio*; 32; 350-59; Zaragoza, 1947.

del concepto de «región natural» escribía Ortega y Gasset cómo su mejor definición va a encontrarse «en eso que bajo la retina se lleva el emigrante y en las horas de soledad o de angustia parece revivir cromáticamente dentro de su imaginación» [1], y Unamuno fué siempre, en Castilla, un «emigrante» que nunca dejó de rememorar, saudadoso, la tierra de Vasconia. «Sólo bajo la forma de región —añade Ortega y Gasset— influye de un modo vital la tierra sobre el hombre. La configuración del terreno poblada de sus plantas familiares y sobre ella el aire húmedo, seco, diáfano o pelúcido, es el gran escultor de la humanidad». Cualquier paisaje puede ser adscrito a una de estas tres modalidades arquetípicas: la altiplanicie, el valle o la costa; la altiplanicie, meseta o llanura, es la aridez, mientras que el valle es la obra del río. A cada uno de tales paisajes fundamentales corresponde un modo de vivir, una peculiar manera de entenderlo. En el valle, la fusión del hombre con el paisaje es máxima, y con ello su individualismo se desmesura; el ámbito estrecho del valle disgrega y atomiza las agrupaciones humanas. Y Vasconia es tierra de valles; valles pequeños, sinuosos, flanqueados por elevadas montañas; ayuda a confinar el ambiente del valle vasco su cielo casi siempre embozado en nubes que desflecan los picachos de sus montes. La tierra en el valle se oculta bajo el manto de un perenne verdor; desde las altas cumbres a la honda cuenca del arroyuelo que lo ha formado, con lenta labor de centurias, todo en el valle es verde, y en las mil gradaciones de este color se sosiega el ánimo del hombre; es la naturaleza en el valle regazo maternal que acoge y adormece. Quien conozca Vasconia y haya convivido la existencia de los hombres que allí moran, comprenderá, sin otro

[1] J. Ortega y Gasset: *De Madrid a Asturias o los dos paisajes*; *Obras Completas*; II, 253; Madrid, 1956.

razonamiento, el carácter y la potencia del influjo que aquel paisaje pudo ejercer sobre Unamuno, hombre vasco.

Que la ligazón de Unamuno al ámbito geoclimático del valle, unidad paisajística en que se desmenuza la tierra vasca, fué algo mucho más hondo y perdurable que una transitoria emoción juvenil, nos lo descubre la lectura algo atenta de sus escritos; el paso de los años, cuanto su destino le obligó a vivir, no amenguaron aquel amor a la tierra nativa, más bien lo exaltaron sublimándolo. Unamuno no desmiente con su ejemplo la opinión de Laín Entralgo [1] de que el recuerdo que los hombres del Noventa y Ocho guardaban del paisaje nativo e infantil se componía de tres elementos cardinales y constantes: «la incontaminada pureza de ese paisaje, su transfiguración artística por obra de la personal singularidad de cada poeta y la nostalgia del autor ante un paraíso perdido e incitante». Un breve florilegio de textos de Unamuno nos confirmará en esta afirmación. Escuchémosle. Estamos, con el primer testimonio de los elegidos, en 1905; Unamuno comenta la singular aventura que trajo a Don Quijote su encuentro con el hidalgo vizcaíno don Sancho de Azpeitia (1.ª Parte; Cap. 9); inspirándole el relato, Unamuno se encara con el vencedor, para decirle: «Deja, Don Quijote, que hable de mi sangre, de mi casta, de mi raza, pues a ella debo cuanto soy y valgo... ¡Oh, tierra de mi cuna, de mis padres, de mis abuelos y trasabuelos todos, tierra de mi infancia y de mis mocedades, tierra en que tomé a la compañera de mi vida, tierra de mis amores, tú eres el corazón de mi alma! Tu mar y tus montañas, Vizcaya mía, me hicieron lo que soy; de la tierra en que se amasan tus robles, tus hayas, tus nogales

---

[1] P. Laín Entralgo: *La generación del Noventa y Ocho*; 92; Madrid, 1945.

y tus castaños, de esa tierra ha sido mi corazón amasado, Vizcaya mía.»[1] Cinco años más tarde, en un soneto escrito al partir de Bilbao para Salamanca, exclama despidiéndose de ellos[2]:

> *montes y valles, los de mis entrañas.*

Ha transcurrido sólo un año desde el día en que firmó aquel soneto hasta la fecha de este nuevo testimonio de su inquebrantable amor a Vasconia; dice en él: «Aquellos paisajes que fueron la primera leche de nuestra alma; aquellas montañas, valles o llanuras en que se amamantó nuestro espíritu cuando aún no hablaba, todo eso nos acompaña hasta la muerte y forma como el meollo, el tuétano de los huesos del alma misma»[3]. Seguirán rodando los años por su vida, y está haciéndose y desviviéndose en su fugacidad, y continuará alimentando su ánimo, con igual fervor, el culto a la tierra que le hizo como es. En su Discurso a las Cortes Constituyentes de 1931, antes mencionado, cuando ya la muerte corteja su vida, Unamuno repite una vez más[4]: «Yo vuelvo constantemente a mi nativa tierra. Cuando era un joven aprendí aquello de *Egialde guztietan toki onak badira bañan biyotzak diyo: zoaz Euskalerria* (En todas partes hay buenos lugares, pero el corazón dice: vete al País Vasco)».

---

[1] *Vida de Don Quijote y Sancho*; IV, 148.

[2] *Rosario de sonetos líricos*; 52; Madrid, 1911.

[3] «Ciudad, campo, paisajes y recuerdos»; *Andanzas y visiones españolas*; I, 546.

[4] Discurso de Unamuno en las Cortes Constituyentes de la República, sesión del 18 de Septiembre de 1931; *De esto y de aquello*; V, 576.

CAPITULO III

EL RENOMBRE

Terminaré de perfilar este primer esbozo de la figura de Unamuno repitiendo aquí algo de lo mucho que de él dijeron cuantos le conocieron y cultivaron su trato, incluso lo que la gente, los españoles coetáneos suyos pensaban de hombre que tanto disonaba dentro del mundo en que le tocó vivir; motivó tal extrañeza no tanto la índole de sus ideas, su preocupación, obsesiva, por no morir, como el deseo de singularizarse, aquel afán suyo de destacar para no ser nunca confundido ni olvidado.

Todo en Unamuno ayudaba a separarle de lo que era habitual en la España de su tiempo, igual que sus escritos, sus palabras e intervenciones públicas, su misma figura, la manera de comportarse, los gestos más peculiares. Unamuno tuvo conciencia de ello, y aunque durante algún tiempo, al comienzo de su vida como hombre público y escritor, ayudó a que sucediera así, exagerando cuantos rasgos de su personalidad podían hacer más acusado el contraste, luego no dejó de lamentarlo. He aquí dos testimonios, a los que separa una distancia de medio siglo, de aquel afán de Unamuno de desconcertar y atraer la atención: «Unamuno —escribía, en 1902, alguien que en aquella fecha era habitual contertulio suyo [1]—, si tan cargante es cuando pone el paño al púlpito delante de los demás, así es de sincero y hasta modesto cuando se trata a solas conmigo... Allí en la plaza me encontré con Unamuno y otros; me agregué a ellos; le estuve oyendo echar barrumbadas, y cuando quedamos solos hablamos un poco juiciosamente». Ricardo Gullón, historiando la primera mitad de nuestro siglo, nos dice [2]: «Unamuno, desde Salamanca o desde el destierro, deja oír su palabra reverberada, transida por la angustia existencial; enseña el no-conformismo y la protesta, grita su desesperación y su esperanza, se contradice, polemiza contra todos y también contra sí. Poco a poco se convierte en mito: el mito Unamuno, nacido de su propia palabra». Esta nombradía que se ganó su nombre entre la gente hizo sufrir a Unamuno y contra ella se revolvió en más de una ocasión, no obstante ser él mismo, como dije, el primer responsable de que tal sucediera. Cuando comentaba, dolorosamente impresionado, aquel triste pasaje de la vida de Don Quijote al ser éste paseado hecho espectáculo de indiferentes y burlones por las calles de Barcelona, relacionándolo con su propia existencia, termina por confesarnos: «Ser blanco de la ociosa curiosidad de las muchedumbres; oír que al pasar dicen junto a uno a media voz: «¡ése!, ¡ése!»; aguantar las miradas de los necios que le miran a uno porque se le trae y se le lleva en los papeles públicos, y luego persuadirte de que no conoce tu obra esa gente..., ¿sabéis lo que es esto?, ¿sabéis lo que es eso de que conozcan sólo vuestro nombre y de que os

[1] «El Unamuno de 1901 a 1903 visto por M.»; *Cuadernos de la Cátedra Miguel de Unamuno*; II, 13-31; Salamanca, 1951.
[2] R. Gullón. «Inventario de medio siglo, II. Literatura Española»; *Insula*; *58*; Madrid, 15 de Octubre de 1950.

conozcan en dondequiera, mientras en dondequiera no saben lo que habéis hecho?»[1] Pasan bastantes años de esta fecha, y con ellos las más sonadas aventuras de su donquijotesca existencia, antes de que llegue la hora de escribir esta segunda lamentación; se encuentra Unamuno en Hendaya, en el exilio, ocupado en poner Prólogo a la segunda edición de su libro *Contra esto y aquello;* pensando en el título de esta obra suya, cree, y con razón, que él, nos dice, «ha podido contribuir a cuajar y corroborar en torno mío, envolviéndome y deformándome a conocimiento de los demás, una cierta leyenda que yo, tanto como los otros, he contribuído a formar. La leyenda de ser yo un escritor atrabiliario, siempre en contradicción, no satisfecho con nada ni con nadie y dedicado más a negar y destruir que a afirmar y reconstruir. Lo cual es falso»[2]. Cierta o no esta opinión de Unamuno, no cabe dudar que la índole de sus íntimas preocupaciones, su obra entera de escritor, se vieron inmersas en un clima cultural incapaz de comprenderlas; fué su vida de aquellas que el destino reserva a todo precursor. Con razón dijo de sí mismo en los primeros versos del soneto que tituló, muy significativamente, *Inactual*[3]:

> *He llegado harto pronto o harto tarde*
> *al mundo...*

¿Cómo veía la gente a Unamuno? Retrocedamos al año 1906. En esta fecha Unamuno ha publicado varios libros y docenas de artículos en periódicos y Revistas de España y América; ha dado conferencias —«sermones» las llama él— por todo el

---

[1] *Vida de Don Quijote y Sancho;* IV, 347.
[2] *Contra esto y aquello;* Prólogo a la 2.ª edic.; III, 1.126.
[3] *Rosario de sonetos líricos;* 236; Madrid, 1911.

ámbito nacional; desde hace unos años es Rector; se le discute; se le critica mucho, y algunos, menos desde luego, le ensalzan; polemiza con todos; goza de «renombre» en una palabra. Pues bien, cuanto todo esto es realidad, en aquella fecha, Jiménez Ilundain le escribe desde París [1]: «Se ha creado nombre y autoridad. Ya sus palabras o escritos no caerán, como hubiera podido suceder hace pocos años, en el vacío. Tiene popularidad, es decir, multitud de gentes que le admiran u odian sin conocerle más que de una manera refleja»; para todos, le añade, «es usted un espectáculo, un objeto de análisis, o simplemente una distracción». Uno de los más distinguidos críticos de Unamuno, Julián Marías, nos recuerda cómo fué «durante muchos años un elemento pintoresco, azorante, curioso de la vida española; algo que «había que ver», que se enseñaba... Cuando Unamuno empezaba a hablar o a escribir, esta impresión se acentuaba» [2], y añade, pormenorizando las razones, qué motivos fraguaron la sensación de extrañeza que habitualmente provocaba Unamuno, la cual indujo a muchos a calificarle de «original», «raro», «extravagante», «paradógico», y con otros motes de parecida intención [3]. Reflexión muy semejante a ésta de Julián Marías suscribe, tratando este tema, Cruz Hernández [4]: «Oficialmente era catedrático de griego y profesor ejemplar de esta materia y de filología románica; pero no publicó ni una sola línea de su especialidad. Escribe ensayos,

[1]   Carta de P. Jiménez Ilundain a Unamuno; París, 8 de Marzo de 1906.

[2]   J. Marías: «Genio y figura de Miguel de Unamuno»; *La filosofía española actual*; 32; Buenos Aires, 1948.

[3]   J. Marías: *Ibid.*; 32-9.

[4]   M. Cruz Hernández: «La misión socrática de don Miguel de Unamuno»; *Cuadernos de la Cátedra Miguel de Unamuno*; III, 41-53; Salamanca, 1952.

que a los literatos les parecen pesadotes y filosóficos, y los filósofos los califican de literatura. Escribe novelas que él quería que no fueran novelas, sino *nivolas;* publica su primer libro de versos a los cuarenta y tres años, en pleno triunfo del modernismo y sin el menor eco de Rubén. Y el día que don Miguel sale al escenario todo el mundo está conforme en una cosa: en que aquello, bueno o malo, no es teatro. Como no vive en Madrid, sino siempre en Salamanca, hay quien cae en la tentación de llamarle «provinciano»; pero en seguida se reflexiona: tampoco es provinciano, pues resulta más europeo que los literatos de cafetín de Madrid. A las derechas este inquieto Unamuno les parece un peligroso izquierdista, pero los socialistas le tildan de reaccionario y místico.»

Junto a la opinión que el hombre de la calle tuvo de Unamuno, bien resumida en los textos citados, hay que recoger, y ésta con mayor detalle, la expuesta por quienes intimaron con él y leyeron sus libros. La selección de juicios que voy a transcribir será, dentro de su parvedad, lo suficientemente rica en matices para proporcionar una visión panorámica de la impresión que la personalidad y los libros de Unamuno provocaron en la república de las letras; incluso los psiquíatras, que en todo se meten, han opinado sobre la personalidad de Unamuno, si bien con poca fortuna [1]. El orden con que van a ser citados los textos elegidos espero facilitará al lector la tarea de componer con ellos su propio juicio. Declararán, en primer lugar, los compañeros de generación. Este es el juicio de Pío Baroja [2]: «Unamuno era el aldeano que sale del terruño y se hace rabio-

---

[1]   A. Vallejo Nágera: *Locos egregios;* 56-7; Barcelona, 1947.

[2]   P. Baroja: *Desde la última vuelta del camino, II. Familia, infancia y juventud; Obras Completas;* VII, 499; Madrid, 1949.

samente ciudadano y adopta todos sus hábitos y procedimientos.
Quiso primero ser un escritor español ilustre y después un
escritor universal. Escribió miles de cartas y tuvo su política,
política unamunesca, y llegó a ser conocido en el mundo entero... Ya después de muerto, sin el brazo poderoso que sostenía
el armazón de su obra, ésta se desmorona ...Yo creo que el
bagaje no era grande. Así lo pienso sin entusiasmo y sin odio.
Sus novelas me parecen medianas, y su obra filosófica no creo
que tenga solidez ni importancia. No llega en sus lucubraciones
a esas fantasías a lo Spengler o Keyserling, y mucho menos a
esa penetración aguda de los Bergson y de los Simmel». No es
mi intención, lo advierto, inmiscuirme entre los juicios que aquí
consigne; valórelos cada lector de acuerdo con su propia manera de pensar, pero sí deseo señalar cómo, no obstante la poca
simpatía que siempre mostró Baroja para su compañero de
generación y hermano de raza, destaca en sus palabras una certera apreciación: la de que en la obra unamuniana se perfila
claramente la singular personalidad de su creador, a tal extremo
que si la desgajásemos de ella gran parte de la misma resultaría
incomprensible. Juan Maragall, unido a Unamuno por lazos de
afecto sincero, lo juzga así en una de sus cartas: «Me lo figuro
como uno de los antiguos profetas de Israel, echando rayos y
truenos de palabras sobre sus hermanos para despertarles a la
vida de Dios» [1]; en carta posterior [2], repite: «creo yo que debe
vivir como un profeta de Israel cara a cara con Dios y nada
más... es V. la voz inspirada y estridente en el desierto, que
se oye de lejos, que no se obedece, pero que punza por dentro

[1] Carta de J. Maragall a Unamuno; Barcelona, 17 de Enero de 1907.
[2] Carta de J. Maragall a Unamuno; Barcelona, 31 de Diciembre
de 1909.

y purifica». La semblanza de Unamuno que firma Antonio
Machado la componen estos recios versos [1]:

> *Este donquijotesco*
> *don Miguel de Unamuno, fuerte vasco,*
> *lleva el arnés grotesco*
> *y el irrisorio casco*
> *del buen manchego. Don Miguel camina,*
> *jinete de quimérica montura,*
> *metiendo espuela de oro a su locura,*
> *sin miedo de la lengua que malsina.*
>
> *A un pueblo de arrieros,*
> *lechuzas y tahures y logreros*
> *dicta lecciones de Caballería.*
> *Y el alma desalmada de su raza,*
> *que bajo el golpe de su férrea maza*
> *aún duerme, puede que despierte un día.*
>
> *Quiere enseñar el ceño de la duda,*
> *antes de que cabalgue, al caballero;*
> *cual nuevo Hamlet, a mirar desnuda*
> *cerca del corazón la hoja de acero.*
>
> *Tiene el aliento de una estirpe fuerte*
> *que soñó más allá de sus hogares,*
> *y que el oro buscó tras de los mares.*
> *El señala la gloria tras la muerte.*
> *Quiere ser fundador, y dice: Creo;*
> *Dios y adelante el ánima española...*

---

[1] A. Machado: «A Don Miguel de Unamuno»; *Poesías Comple-*
tas; 246-47; Madrid, 1946.

Y es tan bueno y mejor que fué Loyola:
sabe a Jesús y escupe al fariseo.

Mención especial merecen las opiniones emitidas por el
español que más destacada posición ha alcanzado en la vida intelectual peninsular de nuestro siglo, y cuya actitud, en muchos
aspectos, se contrapone formalmente a la que siempre gustó
mantener Unamuno. Aludo a Ortega y Gasset, quien varias
veces se ha referido a Unamuno en sus escritos, dejando entrever al enjuiciarlo la incomprensión mutua que siempre los dis-
tanció. Algunos de tales juicios pecan de extremosidad, tanto
en la intención que los anima como en la letra que los viste:
«energúmeno español», le llamó en 1909 [1], y en otro artículo
del mismo año dice de él [2]: «Don Miguel de Unamuno, mora-
bito máximo..., entre las piedras reverberantes de Salamanca
inicia a una tórrida juventud en el energumenismo». Más sereno,
más veraz también, es el siguiente texto escrito por Ortega un
año antes que los anteriores: «Unamuno, el político, el cam-
peador, me parece uno de los últimos baluartes de las esperanzas españolas, y sus palabras suelen ser nuestra vanguardia en
esta nueva guerra de independencia contra la estolidez y el
egoísmo ambientes. A él sólo parece encomendada por una
divinidad sórdida la labor luciferina —*Aufklärung*— que en
el siglo XVIII realizaron para Alemania un Lessing, un Klop-
stock, un Amann, un Jacobi, un Herder, un Mendelssohn. Y
aunque no esté conforme con su método, soy el primero en
admirar el atractivo extraño de su figura, silueta descompasada

---

[1] J. Ortega y Gasset: «Unamuno y Europa, fábula»; *Obras Com-*
pletas; I, 129; Madrid, 1946.
[2] J. Ortega y Gasset: «Renán»; *Obras Completas*; I, 457.

de místico energúmeno que se lanza sobre el fondo siniestro y estéril del achabacanamiento peninsular, martilleando con el tronco de encina de su yo las testas celtíberas»[1]. Un último testimonio orteguiano; lo escribió su autor muy pocos días después de la muerte de Unamuno[2], y dice así: «Ya está Unamuno con la muerte, su perenne amiga-enemiga. Toda su vida, toda su filosofía han sido, como las de Spinoza, una *meditatio mortis*. Hoy triunfa en todas partes esta inspiración, pero es obligado decir que Unamuno fué el precursor de ella. Precisamente en los años en que los europeos andaban más distraídos de la esencial vocación humana, que es «tener que morir», y más divertidos con las cosas de dentro de la vida, este gran celtíbero —porque, no hay duda, era el gran celtíbero, lo era en el bien y en el mal— hizo de la muerte su amada.» Américo Castro, coetáneo de Ortega y Gasset, compara a Unamuno con Erasmo, para decirnos que la vida del español estaba hecha, toda ella, «de actitud y postura, también de frenesí psicológico, cuya supervivencia irá unida a la tensión angustiosa de su obra, no a una doctrina ni a ningún asidero lógico»[3]. Unamuno fué enjuiciado, era natural, por todos los sectores ideológicos de la vida española, desde los más firmemente anclados en el catolicismo hasta el representado por los teorizantes del anarquismo ibérico, grupo con el cual, por cierto, mantuvo Unamuno contactos que no pueden ser tildados de casua-

---

[1] J. Ortega y Gasset: «Sobre una apología de la inexactitud»; *Obras Completas*; I, 117-18.
[2] J. Ortega y Gasset: «A la muerte de Unamuno»; *Obras Completas*; V, 261-62; Madrid, 1947.
[3] A. Castro: «Ilusionismo erasmista»; *Aspectos del vivir hispánico*; 132; Santiago de Chile, 1949.

les [1]. He aquí dos testimonios. Firma el primero un sacerdote, el Padre Oromí, y se lee en él: «la posición de Unamuno se mueve completamente dentro del terreno modernista condenado por la Iglesia» [2]. Escribió el segundo Federico Urales, de filiación anarquista, quien opina así de Unamuno: «Para anarquista, le sobra espíritu religioso y le falta mirar recto y *ver claro*. Para socialista, le sobra independencia. Para católico amor y pensamiento. Para ateo, le sobra la esencia de su ser, todo su ser. Donde estaría mejor, aunque no con absoluta propiedad, es en el anarquismo místico, a lo Tolstoi; en el anarquismo cristiano, pero también de allí se escaparía.» [3]

De todos los miembros de la generación del Noventa y Ocho ha sido Unamuno, posiblemente, quien mayor difusión logró dar a su nombre fuera de las fronteras idiomáticas del castellano; contribuyó a ello, desde luego, la postura que mantuvo ante el Directorio presidido por el general Primo de Rivera, durante su voluntario exilio en París, hasta el extremo de que Max Scheler aludió a su destierro para dibujar el sombrío retrato de la vida comunitaria europea en el tercer decenio de la centuria. Del voluminoso número de comentarios que sobre la vida y las obras de Unamuno se han escrito en todos los idiomas cultos da una idea bastante aproximada la bibliografía incluída en el segundo de los dos Apéndices que figuran al final de esta obra. En lugar de transcribir una colección, que siempre resultaría mezquina, de tales testimonios, reproduciré a título

---

[1] Cf. G. Díaz-Plaja: *Modernismo frente a Noventa y Ocho*; 129-36; Madrid, 1951.

[2] M. Oromí: *El pensamiento filosófico de Miguel de Unamuno*; 212; Madrid, 1943.

[3] F. Urales: *Evolución de la Filosofía en España*; II, 211; Barcelona, 1934.

de representación simbólica de cuantos podría aducir, y prefiero silenciar, un texto del Conde de Keyserling, buen conocedor del pensamiento de Unamuno, a quien trató, en Biarritz, en 1926. Escribió la impresión que le causó aquel encuentro en el número 12 del *Weg zur Vollendung* (1926); su recuerdo lo ha revivido en su última obra, y de ella tomo el testimonio prometido: «Como todos los hombres de su índole —escribe [1]—, Unamuno es monomaníaco, y podría acabar en maniático si el destino siguiera imponiéndole mucho tiempo la tragedia exterior y muy especialmente si, además, llegara a desempeñar un papel político (Dios no lo quiera). No sólo es infantil, sino muchas veces de una irreflexión pueril, en su manera de ser un campesino vasco ciento por ciento. Más, ¡qué elementalidad y qué profundidad! En versión española es comparable a los más grandes rusos.» Cerraré esta breve selección de opiniones citando la de Pedro Laín Entralgo, el comentarista que más ha contribuído a conseguir una acertada interpretación del Noventa y Ocho; refiriéndose a Unamuno, recuerda Laín Entralgo aquella famosa frase suya: «De razones vive el hombre y de sueños sobrevive», apostillándola así: «Hablando vivió él, y cuando ya no pudo hablar, murió; soñando sobrevivió, y por sus ensueños ha sobrevivido y pervive entre nosotros.» [2] Cierto es también, antes lo advertí, que la actitud de Unamuno tiene mucho de puro «gesto», y éste es de raíz romántica, como nos lo confirma Sánchez Barbudo al señalar que Unamuno, «hijo del romanticismo en más de un sentido, desolado nieto

---

[1] Conde de Keyserling: *Viaje a través del tiempo, II. La aventura del alma*; 173; Edic. esp.; Buenos Aires, 1951.

[2] P. Laín Entralgo: *La generación del Noventa y Ocho*; 307; Madrid, 1945.

de Rousseau, así como *René* y *Obermann* son sus hijos, si tiene mucho de la desesperación grave de Sénancour, tiene no poco... de la desesperación literaria, exhibida y saboreada, de un Chateaubriand»[1]. Con todo, siempre resultará cierta la siguiente concisa definición de Edin Brennes[2]: «Unamuno es un hombre ejemplar en el sentido cervantino de la palabra».

[1] A. Sánchez Barbudo: «La formación del pensamiento de Unamuno. Una conversión *chateaubrianesca* a los veinte años»; *Revista Hispánica Moderna*; XV, 99-106; New York, 1949.

[2] E. Brennes: *The tragic sense of life in Miguel de Unamuno*; 8; Toulousse, 1931.

LIBRO SEGUNDO

LA CRISIS RELIGIOSA

CAPITULO IV

NIÑEZ Y MOCEDAD

Con el título que encabeza este capítulo rotuló Unamuno una de sus obras más sabrosas, rica en datos de interés para quienes busquen adentrarse en los más celados recovecos de la personalidad de su autor. También aquí, aunque mi propósito no es escribir una biografía al uso, será preciso rememorar no pocos recuerdos de aquellos primeros años de la vida de Unamuno, pues ellos guardan la clave que permite interpretar los cambios que luego había de experimentar su espíritu, las duras tormentas por las que hubo de navegar su existencia, dudoso, vacilante, combatido por encontrados deseos y muy opuestas inclinaciones.

Nació Unamuno en Bilbao, en el viejo Bilbao de las siete calles, la mañana del 27 de Septiembre de 1864; tuvo lugar el suceso en la casa número 16 de la calle de la Ronda. Su padre era oriundo de Vergara; la madre era vizcaína; el primer apellido materno, Jugo, procede de Ceberio. Unamuno se sintió más ligado a la madre que al padre, quien murió, nos cuenta [1],

---

[1] *Cómo se hace una novela*; IV, 973.

«cuando yo apenas había cumplido los seis años y toda imagen suya se me ha borrado de la memoria». La visita al solar materno, que exaltó su afección por Vizcaya, ha sido relatada por Unamuno en *Paz en la guerra* y luego en los *Recuerdos de niñez y mocedad;* también la rememora un soneto de su *Rosario de sonetos líricos* al que anteceden las siguientes palabras: «Junto al caserío Jugo, barrio de Aperribay, en la anteiglesia de Galdácano, Vizcaya.» Fué imborrable el recuerdo que le quedó del Bilbao de su niñez, también novelado en las páginas de *Paz en la guerra,* y del que dijo, años después, que era su mundo, «mi verdadero mundo, la placenta de mi espíritu embrionario, la que fraguó la roca sobre que mi visión del universo posa»[1]. El libro *Recuerdos de niñez y mocedad,* antes nombrado, recoge el pormenorizado relato de su vida infantil[2]. El 21 de julio de 1880 obtiene Unamuno el grado de bachiller, cuyos estudios cursó en el Instituto Vizcaíno de la villa natal, y en el mes de septiembre de aquel año se matricula en la Facultad de Filosofía y Letras de Madrid; tres años más tarde, el 21 de junio de 1883, consigue el título de Licenciado y al siguiente año el de doctor, graduándose con una tesis titulada *Crítica del problema sobre el origen y prehistoria de la raza vasca.* Marchó a la Corte, recién cumplidos sus dieciséis años, con el ánimo comido por la nostalgia: «al trasponer la peña de Orduña —nos cuenta Unamuno en 1902[3]—, sentí verdadera congoja; a las sensaciones que experimentara al darme cuenta de que me alejaba de mi patria más chica [Bilbao], de la sensitiva, uníase el sentimiento de dejar mi patria chica, la

---

[1] «Mi bochito»; *De mi país*; I, 281.
[2] *Recuerdos de niñez y mocedad*; I, 17-120.
[3] *De mi país*; Prólogo; I, 164.

sentimental, y aún más que sentimental, imaginativa; aquella Euskalerria o Vasconia que me habían enseñado a amar mis lecturas de los escritores de la tierra». Años antes había escrito, refiriendo esta emoción a la existencia de Pachico Zabalbide, la contrafigura literaria de su propia mocedad[1]: «Pachico casi lloró tarareando el «Adiyo», de Iparraguirre, al trasponer la peña de Orduña, dejando a su Vizcaya para ir a caer en medio del tumulto de ideas nuevas en que hervía la corte». No le abandona la nostalgia del paisaje familiar, entonces lejano; rememorando estos días de su vida, le contó Unamuno a César González Ruano en 1930[2]: «Madrid me fué hostil desde el primer día... Sólo vivía para recordar mi tierra y soñar en volver a ella». Fuera de sus ocupaciones escolares, que cumple puntualmente, Unamuno frecuentaba el Círculo Vasco-Navarro y la tertulia pública del Ateneo; los domingos, muy de mañana, acudía a la Fuente de la Teja, llevado por el deseo de oir hablar vascuence a las criadas vascas que allí se congregaban a tales horas. Buscando definir al que entonces fué se califica Unamuno de «mozo morriñoso»[3], y en otro artículo, escrito por las mismas fechas, va a decirnos: «Llegué a soñar no recuerdo ya qué ensueños, no de gloria, no, sino de ahincado estudio de mi nativo rincón, en mi Bilbao, al abrigo de un hogar propio, con propia mujer —la que fué después, y sigue siendo, ya muerta, mía—, hogar injertado en mi hogar materno. Era entonces mi ensueño. Mi madre y mi novia me alentaban desde

---

[1] *Paz en la guerra*; II, 67-8.
[2] C. González Ruano: *Vida, pensamiento y aventura de Miguel de Unamuno*; 47; Madrid, 1930.
[3] «Los delfines de Santa Brígida»; *Paisajes del alma*; I, 918-21.

lejos, desde Vizcaya, en mi carrera.» [1] Desde el verano de 1884 y hasta 1891, cuando obtiene la cátedra de Lengua y Literatura griega de la Universidad de Salamanca, vive Unamuno en Bilbao; se ha reintegrado al mundo de su infancia, aunque ya en su manera de ser muy pocos rasgos recuerdan al que entonces fué. Ocupa sus días en la preparación de oposiciones, ejerce la enseñanza privada e incluso durante los años 1890 al 91 explica como profesor agregado un curso de latín en el Instituto Vizcaíno; hace estudios sobre el vascuence y publica los primeros frutos de esta labor suya; se inicia en el periodismo colaborando bajo seudónimo en la prensa local [2]; da algunas conferencias en «El Sitio» y frecuenta las tertulias de esta sociedad liberal fundada por los años de la segunda guerra carlista; cultiva, asimismo, el trato de varios amigos, Pedro Jiménez Ilundain y Enrique Areilza entre ellos, con los que discute sobre lo divino y lo humano mientras pasean incansables bajo los soportales de la Plaza Nueva o entre las hayas de Buya. Varios comentaristas de Unamuno han señalado las atracciones político-sociales que entonces hicieron presa en él: «Unióse con algunos amigos —nos dice Hernán Benítez [3] —aquejados... de juventud enardecida y de impecuniosidad, y fundó un semanario *La lucha de clases*, que fué el primer órgano socialista bilbaíno.» Estos años

---

[1]   «Cruce de miradas»; *Visiones y comentarios*; 105; Buenos Aires, 1949.

[2]   Cf. M. García Blanco: «Unamuno y sus seudónimos»; *Insula*; 20; Madrid, 15 de Agosto de 1947.

[3]   H. Benítez: *El drama religioso de Unamuno*; 118; Buenos Aires, 1949. Cfs. sobre esta faceta de su vida juvenil los trabajos de Indalecio Prieto («Repatriación de Miguel de Unamuno»; *Excelsior*; México, 17 de Noviembre de 1943) y Dardo Cúneo («Unamuno y el socialismo»; *Cuadernos Americanos*; México, 1948).

han sido calificados por el propio Unamuno, y pienso que con razón, como la época más decisiva de su vida [1].

¿Cómo era Unamuno en los años de su adolescencia?, ¿qué emociones conmovían más profundamente su ánimo? Para poder entender lo que luego ha de narrarse importa mucho que sepamos, con algún detalle, qué rasgos perfilaban su personalidad de entonces. Pero antes preguntémonos: ¿Qué es la adolescencia? Significa el tránsito de la infancia a la madurez, y ocasiona en la vida de quien la experimenta una crisis que alcanza tanto a lo biológico como a lo psíquico; afecta a la personalidad entera. La vida del adolescente gravita sobre el instinto sexual, ahora descubierto; la resonancia afectiva de este suceso fisiológico es, casi siempre, enorme; no obstante, precisémoslo ya, en Unamuno aquello sólo tuvo en su vida interior un eco apagado, debido, sobre todo, a la importancia que en su espíritu habían alcanzado, desde los años infantiles, los problemas religiosos y que ahora la pubertad exaltó aún más; añadamos a esto el que en Unamuno siempre predominó lo cariñoso sobre lo puramente instintivo; la temprana fijación de sus impulsos eróticos en la que luego, andados bastantes años, había de ser su esposa, amortiguó la resonancia psíquica de la eclosión puberal, exaltación que, como en todo lo instintivo, es la insatisfacción quien mejor la provoca. Por el contrario, marcaron honda huella en el ánimo de Unamuno los cambios psicológicos que la adolescencia motiva. En el ámbito psíquico, la adolescencia supone, ante todo, el descubrimiento del mundo interior; viven los hombres esta etapa crítica de su existencia vertidos en la propia intimidad, olvidados de cuanto los rodea.

[1] «Nicolás de Achúcarro»; *Sensaciones de Bilbao*; I, 805.

Es ahora cuando se adquiere conciencia de la individualidad personal, pues, hasta entonces, mientras el hombre es niño, se vive fundido a cuanto nos rodea. Desde su «yo» recién descubierto el adolescente verá el mundo con una mirada que lo hace desconocido; la introyección sufrida le hace sentirse, por vez primera, «en un mundo», y con frecuencia «frente a él»: a decir verdad, únicamente así, despegado de su contacto, es capaz de «verlo». Esto obliga al adolescente a forjarse un plan de vida. Se sabe en un mundo, precisa proyectar lo que haya de ser en él su existencia; no puede abandonarse al fácil «dejarse vivir» del niño; el pensar grave y la responsabilidad hacen su aparición. La actitud abstraída, ensimismada, del adolescente trae consigo la primera visión de la soledad íntima; soledad, anotemos, no equiparable a la del niño, siempre exterior, productora del miedo infantil. La soledad del adolescente es interior y se desvela al enfrentarse la finitud de su propio yo, ahora descubierto, con la infinitud de lo no conocible; es una experiencia íntima de vacío capaz de provocar angustia. A Unamuno, la interiorización puberal le hizo encarar el problema de su muerte y lo que tras ella pudiera estarle reservado; estos pensamientos le llevaron a experimentar con sigular hondura la vivencia angustiosa. De la angustia sólo la fe puede salvarnos; comprendemos ahora por qué los sentimientos religiosos de Unamuno, que en él tenían hondas raíces, como se verá, se exaltaron en los años de su adolescencia; lo religioso deja de ser para él una práctica automatizada por la costumbre y se convierte en una necesidad en la cual queda comprometida la existencia entera.

La personalidad adolescente de Unamuno ofrece una doble faz que precisamos conocer. En la primera se muestra el sentido que adquiere su amor por la tierra natal; la segunda revela las primeras consecuencias de la introyección a que le predisponía su temperamento y motivó la edad, y que fueron, con el nuevo sesgo que cobró su preocupación religiosa, ya nombrada, un incrementado afán de saber. Hablaré de ambas con el cuidado que merecen. Su afección al paisaje nativo, a la raza que sobre él habita y de la que es miembro, a su pasado en una palabra, cobra, en el pensamiento de Unamuno, no tanto inusitada importancia como un significado que hasta entonces no poseyó. En torno a este recrudecido amor va a cristalizar su vasquismo; nutre sus románticas ensoñaciones en la lectura fervorosa de *Amaya* y en los libros de Goizueta, Araquistain, Vicente Arana y Trueba, y también en las leyendas que forjó el bayonés Chaho. Aquellas lecturas le hicieron convivir con los recuerdos de un pasado fabuloso; llenaban su cabeza, nos confesará Unamuno [1], «los nombres de Aitor, el viejo patriarca que vino de la tierra donde nace el sol —relacionando *euscaldun*, vasco, con *egusqui* o *eusqui*, el sol—; Lecobide, señor de Vizcaya, el que dicen luchó contra las huestes de Octaviano, señor del mundo; Lelo y Zara; Jaun Zuría o el señor Blanco, que arribó desde Irlanda a las costas de mi patria, y tantos otros sujetos de leyenda»; «Todavía conservo —añade Unamuno— cuadernillos de aquel tiempo, en que en estilo lacrimoso, tratando de imitar a Ossián, lloraba la postración y decadencia de la raza, invocaba al árbol santo de Guernica..., evocaba las sombras augustas de Aitor, Lecobide y Jaun Zuría, y maldecía de la serpiente negra que, arrastrando sus férreos anillos y vomitando humo, horadaba nuestras montañas, trayéndonos la corrupción de allende el Ebro... Y siempre que podíamos nos

---

[1] *Recuerdos de niñez y mocedad*; I, 116-17.

íbamos al monte, aunque sólo fuese a Archanda, a execrar de aquel presente miserable, a buscar algo de la libertad de los primitivos euscaldunes que morían en la cruz maldiciendo a sus verdugos, y a echar la culpa a Bilbao, al pobre Bilbao, de mucho de aquello. Un cierto soplo de rousseaunianismo nos llevaba a perdernos en las frondosidades de la encañada de Iturrigorri.» El testimonio, lo ha comprobado el lector, pone bien al desnudo la naturaleza del vasquismo que alimentó aquél Unamuno adolescente con quien trabamos aquí relación. La exaltación fuerista le llevó incluso a escribir una amenazadora carta anónima dirigida a Alfonso XII por haber refrendado con su firma la ley, amañada por Cánovas, de 21 de julio de 1876, que abolía los privilegios forales del Señorío [1]. Ya estudiante universitario, pensó Unamuno, así nos lo cuenta [2], «escribir una historia del pueblo vasco en dieciséis o veinte tomos en folio»; propósito éste que comunicó a su condiscípulo Práxedes Diego Altuna, el cual decidió ayudarle en tal empeño. A su regreso de la Corte, dominándole otras muy distintas preocupaciones, no dejó de rememorar con algo de ironía al «euskalerriaco» que fué años antes, retratándose en la imaginaria figura de Lope de Zabalarestieta, Goicoerrotaeche, Arana y Aguirre, joven sensiblero convertido en personaje de un artículo [3] publicado en *El Nervión* de Bilbao el 14 de septiembre de 1891.

En su vida religiosa, la adolescencia ocasionó cambios llamados a tener consecuencias decisivas. La religiosidad infantil de Unamuno era firme; los primeros cambios que trajo a su vida la crisis puberal la exaltaron aún más. «Fuí de chico

---

[1] *Recuerdos de niñez y mocedad*; I, 117.
[2] *Ibíd.*; I, 116.
[3] «La sangre de Aitor»; *De mi país*; I, 237-44.

—cuenta Unamuno en una carta [1]— devoto en el más alto grado, con devoción que picaba en lo que suelen llamar (mal llamado) misticismo.» Rememorando los años de la mocedad escribe: «a mis catorce años cumplióse en mí, por lecturas en noches de vela y por la obra de la Congregación de San Luis Gonzaga, la labor de la crisis primera del espíritu, de la entrada del alma en su pubertad»; fueron aquellos, añade, «días en que me empeñaba en llorar sin motivo, en que me creía presa de un misticismo prematuro, en que gozaba de rodillas en prolongar la molestia de ellas» [2]. De entonces data su atracción por la vida religiosa, un creerse llamado al sacerdocio, que años más tarde le relata a Jiménez Ilundain [3] con estas palabras: «Hace muchos años, siendo yo casi niño, en la época en que más imbuído estaba de espíritu religioso, se me ocurrió un día, al volver de comulgar, abrir al azar un Evangelio y poner el dedo sobre algún pasaje. Y me salió éste: «Id y predicad el Evangelio por todas las naciones.» Me produjo una impresión muy honda; lo interpreté como un mandato de que me hiciese sacerdote. Mas, como ya por entonces, a mis quince o dieciséis años, estaba en relaciones con la que hoy es mi mujer, decidí tentar de nuevo y pedir aclaración. Cuando comulgué de nuevo, fuí a casa, abrí otra vez, y me salió este versillo, el 27 del capítulo IX de S. Juan: «Respondióle: Ya os lo he dicho y no habéis atendido, ¿por qué lo queréis oír otra vez?» No puedo explicarle la impresión que esto me produjo. Hoy todavía, después de 16 o 18 años, recuerdo aquella mañana, solo, en mi gabinete. En mucho tiempo repercutió la sentencia en mi

---

[1] Carta a Federico Urales.
[2] *Recuerdos de niñez y mocedad*; I, 84-5.
[3] Carta a P. Jiménez Ilundain; Salamanca, 25 de Mayo de 1898.

interior y el recuerdo de aquellas palabras me ha seguido siempre.» Viviendo esta fase de exacerbada religiosidad, tuvo Unamuno la primera vivencia de su muerte. Es ésta una de las más hondas lecciones que puede depararnos la adolescencia; como dice Laín Entralgo, entonces «el hombre adquiere —súbitamente, muchas veces— la noción de la finitud de su existencia. Para el niño no existe una idea del tránsito de la vida hacia la muerte... El adolescente comienza a serlo cuando advierte, con más o menos lucidez, que «es» algo que podría *no ser*» [1]. En la pubertad, afirma un personaje de Unamuno [2], tiene lugar «el segundo nacimiento»; se nace entonces «a la conciencia de la muerte incesante, de que estamos siempre muriendo». No faltan referencias, en la vida de Unamuno, de este hallazgo de la muerte en la entraña misma de su existencia. Tropezó con ella, apenas púber, al morir uno de sus compañeros de colegio; recordando el suceso, escribió Unamuno esta reflexión [3]: «Es un momento solemne cuando la muerte se nos revela por vez primera, cuando sentimos que nos hemos de morir.» Refiriéndolo a la imaginaria vida de Pachico Zabalbide, contrafigura literaria de sus años mozos, nos relata Unamuno la impresión de angustia que en él alzó una de aquellas previsiones de su muerte. El constante reflexionar, en monólogo interior, de Pachico Zabalbide, cuenta su creador, despertaba en él «la emoción de la muerte, emoción viva que le hacía temblar a la idea del momento en que le cogiera el sueño, aplanado ante el pensamiento de que un día habría de dormirse para no despertar.

---

[1] P. Laín Entralgo: *Las generaciones en la Historia*; 137 y 141; Madrid, 1945.
[2] *Niebla*; II, 842.
[3] *Recuerdos de niñez y mocedad*; I, 51.

Era un terror loco a la nada, a hallarse solo en el tiempo vacío, terror loco que, sacudiéndole el corazón en palpitaciones, le hacía soñar que, falto de aire, ahogado, caía continuamente y sin descanso en el vacío eterno, con terrible caída. Aterrábale menos que la nada el infierno, que era en él representación muerta y fría, mas representación de vida al fin y al cabo» [1]. Lo que se dirá en otros capítulos de esta obra mostrará cómo, desde tan temprana edad, se mantuvo vivaz y operante en su ánimo, sobrecogiéndole siempre, esta visión de la muerte como anonadamiento del existente.

A la religiosidad, así vivida, se unió en la adolescencia de Unamuno un insaciable afán de saber. Supo valorarlo Laín Entralgo al decirnos de él: «La inquietud adolescente de Unamuno —intelectual antes que toda otra cosa, pese a su antiintelectualismo, se prefigura como apetito de saber» [2]. Estamos ante una de las más peculiares reacciones del adolescente. El niño, dije antes, al dejar de serlo, queda enfrentado, desde su recién descubierta intimidad, con un mundo en el que no logra reconocer el de su infancia; esta incomprensión inicial alimenta su necesidad de entenderlo, de saber a qué atenerse acerca de su realidad, le acucia también a desentrañar sus celados secretos. Tanto como el tono de su religiosidad singulariza a la adolescencia de Unamuno el anhelo de saber que entonces le consumía; deseo, lo anticiparé, que lo indujo al peligroso juego de racionalizar su fe y acabó por abandonarlo en el más absoluto descreimiento; de puro querer creer perdió sus creencias, o, para ser más veraces, su fe en ellas. No es esta afirmación una paradoja. Véase cómo pudo suceder. Aquella inquietud

---

[1] *Paz en la guerra*; II, 70.
[2] P. Laín Entralgo: *La generación del Noventa y Ocho*; 117; Madrid, 1945.

intelectual, el ansia desaforada que lo mueve a perseguir el
saber por el saber, tenía raíces muy hondas: «nunca estuve
enamorado de la ciencia —escribió, años después, Unamuno [1]—,
sino que siempre busqué algo detrás de ella. Y cuando, tratando
de romper su fatídico relativismo, llegué al *ignorabimus*, comprendí que siempre me había disgustado la ciencia». ¿Qué le
llevó, entonces, a ella? No creo equivocarme al suponer fué
la propia naturaleza de su fe quien indujo a su espíritu a
buscar por los campos de la razón nuevas pruebas de su verdad;
acaso, sutilizando el análisis, alcanzásemos a ver en ello un temprano e inconciente avistar el peligro que por el camino de
la inteligencia se avecinaba para su fe. Sería, pensando así, un
intento de defenderse con las propias armas del enemigo apenas entrevisto; en todo caso, una argucia peligrosa. Tratar de
racionalizar extremosamente la fe en una creencia, cualquiera
que ésta sea, es exponerse a perderla; tal le sucedió a Unamuno como se verá. Este proceso de racionalización nos lo
relata Unamuno por vez primera al adscribírselo, igual que
tantos otros sucesos de su adolescencia, al personaje Pachico
Zabalbide. «Dedicábase con ardor a la lectura», nos dice de
él [2]; «empeñábase —añade— en racionalizar su fe, iba a los
sermones y se hizo razonador del dogma y desdeñoso... Sus
años de bachillerato habíanle llenado la mente de fórmulas
muertas bajo las cuales vislumbraba un mundo, que le producía
sed de ciencia». Sin recurrir ahora a la ficción de vestir con su
propia vida la de un imaginado personaje, nos cuenta Unamuno,
años después, el mismo suceso: «Enamorábame —escribe [3]—

---

[1]   «Sobre la europeización»; *Ensayos*; III, 785.
[2]   *Paz en la guerra*; II, 67.
[3]   *Recuerdos de niñez y mocedad*; I, 85-6.

de lo último que leía, estimando hoy por verdadero lo que ayer absurdo; consumíame un ansia devoradora de esclarecer los eternos problemas, sentíame peloteado de unas ideas en otras, y este continuo vaivén, en vez de engendrar en mí un escepticismo desolador, me daba cada vez más fe en la inteligencia humana y más esperanza de alcanzar alguna vez un rayo de la Verdad. En vez de llegar, como muchos llegan, a decirse: «nada puede saberse de cierto», llegué a que todos tienen razón y es lástima grande que no logremos entendernos. Por entonces inició sus lecturas de filosofía; estudiando cuarto año del bachillerato, nos dice Unamuno, «leí a Balmes y Donoso, únicos escritores de Filosofía que encontré en la biblioteca de mi padre. Por Balmes me enteré de que había un Kant, un Descartes, un Hegel. Apenas entendía yo palabra de su *Filosofía fundamental*... Me gustaba más la Filosofía, la poesía de lo abstracto, que no la poesía de lo concreto». Tales afirmaciones dieron tema para muchas conversaciones mientras reposaban Unamuno y sus amigos de aquellos años en el Campo del Volantín o paseaban dando vueltas bajo los soportales de la Plaza Nueva. Inspirándoselo este primer entusiasmo metafísico, sigue contándonos Unamuno, «compré un cuadernillo de real y en él empecé a desarrollar un *nuevo* sistema filosófico, muy simétrico, muy erizado de fórmulas, y todo lo laberíntico, cabalístico y embrollado que se me alcanzaba. Y resultaba, sin embargo, demasiado claro» [1]. La piel de estas anécdotas deja trasparentar, y por eso las cito, el doble suceso que en aquellos años sobrevino en su vida y cuyas consecuencias no dejaron ya de gravitar sobre ella; pues el intelectualismo y el anhelo de retornar a la fe de que aquél le privó; en otros términos: religiosidad siempre dudosa, y racionalismo que íntimamente

[1] *Recuerdos de niñez y mocedad*; I, 85-6 y 88.

desprecia son los dos polos entre los cuales se devana el rosario de días de su existencia histórica.

Completan este pergueño de la personalidad de Unamuno en sus años mozos dos rasgos menores que favorecen la preeminencia de los nombrados. El primero de aquellos es la escasa repercusión, ya anotada, que en él tuvieron las inevitables turbaciones eróticas; la siguiente anécdota, narrada por el propio Unamuno, nos lo confirma: «Sobre el misterio de iniquidad, lo que llamábamos hacer cochinadas, quiero pasar en silencio. Me producían verdadero terror aquellos chicos que inducían a otros al mal. Todavía recuerdo la demoniaca risa de Sabas... cuando me vió palidecer y apartar, lleno de miedo más que de vergüenza, los ojos al presentarme cierto grabado» [1]. Se debió esto, posiblemente, no tanto a la integridad con que entonces vivía sus convicciones religiosas como a la fijación cariñosa a la madre y el temprano, casi preadolescente amor que le unió a quien había de ser su mujer. El segundo rasgo lo constituye una emotividad que a duras penas puede contener; también a la encarnación literaria del que entonces fué, a Pachico Zalbalbide, nos cuenta, se le «asomaban las lágrimas en los pasajes emocionales» con que tropezaba en sus continuas lecturas [2]. Paseó Unamuno su romántica sensiblería de adolescente por los alrededores de Bilbao, buscando una rousseauniana entrega a la naturaleza; recordándolo había de escribir, en 1910, su soneto *Al Pagazarri* [3], que empieza así:

> *Ceñudo Pagazarri, viejo amigo*
> *de la tristeza de mis mocedades:*
> *tu soledá amparó mis soledades...*

[1] *Recuerdos de niñez y mocedad*; I, 52.
[2] *Paz en la guerra*; II, 65.
[3] *Rosario de sonetos líricos*; 44-5; Madrid, 1911.

CAPITULO V

EL DESCREIMIENTO

Al llegar Unamuno a Madrid para estudiar en la Corte la carrera de Filosofía y Letras dominaba en sus medios intelectuales el krausismo, importado de Alemania por Sanz del Río. Nos lo cuenta él mismo al hablarnos de Pachico Zabalbide, cambiando sólo la fecha —la verdadera es, ya lo sabemos, la de 1880—, por imposición de la cronología del relato novelesco: «Cuando el año 66, a los dieciocho años de edad, le mandó su tío a estudiar a Madrid, era la época que con el krausismo soplaban vientos de racionalismo» [1]. Fueron éstos los vientos que él bebió afanoso, buscando saciar aquella necesidad de saber que acuciaba su ánimo desde que la adolescencia despertó en él esta nueva inquietud.

Antes de narrar las consecuencias que tuvo para su vida su inmersión en el clima ideológico krausista, haré un apresurado esbozo de la situación cultural dentro de la cual se forjó la actitud intelectual que ya nunca había de abandonar Unamuno, aunque muchas veces deseó romper con aquel racionalismo tan

[1] *Paz en la guerra*; II, 67.

ciegamente acatado en su juventud. Ocurrió todo entre 1880, fecha de su arribo a la Corte, y 1912, año en que publica su *Sentimiento trágico de la vida,* la obra donde muestra, ampliamente explayada, su definitiva postura ideológica, aquella actitud dudosa, oscilante, entre el racionalismo juvenil y el anhelo, siempre creciente, de recobrar la ingenua fe de los años infantiles. Domina en el mundo intelectual europeo de estas décadas la figura de Spencer, en quien se aunan el darwinismo y el positivismo de Comte, y con Spencer, Renan y Taine. El influjo spenceriano aró hondamente en su espíritu: «tuve yo —nos confiesa, años después, Unamuno [1]— mi época de spencerismo, y, sin duda, me enseñó mucho el ingeniero filósofo inglés; pero, afortunadamente, salí pronto de su encanto». Las reacciones filosóficas que con anterioridad a la fecha de 1912 se perfilan oponiéndose a esta orientación del pensamiento europeo, son coetáneas a la remoción que, con idéntico signo, encabeza, en España, el propio Unamuno; el influjo que sobre él pudieron ejercer debe considerarse como muy relativo. El nombre de Unamuno ha de sumarse, por tanto, a los de Dilthey y Brentano, Bergson y William James. Desengañado de su temprano fervor cientifista, spenceriano, Unamuno trabó conocimiento con la obra de Sören Kierkegaard; la lectura del pensador danés ejerció en él una poderosa y duradera influencia. El pensamiento kierkegaardiano encontró en Unamuno su primera gran reencarnación dentro del ámbito cultural latino, y me atrevo a sostener que incluso en nuestros días no ha logrado nuevas reviviscencias que puedan equipararse, por su hondura y fidelidad, a la conseguida en el cuerpo de la obra unamuniana.

---

[1] «Taine, caricaturista»; *Contra esto y aquello*; III, 1241.

Es éste un hecho que habitualmente devalúa o incluso ignora la historiografía de los existencialismos. El mundillo cultural español durante los dos últimos decenios del *Ochocientos* lo pueblan, en el campo filosófico, las últimas generaciones del krausismo, encabezadas por Giner de los Ríos; alzan ya su voz los primeros regeneracionistas, destacando entre todos Costa, y son figuras preeminentes de la literatura *Clarín* y Menéndez Pelayo, don Juan Valera y Pérez Galdós. Escriben novelas Pereda y Alarcón, el Padre Coloma, la Pardo Bazán, Picón y Palacio Valdés; se hacen populares la poesía de Campoamor y Núñez de Arce, aún escribe Zorrilla y se recuerda a Bécquer; el teatro representa obras de Tamayo, Ayala y Echegaray.

Traía Unamuno a su llegada a la Corte un pobre bagaje filosófico, el que pudo suministrarle la lectura de Balmes; sus libros, escribió años después, «fueron compañeros de las melancolías trascendentales de mi pubertad de cuerpo y de espíritu»[1]. Un párrafo subrayado por él en una de aquellas lecturas descubre, mejor que un largo análisis, la situación íntima que debía embargarle en sus primeras incursiones por el campo de la filosofía: «es significativo para mí —dice el texto a que aludo[2]— encontrar que mi antepasado —es decir, yo mismo a mis catorce o dieciséis años—, señaló este pasaje del párrafo primero del capítulo 21 de *El Criterio*, donde dice: «La vida es breve; la muerte cierta; de aquí a pocos años, el hombre que disfruta de la salud más robusta y lozana habrá descendido al sepulcro y sabrá, por experiencia, lo que hay de verdad en lo que dice la religión sobre los destinos de la otra vida». ¡Qué

---

[1] «Un filósofo del sentido común»; *Contra esto y aquello*; III, 1183.
[2] *Ibíd.*; III, 1184.

«mío» era ese mi antepasado que señaló ingenuamente, en sus preocupaciones juveniles, este pasaje!». En Madrid Ortí y Lara, su profesor de metafísica, se la enseñó por el texto del cardenal Fray Ceferino González; el escaso fruto que obtuvo de este compendio del tomismo contrasta con la influencia que en él ejercieron sus lecturas de Hegel, de Kant, de Fichte y Schelling; con razón pudo decir Unamuno, recordando aquellos años de su juventud universitaria: «he sido un devoralibros, sobre todo, de mis dieciséis a mis veintiséis años»[1]; aprendió el alemán traduciendo la *Lógica* de Hegel[2]. Su curiosidad intelectual, nunca saciada, lo llevó por todos los campos del saber; hablándole de ello, le escribía Unamuno a Federico Urales[3]: «Difícil me sería precisar los orígenes de mi pensamiento, porque en un periodo de diez o doce años, del 80 al 92, leí enormemente y de cuanto caía en mis manos, sobre todo de psicología (de psicología fisiológica, Wundt, James, Brain, Ribot, etc., a que he hecho unas oposiciones) y de filosofía (he hecho otras a metafísica), aparte de mis estudios filológicos. Pero siempre he leído de todo, física, química, fisiología, biología, hasta matemáticas. No hace mucho estudié geometría proyectiva pura». Con los filósofos y los hombres de ciencia, figuran en este apunte, desde luego incompleto, de las influencias que obraron sobre el espíritu de Unamuno, unos cuantos poetas: Leopardi, Carducci, Wordsworth, Coleridge y Burns, por quienes nunca dejó de mostrar entrañado afecto. También

---

[1] «Almas de jóvenes»; *Ensayos*; III, 474.
[2] «Los delfines de Santa Brígida»; *Paisajes del alma*; I, 918.
[3] Carta a Federico Urales.

fué decisiva la huella que en él dejaron sus lecturas de Carlyle [1].

Destaca en este periodo de formación intelectual de Unamuno, en primer término, la casi nula influencia que sobre él ejerció la Universidad: «más importante que el ambiente universitario —opina Ferrater Mora [2]— fué, sin duda, el enfrentarse con la persona o la obra de las figuras entonces dominantes», cuanto le enseñaron sus lecturas hechas sin que nadie le guiara en aquella travesía; son tales lecturas el segundo rasgo que aquí se hace preciso consignar; generalizando el juicio a cuantos componen el grupo Noventayochista, escribe Laín Entralgo [3]: «en el conjunto de las lecturas comunes a todos los futuros literatos del 98 predominan dos notas distintivas: son, en su mayor parte, lecturas «europeas» y «modernas». A través de la literatura, del ensayo, del relato histórico y del libro filosófico, entran sus almas en inmediato contacto con la Europa «moderna» —tómese este vocablo en su sentido historiográfico más estricto— y descubren la deslumbradora y terrible aventura hacia la total secularización de la vida que desde el siglo XVII, y aun desde más atrás, había emprendido el europeo». Entre 1880 y 1884, fechas que limitan los años de vida universitaria de Unamuno en Madrid, el influjo krausista, antes lo indiqué, es decisivo en los medios intelectuales de la Corte, y la evolución ideológica de Unamuno en aquellos años es una buena prueba de la verdad de este aserto; hablando, impersonalmente, de sí mismo, va a decirnos Una-

[1] Cf. C. Clavería: «Unamuno y Carlyle»; *Temas de Unamuno*; 9-58; Madrid, 1953.

[2] J. Ferrater Mora: *Unamuno. Bosquejo de una filosofía*; 21; Buenos Aires, 1944.

[3] P. Laín Entralgo: *La generación del Noventa y Ocho*; 120-21; Madrid, 1945.

muno cómo el mozo «morriñoso» que él fué, vivió, entonces, «enfrascado en libros de caballerías filosóficas, de los caballeros andantes del krausismo y de sus escuderos» [1]. Lo que más importaba en tal influencia era el carácter religioso de aquella doctrina filosófica, sucedáneo, en muchos, de un cristianismo creído y practicado rutinariamente; en su versión española fué el krausismo, nos dice Pierre Jobit [2], «una manifestación del pensamiento religioso; repitamos con Sanz: una religión». Las ideas religiosas de Unamuno, afirma el Padre Oromí [3], «están completamente de acuerdo con la tradición krausista española; la importancia de este influjo es indudable, pues, si bien es cierta la afirmación de que los hombres del Noventa y Ocho son «verdaderos herederos del krausismo», nos dice el autor que cito [4], «lo que heredó la generación del 98 no es un sistema —el de Krause o el de Sanz del Río—, es, simplemente, un espíritu más o menos concretizado, un ambiente, una tendencia no bien delimitada, una filosofía que se difundió en formas literarias»; concretándose a la personalidad de Unamuno, añade el mismo autor, no existe relación de dependencia directa entre su ideología filosófica y aquella en que creían los krausistas; es sólo en su actitud religiosa donde se evidencia una indudable semejanza.

Esta formación intelectual de Unamuno que vengo historiando; sus incursiones, sin control ni mesura, por los reinos

---

[1] «Los delfines de Santa Brígida»; *Paisajes del alma*; I, 918.

[2] P. Jobit: «El problema religioso del krausismo»; *Cuadernos de Adán*; II, 61-107; Madrid, 1945. Cf., del mismo autor: *Les éducateurs de l'Espagne contemporaine*; París, 1936.

[3] M. Oromí: *El pensamiento filosófico de Miguel de Unamuno*; 184; Madrid, 1943.

[4] M. Oromí. *Ibíd.*; 51.

de la especulación filosófica, alimentó aquel adolescente empeño suyo de racionalizar la fe religiosa que confesaba, impuso a tal propósito nuevos rumbos y terminó por abandonarle en el descreimiento. El suceso nos lo narra Unamuno, con pasmosa sencillez, atribuyéndoselo a la libresca existencia de Pachico Zabalbide: «como un niño con un juguete nuevo diose a jugar con su razón, poniéndose a inventar teorías filosóficas, pueriles y simétricas ordenaciones de conceptos, como resoluciones de problemas de ajedrez»[1]. Enjuiciando este proceso, ha escrito el Padre González Caminero[2]: «Unamuno cayó en la apostasía por un afán desordenado de racionalizar la fe. El desorden estuvo en la ausencia de dirección y de ninguna cautela ante las asechanzas de la ideología moderna, nacida en su origen con la finalidad, explícita o implícita, de socavar la unidad y firmeza de las creencias católicas». Las trascendentales consecuencias que en su vida tuvo su descreimiento nos obliga a detallar algo más la faz anecdótica de tal acontecimiento. Voy a limitarme a reproducir algunos de los varios relatos que de él nos ofrece Unamuno. En 1932, ya anciano, paseando por las calles del Madrid republicano añoranzas de sus años juveniles, rememora al que fué en aquellas lejanas fechas; los recuerdos le llevan a hablarnos, citándose impersonalmente a sí mismo, de la iglesia, «de estilo jesuítico, de San Luis, donde quebró la seguida de sus misas regulares»[3]. La primera versión pública de su descreimiento es la que, cediéndoselo a su encarnación literaria, vive

[1] *Paz en la guerra*; II, 68.
[2] N. González Caminero, S. J.: *Unamuno, I. Trayectoria de su ideología y de su crisis religiosa*; 56; Comillas, 1948.
[3] «Los delfines de Santa Brígida»; *Paisajes del alma*; I, 918.

Pachico Zabalbide en los años de estudiante en la Corte; hela aquí [1]: «El primer curso iba a misa todos los días y comulgaba mensualmente, pensando mucho en su país, más que en el real en el fantástico que le habían dado sus lecturas, y lleno de una soñadora melancolía... Seguía a la vez trabajando en su fe, preocupándole más que otra cosa el dogma del infierno, el que seres finitos sufrieran penas infinitas. La labor de racionalizar su fe íbala carcomiendo, despojándola de sus formas y reduciéndola a sustancia y jugo informe. Así es que al salir de misa en la mañana de un domingo —hacía tiempo que no iba a ella sino en los días festivos—, se preguntó qué significaba ya en él tal acto, y lo abandonó desde entonces, sin desgarramiento alguno sensible por el pronto, como la cosa más natural del mundo». En 1895; dos años antes de publicarse su novela *Paz en la guerra*, le había hablado ya Unamuno de aquél suceso de su vida a *Clarín;* se lo refirió con estas palabras [2]: «Hace tiempo que tengo en proyecto escribir un cuento que se reduzca a esto: Llega a Madrid un muchacho llevando en su alma una honda educación religiosa y sentimientos de delicada religiosidad; bajo esa capa protectora que les aisla de cierto ambiente se robustecen sus sentimientos morales de profunda seriedad de la vida, y llega un día en que no necesitando de la cubierta y resultando pequeña ésta la rompen. En puro querer racionalizar su fe la pierde (así me sucedió), como lleva a Dios en la médula del alma no necesita creer en él; es acto reflejo; todo ello ha sido labor interna, es hondamente religioso y no necesita ser creyente». Este testimonio de su descreimiento, disfrazado de guión novelesco, ofrece con el relato del hecho

---

[1] *Paz en la guerra;* II, 68.
[2] Carta a *Clarín;* Salamanca, 31 de Mayo de 1895.

un intento de justificación; el texto de otra carta suya [1], que paso a transcribir, nos da una versión más limpia del modo como sucedió aquello: «Proseguí en mi empeño de racionalizar mi fe, y es claro, el dogma se deshizo en mi conciencia. Quiero decirle con esto que mi conversión religiosa (tal es su nombre) fué evolutiva y lenta, que habiendo sido un católico practicante y fervoroso, dejé de serlo poco a poco, en fuerza de intimar y racionalizar mi fe, en puro buscar bajo la letra católica el espíritu cristiano. Y un día de carnaval (lo recuerdo bien), dejé de pronto de oír misa. Entonces me lancé en una carrera vertiginosa a través de la filosofía. Aprendí alemán en Hegel, en el estupendo Hegel, que ha sido uno de los pensadores que más honda huella han dejado en mí. Hoy mismo creo que el fondo de mi pensamiento es hegeliano. Luego me enamoré de Spencer; pero siempre interpretándolo hegelianamente. Y siempre volvía a mis preocupaciones y lecturas del problema religioso que es el que más me ha preocupado siempre. Bastante más tarde leí a Schopenhauer, que llegó a encantarme y que ha sido, con Hegel, de los que más honda huella han dejado en mí». Una el lector a estos nombres, aquí citados, los de cuantos se han nombrado en las páginas de este mismo capítulo y tendrá completa la lista de influjos que asediaron el pensamiento de Unamuno cuando éste se creyó libre de la férula dogmática que hasta entonces mantuvo erguida en él la fe que aprendió a creer en los años de la infancia. El doble texto epistolar transcrito, y con ellos la versión novelesca también reproducida, nos permiten asistir al proceso en que se consumó el descreimiento de Unamuno, raíz de su actitud agónica, dudosa, que hizo presa en su ánimo cuando ya la juventud se preparaba a abandonarle.

[1] Carta a Federico Urales.

CAPITULO VI

LOS AÑOS DE BILBAO

En el joven doctorado que regresa a Bilbao el verano de 1884 es difícil reconocer al mozo «morriñoso» que atravesó cuatro años antes la divisoria de Orduña, camino de Madrid, tarareando, nostálgico, una canción de Iparraguirre; queda poco en el que ahora es de aquel sentimental «euskalerriaco». Intelectualmente, ha superado su inicial formación balmesiana; otras preocupaciones dominan sus pensamientos; por último, y en esto radica la discrepancia mayor con su personalidad de ayer, su firme fe religiosa, sus creencias, se han disipado, sin apenas dejar rastro, así lo cree él cuando menos, anegadas por la riada de lecturas, preferentemente filosóficas, a que se entregó en la Corte. Vuelve Unamuno a Bilbao, atraído por varios motivos que siguen importándole tanto como antes: la madre y la joven de Guernica que espera hacer su esposa; los amigos, con quienes vuelve a compartir ideas y afanes, Jiménez Ilundain, Areilza, y cuantos se reúnen en la tertulia del *Lion d'Or* bilbaíno [1];

---

[1] Cf., A. de Ergoyen: «Las antiparras de Unamuno y la melena de Eguilor»; *La Estafeta Literaria*. núm. 7; Madrid, 15 de Juino de 1944.

regresa para entregarse más plenamente al estudio y asegurar, pasando por el portillo tan hispánico de las oposiciones, su porvenir económico. De su vida cotidiana en la ciudad natal algo se dijo en un capítulo anterior; lo que ahora he de relatar se referirá, exclusivamente, a las vicisitudes por las que iba a pasar su descreimiento. Nuevamente en el hogar, abrigado su ánimo por el paisaje nativo, aquella firme decisión de deshacer los últimos lazos que le ataban a sus creencias religiosas, tan fácilmente rotos en Madrid, se sentirá agitada por inquietudes no esperadas, que, por desgracia, no fueron, sin embargo, lo suficientemente fuertes para devolverle a la fe perdida.

También Pachico Zabalbide, por quererlo así su creador, revive en su novelesca existencia tal episodio de la vida íntima de Unamuno. «La vieja fe forcejeada por renacer —se lee en la novela que guarda el relato de su vida [1]—, y pasó Pachico una crisis de retroceso... Vivía vida interior, acurrucado en su espíritu, empollando sus ensueños. Era su estado espiritual el de aquellos que sobre la base de la fe antigua, dormida y no muerta, han cobrado otra nueva, con vagos anhelos a una fe inconsciente que uniera a las dos... Tenía momentos de desaliento». Viviendo este combate interior, abstraído en él, Pachico Zabalbide, como antes, claro, Unamuno, vuelve a transitar los senderos de la montaña, que tantas veces recorriera de niño. La descripción de sus contradictorios y alternantes estados de ánimo están dibujados con la suficiente minucia y tienen sobrada importancia como para justificar su transcripción literal. Recogido en sí mismo, mientras su mirada contempla el paisaje tan familiar, cuenta Unamuno de su perso-

---

[1] *Paz en la guerra*; II, 69.

naje, «recorría en su conciencia los combates de ideas que en ella se libraron durante su época de crisis intelectual. Uniformadas en expresión concreta; desligada cada una de ellas de su mundo propio, de aquel en que nació; disciplinadas en columnas de argumentos dialécticos; sometidas a la táctica formal de la lógica, y guiadas por la razón, habían llenado las ideas su mente con batallas, marchas, contramarchas, encuentros, emboscadas y sorpresas. Y jamás observó que llegaran a choque verdadero, sino que siempre iban disipándose las unas a medida que se dibujaban más definidas y claras las otras, abandonando aquéllas el campo para que éstas lo ocuparan. El ejército de sus viejas ideas, que parecía vencido y deshecho, se rehacía a las veces, volviéndole a la carga con impetuoso arranque... Y por debajo de aquellas refriegas mentales palpitábale inmenso y oscuro el mundo de las pacíficas impresiones, de las humildes imágenes de las cosas cotidianas, continuo sustento de su mente... ¿Qué eran aquellas pretendidas angustias de la crisis íntima, cuando se calmaban, como por ensalmo, al ponerse él a comer, por ejemplo? Mera sugestión, ilusión pura, comedia de la duda... Por fin la paz interior se había hecho en él, y disueltos los contrarios ejércitos de sus ideas, vivían las de uno y otro en su conciencia, como hermanas, trabajando en común... En el seno tranquilo de esta paz interior pensaba Pachico con su ser todo, no sólo con su inteligencia, sintiendo la honda vida de la fe verdadera, de la fe en la fe misma, penetrado de la solemne seriedad de la vida, ansioso de verdad y no de razón. Sólo al encontrarse ante los libros o en las rarísimas discusiones que sostenía aún, se le despertaba algo de las viejas luchas, pareciendo querer correr sus ideas a alistarse en opuestos ejércitos combatientes; más aún esto en fría representación... En momentos de inesperado sobresalto, de sobresalto que parecía brotar del misterio de las tinieblas de su ser, rezaba sus oraciones de la niñez sintiendo a su perfume dulce y difuso aquietársele el alma y evocársele el mundo neblinoso que vive en las oscuras entrañas de la inconsciencia, en los hondos senos, donde no llega el rumor del oleaje de las ideas, sus ondas superficiales»[1]. Compare el lector este complejo juego de contrapuestas inclinaciones, de deseos dispares, que ahora batallan en la intimidad de Pachico Zabalbide, como antes pelearon en la de Unamuno, con la sencillez, sólo aparencial, con que primero Unamuno y después su encarnación literaria abandonaron la fe infantil consumando un callado proceso de descreimiento. Al final de la novela en cuyo ámbito vive su existencia Pachico Zabalbide su creador vuelve a darnos noticias suyas; nos habla de él para contarnos cómo logró ir venciendo su interna contradicción y poner en ella paz, paz efímera desde luego, equívoco compromiso entre dos actitudes, creyente una, escéptica la otra, que no cabía cohesionar de modo definitivo. A Pachico, cuenta Unamuno, «se le va curando, aunque lentamente y con recaídas, el terror de la muerte»; convive mucho con la naturaleza, y en sus frecuentes escapadas a los montes que ciñen su Bilbao, «siente hondo sentimiento de libertad radical en las íntimas entrañas: la libertad de enajenarse en el ambiente quedando por él poseído»[2].

Once años anterior a esta reviviscencia novelesca de su descreimiento y la crisis religiosa que a él siguió, ya Unamuno había convertido en tema literario aquellas íntimas preocupaciones que empezaron a obsesionarle a su regreso de Bilbao;

[1] *Paz en la guerra*; II, 273-74.
[2] *Ibíd.*; II, 321-22.

UNAMUNO A PRINCIPIOS DE SIGLO

UNAMUNO Y SU ESPOSA.-1916

las encarnó entonces en un personaje a quien llama Juan; la
narración en la que nos lo presenta se titula «Ver con los ojos»,
y la publicó *El Noticiero Bilbaíno* el 25 de octubre de 1886[1];
iba firmada con el seudónimo «Yo mismo». Tenía Unamuno
en aquella fecha veintidós años y hacía poco más de dos que
había regresado de Madrid. Conozcamos al personaje. Juan, en
su mocedad alegre y bullicioso, infatigable juguetón, ha regresado de la Corte profundamente cambiado, como le ocurrió
a Pachico Zabalbide, como le sucedió, antes que a ambos personajes, al propio Unamuno; «desde que había vuelto de la
capital en que cursó sus estudios mayores —nos cuenta su
creador[2]—, Juan vivía taciturno, huía todo comercio con los
hombres y hasta con los animales, buscaba la soledad y evitaba
el trato. Por el pueblo rodaban de boca en boca sus extraños
dichos, o mejor dicharachos, amargos y sombríos, pensamientos teñidos no con el verde de los campos de su aldea, sino
con el triste color de las callejuelas de la capital». Transfor-
mación muy semejante a ésta fué la que experimentó, recuerde
el lector, la personalidad de Pachico Zabalbide; también Pachico «era en el trato con los demás corriente, aunque reputado
de chiflado serio. Hablaba mucho, pero siempre desde dentro,
molestando a muchos su conversación por fatigosa y pedan-
tesca, pues quería llevar la batuta en ella, volviendo terca-
mente a su hilo cuando se lo cortaban»[3]. Este rasgo en que
coinciden los dos personajes, patentiza, no cabe duda, uno de
los que ya por entonces debía sobresalir en la personalidad de
Unamuno, y al cual los años no hicieron sino exagerar más

---

[1] *De esto y de aquello*; V, 965-72.
[2] *Ibíd.*; V, 966.
[3] *Paz en la guerra*; II, 70.

todavía. Tema frecuente de las amargas reflexiones de Juan, sobre el que debió pensar mucho su creador, es el de la vida, y en él, una faceta de su problematicidad que el personaje formulaba así: «La vida, ¿merece la pena de que se la viva?»; enhebrándolos en esta interrogante, Juan discurre, quienquiera que sea su interlocutor, en pos de los pensamientos que tal consideración le sugiere. Y no sólo esto, pues aumentaba la extrañeza que el modo de ser suyo despertaba entre quienes le hablablan el que en sus conversaciones «hacía alarde de sentimientos hostiles a las creencias de sus convecinos, y a renglón seguido de negar todo más allá, del más allá, les enjaretaba una larga homilía a cuenta de la vanidad de las cosas humanas» [1]. De nuevo tropezamos, en esta otra cara de la personalidad de Juan, con un rasgo de la contradicción religiosa vivida por su creador en la fecha en que dió vida a tal personaje. El texto que sigue, pieza esencial para conocer el modo de pensar de Unamuno en aquellos años de remoción íntima, se nos ofrece como escrito por el propio Juan, cual si fuese un intento de expresar la naturaleza de su constante reflexionar: «La vida —le dicta Unamuno a su criatura [2]— es un monstruo que se devora: sufre al sentirse devorada, y goza al devorar. Los placeres se olvidan luego, persisten los dolores amargando la vida. Mañana, cuando esté más sereno el día, más claro el cielo y más tibio el aire, se extinguirá la lámpara, y perdidos en nuevas combinaciones rodarán los elementos de la conciencia. Dices, ¡ya viene!; y cuando extiendes los brazos vuelves la frente mustia y exclamarás: ¡es tarde, ya pasó! Da vueltas el mundo

---

[1] «Ver con los ojos»; *De esto y de aquello*; V, 966.
[2] *Ibíd.*; V, 969-70.

y al año vuelve al punto de que partió, siempre en torno del sol sin alcanzarle nunca, que si acaso le alcanzara nos reduciríamos a polvo. ¿Por qué será el mundo como es? ¡Libertad, libertad! ¡Ah, necios! ¿Quién nos librará de nosotros mismos? Sombra de sombra es todo, y la luz que la proyecta, luz fría y fuego fatuo. Ver todos los días salir el sol para hundirse, y hundirse para volver a salir. Yo pagaré con minutos como horas mis pasadas horas como minutos; el tiempo no perdona. Nací, vi el mundo, no me gustó, ¿es esto tan extraño? ¡Triste del alma que camina sola! Y, ¿dónde encontrar un alma hermana? Comer para vivir y vivir para comer, horrible círculo vicioso, ¡quién pudiera vegetar! Como un parásito que se agarra a un árbol para nutrirse, así se han agarrado a las últimas telas de mi cerebro estas ideas para atormentarme. No hay cosa más hermosa que dormir, cerrar los ojos y perderse. Hay más bocas que pan, hay más deseos que dichas. Tú sufrirás, y cuando hayas acabado de sufrir volverás a sufrir de nuevo. Consuelos y no ciencia me hacen falta. Yo soy mi mayor enemigo, yo amargo mis alegrías, yo aguzo mis pesares. ¿Dónde están el cielo de mi aldea, los pájaros que anidaban en mi casa? Tú tienes en tu mano el sueño, déjalo caer sobre mí y no me lo quites nunca, dame un sueño sin despertar...»
¿Consiguió el personaje hurtar su existencia de tal aflictiva situación? Lo logró, sí, como también, según se vió, creyó alcanzarlo Pachico Zabalbide, aunque por distinto camino. Pachico Zabalbide buscó salvarse compenetrándose con el paisaje, atando su ánimo a aquella tierra vizcaína que tanto amaba; Juan va a lograrlo, de un modo más efectivo por cierto, por el camino del amor; será una mujer, Magdalena es el nombre que se le da en el relato, quien salve a Juan del pesimismo,

quitándole aquella amargura irónica con mucho de pose romántica; quien le devuelve su antigua alegría, el amor a la vida. «Juan —cuenta Unamuno al finalizar el relato [1]— aprendió a esperar, y esperando unió lo venidero a lo presente, la dicha del perenne mañana de este mundo a la dulzura del dejarse vivir y el dejarse querer». ¿Reproduce este final una previsión, anticipada en unos años, de lo que a él, a Unamuno, había de concederle el matrimonio con la mujer que amaba, y que ya podía saborear en su plácido noviazgo? Sin afirmar ni negar, faltan datos para una respuesta categórica, sí puede pensarse que algo hay de autobiográfico, acaso mucho, en epílogo tan optimista, como existe, en esto no caben dudas, tras el pergueño y en la vida interior de quien protagoniza el relato.

Podemos emparejar a esta doble versión novelesca, una, la primera, de 1886, la segunda, de 1897, el testimonio que nos ofrece Unamuno en una de las cartas que escribió a *Clarín* [2], y cuya fecha lo sitúa entre los dos que acabo de citar; mencioné antes esta carta, pues me fué necesario recurrir a ella para notificarle al lector cómo proyectaba Unamuno convertir la experiencia vivida en su descreimiento en tema de un relato, nunca escrito al parecer, que semeja mucho al episodio que luego hizo vivir a Pachico Zabalbide. Recuérdese el párrafo de la carta antes transcrito; lo interrumpí en el momento en que el supuesto protagonista consideraba innecesario creer, pues se siente, en su intimidad, «hondamente religioso»; reanudo ahora, es el momento de hacerlo, la narración del argumento. Como Juan, el personaje de «Ver con los ojos», como Pachico Zabalbide, como el propio Unamuno desde luego, quien hu-

---

[1] «Ver con los ojos»; *De esto y de aquello*; V, 972.
[2] Carta a *Clarín*; Salamanca, 31 de Mayo de 1895.

biera de protagonizar aquel relato regresa a su tierra natal, y
ya cobijado por ella, así se lo cuenta Unamuno a *Clarín*,
«choca con uno y con otro, tiene que luchar y lucha y sus
energías y sentimientos morales van desfalleciendo, y siente
cansancio y que el mundo le devora el alma. Entra un día en
una iglesia a oír misa y el recinto, las luces, los niños junto a
él, la muchedumbre que *oye* en silencio una cosa silenciosa, el
ambiente todo, le trasporta a sus años de sencillez, le saca de
las honduras del alma estados de conciencia enterrados en su
subconciencia, le vuelve a una edad pasada, le evoca por asociación un mundo de pureza *adolescente*, y siente que sus
sentimientos morales se vigorizan al contacto de la vieja capa
tibia aún con el calor antiguo. Sus energías morales se corro-
boran envolviéndose en sus pañales, volviendo a la tierra que
cubrió sus raíces. Y cobra una fe nueva y oye misa sin ser creyente oficial, se toma baños de pureza juvenil». No le falta
moraleja a este proyectado relato; así la enuncia Unamuno al
final de la carta: «Hasta que tenga el hombre el cristianismo
en la médula no tendrá otro remedio que conservar sus formas,
sin *forma* no hay conciencia y por éstas tiene que pasar lo
que haya de organizarse en el hondón del espíritu». Con esto
buscaba Unamuno justificar ante sí mismo, primero que ante
Clarín, aquel intento de recobrar la creencia religiosa que
perdió en los años de formación universitaria. En esta repetida reencarnación de su vida en Bilbao nos dió Unamuno,
bajo capa de ficción novelesca, una completa y también sincera confesión de sus luchas íntimas, religiosas, vividas por los
años que transcurren desde 1884, fecha de su regreso de
Madrid, a 1891, año en que marcha a Salamanca llevado por
su destino universitario. Entre 1884 y 1886 se ha de situar el
intento hecho por él de recuperar la fe infantil; hablándole

de su inclinación al misticismo le cuenta Unamuno a *Clarín* en la carta antes citada: «no en vano he estado oyendo misa al día y comulgando al mes con verdadero fervor y no por fórmula hasta los veintidós años, y de pura religiosidad creo dejé de hacerlo». Si esta recuperación de sus creencias resultó efímera, ello se debió a que el motivo de tal empeño era fruto de su voluntad y no una debilitación de los principios ideológicos que le llevaron, al aceptarlos, a perder la fe; como nos lo confirma Sánchez Barbudo, tras analizar con minucia este momento de la vida religiosa de Unamuno, el de aquellos días era «fervor nacido de la voluntad más que de la fe»[1], al que se unían tendencias motivadas por la postura romántica, entre rousseauniana y chateaubrianesca, tan manifiesta en su personalidad de entonces.

[1] A. Sánchez Barbudo: «La formación del pensamiento de Unamuno. Una conversión *chateaubrianesca* a los veinte años»; *Revista Hispánica Moderna*; XV, 99-106; New York, 1949.

LIBRO TERCERO

UNAMUNO EN SALAMANCA

CAPITULO VII

VISION DE CASTILLA

Desde que su profesión de catedrático le trajo a Salamanca, en 1891, hasta su muerte, salvados los años de destierro y las fugaces aunque frecuentes excursiones en las que recorre hasta el más ignorado rincón peninsular, vivió Unamuno enraizado en la tierra de Castilla, tan dispar a la de su Vasconia nativa. El hecho exige reflexión, pues, como apunta, certero, uno de sus comentaristas, para Unamuno «Salamanca es más que un destino administrativo: es una profunda experiencia» [1]. ¿Cuál?; ¿qué pudo dar Castilla a Unamuno? Contestar a estas preguntas supone iniciar el análisis del núcleo pasional que gobernó su vida entera. Anotemos ya un dato donde se revela el porqué de esa aceptación del ámbito castellano como escenario para su existencia: Unamuno necesita de un paisaje ascético y hasta hostil como el de la meseta, que le repeliese obligándole a meterse en sí mismo; le era preciso pues le ayudaba poderosamente a prenderse más cada día en sus íntimas preocupaciones,

---

[1] J. Ferrater Mora: *Unamuno. Bosquejo de una filosofía;* 26; Buenos Aires, 1944.

de aquella guerra interior que encendió en él su incapacidad para recuperar la firme creencia religiosa de que le privó su descreimiento. Pero sería un error anticipar ahora lo que únicamente aportando muchos testimonios, que más adelante se expondrán, puede hacerse inteligible y demostrarse. Me limitaré al propósito de este capítulo, en el que busco esbozar la visión del paisaje castellano forjada por Unamuno y las emociones que aquél desveló en su ánimo.

A Unamuno le atrajo siempre, y con gran fuerza, la Naturaleza; de ello ha dado sobradas pruebas a todo lo ancho de su obra literaria. Escribía sobre esto en 1916 [1]: «he recorrido casi toda España, he visitado treinta de las cuarenta y nueve capitales de sus provincias y muchas otras ciudades y villas». Sobre este interés suyo teoriza ampliamente en sus artículos «El sentimiento de la naturaleza» [2] y «Ciudad, campo, paisaje y recuerdos» [3]. ¿Cómo entiende Unamuno el paisaje?; dicho con otras palabras, ¿cuáles son las vivencias que su contemplación le sugiere? Responde así en dos ocasiones: hay dos maneras de traducir artísticamente el paisaje en literatura —escribe en 1901 [4]—. Es la una, describirlo objetiva y minuciosamente, a la manera de Zola o de Pereda, con sus pelos y señales todas; y es la otra, manera más virgiliana, dar cuenta de la emoción que ante él sentimos. Estoy más por la segunda». «Siento que ese paisaje —repite Unamuno treinta y dos años más tarde, resumiendo su visión de España [5]—, que es a su vez alma,

---

[1] «De Salamanca a Barcelona»; *Andanzas y visiones españolas*; I, 651.
[2] *Por tierras de Portugal y España*; I, 509-17.
[3] *Andanzas y visiones españolas*; I, 543-51.
[4] «La reforma del castellano»; *Ensayos*; III, 274.
[5] «País, paisaje y paisanaje»; *Paisajes del alma*; I, 1045.

psique, ánima —no espíritu—, me coge el ánima como un día
esta tierra española, cuna y tumba, me recogerá —así lo espero— con el último abrazo maternal de la muerte. No me ha
sido dado otearla, en panorama cinematográfico, desde un
avión, pero sí columbrarla a partes, a regiones, desde sus cumbres. E imaginarla, viéndola así, con el ánima y con el ánimo».
Julián Marías, comentando esta personal manera de sentir el
paisaje, nos dice [1]: «Unamuno tiene un modo realísimo y eficaz de referirse a los paisajes: habla de sí mismo, sí, pero...
en ellos. No se desentiende del contorno, sino que lo toma
como tal. Unamuno, al volver la atención a su propia realidad,
la ve afectada por el paisaje en que está inmerso y que momen-
táneamente entra a constituirla; el paisaje queda virtualmente
incorporado a su persona, como horizonte suyo, y se hacen así
recíprocamente inteligibles... El paisaje es también para Unamuno un recurso expresivo de la personalidad y una mostra-
ción de su drama íntimo». En tan certera apreciación coincide
Jerónimo de la Calzada al estudiar esta faceta temática de la
literatura de Unamuno; «esos ensayos del paisaje —escribe el
autor que cito [2]—, no son en realidad otra cosa que traslados
al paisaje de su alma atormentada, agónica, iluminados por su
«yo» personal e individual. Unamuno no sólo vive en sus
paisajes, sino que tiene necesidad de verse en ellos... Unamuno
aprecia el paisaje por la impresión que le produce y piensa que
cada paisaje es factor determinante de la vida y del destino del
hombre». A la vista de estas afirmaciones se comprende el

---

[1] J. Marías: «Genio y figura de Miguel de Unamuno»; *La filosofía
española actual*; 55-6; Buenos Aires, 1948.

[2] J. de la Calzada: «Unamuno, paisajista»; *Cuadernos de la Cátedra
Miguel de Unamuno*; III, 55-80; Salamanca, 1952.

acierto de García Blanco al encabezar una selección de artículos de Unamuno con el título de *Paisajes del alma*.

Importaba destacar esta profunda atracción que siempre sintió Unamuno por la Naturaleza y con ella las resonancias íntimas, personalísimas, que su contemplación le deparaba, pues este rasgo de su personalidad nos permitirá comprender el significado de la duradera comunión que mantuvo Unamuno con el adusto paisaje del páramo castellano. «La tierra, en tanto paisaje —recuerda Laín Entralgo [1]—, hace al hombre metiéndosele en el alma y en el ser a través de los ojos». No olvidemos la oposición existente entre este paisaje de Castilla y el de Vasconia; Unamuno sintió muy a lo vivo, luego será ocasión de confirmarlo, tal disparidad. Castilla es toda ella altiplanicie árida, de abiertos horizontes que semejan fundir su línea lejana con la de un cielo azul que cubre, alta bóveda, esta tierra monótona. Aquí, en la meseta, sólo tierra ofrece a la vista el paisaje: una tierra que, al decir de Ortega y Gasset [2], «no es sino tierra; la tierra sin verdor vegetal, sin veste botánica; la tierra amarilla, la tierra roja, la tierra de plata, pura gleba, desnudo terruño». En Castilla, escribe Francisco de Cossío, «nos sentimos sumidos en la tierra, náufragos en la arcilla [3]. Así como no hay nada más opuesto al paisaje de la meseta que el del valle, también se contraponen los modos de vivir del hombre en ambas circunstancias. Mientras en el ámbito cerrado del valle, lo dije ya, las agrupaciones humanas se

---

[1] P. Laín Entralgo: *La generación del Noventa y Ocho*; 354; Madrid, 1945.

[2] J. Ortega y Gasset: *De Madrid a Asturias, o los dos paisajes*; *Obras Completas*; II, 247; Madrid, 1946.

[3] F. de Cossío: «El paisaje de Castilla»; *Revista Nacional de Educación*; 17; Madrid, Mayo de 1942.

atomizan hasta individualizarse casi, aisladas por los mil repliegues de la tierra, en la meseta, en Castilla por tanto, los pueblos
y ciudades se apiñan y encastillan, cerrándose sobre sí mismos
y monstrándonos cuando los contemplamos, con gesto hosco,
su «despegamiento» del suelo sobre el que asientan. Tal es la
antinomia que diferencia ambos paisajes en su manera de influir
sobre la existencia de los hombres que en ellos habitan. Comu-
nidad abierta, disgregada, en los confines estrechos del valle;
comunidades cerradas en la amplitud dilatada de la meseta; en
el valle el hombre «está» dentro del paisaje, en la meseta vive
«enfrentado» a él; el valle hace al hombre individualista, la
meseta lo sociabiliza. El habitante de la meseta carece de lo
que Unamuno denomina «sentimiento de la Naturaleza»; en
Castilla se desconocen las emociones que todo paisaje puede
suscitar en el alma humana, y, concretamente, la profunda
remoción anímica capaz de despertar su propia tierra de faz
adusta y acusado color. Así se explica que fuesen hombres
vascos (Unamuno; Baroja) y levantinos *(Azorín)* los revalori-
zadores del paisaje castellano, sus descubridores. Por ser hombre vasco, y hombre, además, de alma extraordinariamente
sensible a la contemplación de la Naturaleza, supo Unamuno
sentir como pocos lo han logrado la tierra de Castilla, y ello
hizo posible que este paisaje influyese, y poderosamente como
se verá, en su vida interior. La tierra castellana, tan inhóspita
es, rechaza a quien a ella busca entregarse, lo remete en sí
mismo obligándole a dirigir su mirada al cielo que forma su
techo. Anótese cómo el cielo es ingrediente esencial del paisaje de Castilla: «En la llanura castellana el cielo es más im-

portante que la tierra», escribe Francisco de Cossío [1]. Arthur Willis, el crítico que mejor ha comprendido el influjo ejercido por este paisaje en la vida íntima de Unamuno nos dice de Castilla: «si no fuese por el cielo, sería una tierra ingrata e inhospitalaria... El cielo representa lo ideal» [2]. Y aunque parezca paradógico, tal despegamiento de lo inmediato, este ayudar a los hombres a meterse más en sí mismos, despierta en ellos un desbordado apetito de vida, de inmortalidad. La meseta es, geográficamente, tierra desértica, esteparia, y el hombre del desierto, nos lo dice el Conde de Keyserling [3], «es duro y al mismo tiempo fantástico. Pero, sobre todo, tiene hambre de vida, porque el desierto, muerto, está en realidad, pidiendo a gritos la vida. Pero este sentimiento de la vida es absolutamente realista. No sueña con ningún alma etérea; él se sabe hecho de carne y sangre». Ningún ejemplo más demostrativo que esta suposición del filósofo báltico, viajero por España, que la personalidad de Unamuno, como luego habrá ocasión de confirmarlo.

La compenetración de Unamuno con el paisaje de Castilla, que llegó a ser completa, no consiguió granar sin antes pasar por vicisitudes que no permitían ciertamente sospechar aquel resultado. Su primer enfrentamiento con las tierras de Castilla fué negativo; tuvo lugar en Alcalá de Henares, en 1889, y de tal suceso nos da Unamuno cumplida noticia en su artículo «En Alcalá de Henares» publicado en *El Noticiero Bilbaíno* [4].

---

[1] F. de Cossío: «El paisaje de Castilla»; *Revista Nacional de Educación*; 17; Madrid, Mayo de 1942.

[2] A. Willis: *España y Unamuno*; 18-9; New York, 1938.

[3] Conde de Keyserling: «España y Europa»; *Revista de Occidente*; XXXV, 129-44; Madrid, Mayo de 1926.

[4] *De mi país*; I, 214-29.

Contrapone en él al paisaje que contempla por vez primera el de Vasconia: «Alcalá me ha llevado a comparar el paisaje castellano a nuestro paisaje», escribe [1]. La tierra castellana se le antoja «un mar petrificado» y le recuerda las estepas asiáticas; cree ver, recortándose en su horizonte, las siluetas de Don Quijote y Sancho, y en todo descubre un cierto sentido religioso, monoteístico: «sus horizontes dilatados —sigue escribiendo [2]— me recuerdan «¡Sólo Dios es Dios!» y los horizontes dilatados del espíritu de Don Quijote, horizontes cálidos, yermos, sin verdura». Esta fué la reacción espiritual que aquel paisaje provocó en él; es un estado de ánimo que todavía no puede comprender bien, que rechaza: «En Castilla, el espíritu se desase del suelo y se levanta, se siente un más allá y el alma sube a otras alturas a contemplar sobre estos horizontes inacabables y secos una bóveda azul y transparente, inmóvil y serena... Comprendo esta afición. El sueño y la muerte tienen su poesía, a la que prefiero la poesía de la vigilia y la vida» [3]; Castilla, añade, es tierra de santos, de místicos y conquistadores; tierra de hombres que viven atados a un ideal, propia para almas «sedientas de ideal ultraterreno, desasidas de esta vida triste, llenas de la sequedad de este suelo y del calor de este cielo, ansiosas de justicia pura como el sol, de gloria inacabable. Estos campos despegan del suelo y empapan en luz» [4]. «Aquí no vive el hombre enamorado del santo suelo», continúa, y añade una referencia personal: «este campo y este cielo me abruman». Tendrá que pasar su vida por vicisitudes ahora ni

---

[1] *De mi país*; I, 214-15.
[2] *Ibíd.*; I, 218.
[3] *Ibíd.*; I, 220.
[4] *Ibíd.*; I, 221.

sospechadas antes de que su ánimo acepte este paisaje cuyo sentido supo descifrar ya en su primer enfrentamiento con la faz de Castilla. Por el momento, sus preferencias estéticas, la más poderosa inclinación en su manera de ser, siguen atándole firmemente al recogido ámbito de la tierra nativa: «prefiero —escribe [1]— mis encañadas frescas, mis paisajes de nacimiento de cartón, el cielo de nubes, los días grises, todo lo que acompañado de tamboril y chistu, después de merendar bien y beber buen chacolí, da una alegría agria. Yo prefiero el placer de subir montes por gastar fuerza, para sudar la humedad endémica; yo prefiero ver bajar el sol, velado por el humo de las fábricas, y acostarse tras los picos de Castrejana. ¿Que hay poco horizonte? Mejor. Así está todo más abrigado, más recogidito, más cerca... Mi corazón es, por fortuna o por desgracia, de carne, y prefiere a esta austera poesía el lirismo ramplón de nuestras montañas... Yo nada encuentro como mis montes, que me cobijan; mis valles, que en una mirada se acarician; los caseríos blancos, los árboles hojosos». «Aquí —añade vuelta la mirada al paisaje de Castilla— está el hombre que piensa en pasado mañana, que peregrina por la tierra recordando las glorias de sus abuelos y esperando el día en que de este suelo seco vuele a ese cielo tan puro» [2]. El texto ha resultado extenso, pero bien merecía su transcripción. Será preciso que el lector lo recuerde cuando pronto oigamos a Unamuno ensalzar el paisaje castellano que entonces, estamos en 1889, no consiguió despertar ninguna resonancia en su intimidad. Pasarán unos años desde aquella fecha, no muchos en realidad, antes

[1] *De mi país*; I, 221-22.
[2] *Ibíd.*; I, 223.

UNAMUNO EN SU VOLUNTARIO EXILIO DE HENDAYA

UNAMUNO EN TIERRAS DE ALICANTE.-1932

le que la reacción de Unamuno ante la tierra de Castilla, ahora contemplada a diario en Salamanca, cambie radicalmente. Para que esto sucediese tuvo antes que ocurrir en su vida interior un suceso, de índole religiosa, que luego habrá ocasión de historiar; la introyección que provocó en su personalidad lo hizo posible. El hecho no debe extrañarnos, pues como opina, acercando, el doctor Marañón, para «ver» un paisaje, y más si es de la naturaleza del castellano, poco asequible a una interpretación meramente sensorial, «es necesario vivir dentro de uno mismo. En realidad, sólo vemos en su inmensa plenitud la naturaleza que nos rodea, cuando somos capaces de percibirla, mirándola, allá en lo hondo del yo como reflejada en el agua profunda y tranquila de un pozo» [1]; y éste había de ser, recuérdese lo que más arriba se escribió, el modo de vivir de Unamuno las emociones suscitadas en la contemplación de la naturaleza.

De 1895 data el primer testimonio escrito de esta nueva apreciación que le inspira a Unamuno el paisaje de Castilla; pertenece al segundo ensayo de los que componen su obra *En torno al casticismo*. Se lee en él [2]: «No despierta este paisaje sentimientos voluptuosos de alegría de vivir, ni sugiere sensaciones de comodidad y holgura concupiscibles; no es un campo verde y graso en que dan ganas de revolcarse, ni hay repliegues de tierra que llamen como un nido... No evoca su contemplación al animal que duerme en nosotros todos y que, medio despierto de su modorra, se regodea en el dejo de satisfacciones de apetitos amasados con su carne desde los albores

---

[1] G. Marañón: *Amiel*; 253; Madrid, 1941.
[2] «La casta histórica. Castilla»; *En torno al casticismo*; III, 38-9.

de su vida, a la presencia de frondosos campos de vegetación opulenta. No es una naturaleza que recree al espíritu... Nos desase más bien del pobre suelo, envolviéndonos en el cielo puro, desnudo y uniforme. No hay aquí comunión con la Naturaleza, ni nos absorbe ésta en sus espléndidas exuberancias; es si cabe decirlo, más que panteístico, un paisaje monoteístico este campo infinito en que, sin perderse, se achica el hombre y en que siente, en medio de la sequía de los campos, sequedades del alma». Reitera este texto, como se ve, casi todas las reflexiones escritas en 1889, sólo que ahora son dichas con una intención totalmente distinta, pues, lo que entonces fué motivo de crítica es ahora ensalzado. Poco más de un año después le escribe Unamuno, desde Bilbao, a *Clarín*: «me dispongo a volver a la seriedad de Salamanca, a trabajar y a recrearme luego contemplando aquellas llanuras castellanas que cada día me atraen más» [1]. En aquel año de 1895 vivió ya Unamuno, enclaustrado en Salamanca desde hacía casi un lustro, la contraposición que evidenciaban, al ser enfrentados, el espíritu de su raza muy poderoso en él, y el descubierto en esta aún reciente compenetración con la tierra de Castilla. «Los ensayos que constituyen mi libro *En torno al casticismo* —había de escribir más tarde [2]— ...me fueron dictados por la honda disparidad que sentía entre mi espíritu y el espíritu castellano. Y esta disparidad es la que media entre el espíritu del pueblo vasco, de que nací y en el que crié, y el espíritu del pueblo castellano, en el que, a partir de los veintiséis años, ha madurado mi espíritu». Estamos con aquella obra, en 1895 repito, y esto es lo

[1] Carta a *Clarín*; Bilbao, 28 de Septiembre de 1896.
[2] «La crisis actual del patriotismo español»; *Ensayos*; III, 650.

que importa destacar, en el momento en que Unamuno modifica su valoración del paisaje castellano y se entrega a él; hará falta que transcurra otro lustro, que lleguemos a 1900, para encontrar en sus obras el testimonio de cuanto tal compenetración con la tierra de Castilla provocó en Unamuno; me refiero a su interiorización, relatada por él en los *Tres ensayos*. Ya dos años antes de esta última fecha le había escrito a Ganivet [1]: «Aquí he desarrollado los gérmenes que traje de mi país vasco, aquí me he dejado penetrar de espíritu castellano».

Se engañaría, sin embargo, quien creyera que este amor de Unamuno hacia las tierras de Castilla apagó o cuando menos amortiguó su viejo amor por el paisaje nativo. En muchas ocasiones, en aquellas excursiones suyas por todos los caminos de la península, cada vez que sus ojos descubren un paraje umbrío, cubierto de verdor, acogedor y recatado, la memoria pone ante los ojos del alma el recuerdo, nostálgico, de su Vasconia. En Portugal, en Braga, es el cielo quien se la rememora: «me encontré —escribe desde allí [2]— con el cielo mismo de mi tierra vasca, un cielo bajo, humilde, humano». Contemplando la Vera de Plasencia, en Extremadura, nos dirá [3]: «recordaba... mi tierra vascongada por el carácter de su paisaje». Podría multiplicar los ejemplos, pues, nunca dejó Vasconia de nutrir en él añoranzas; ellas le inspiraron estos hermosos versos de su *Cancionero* [4]:

---

[1] Carta a A. Ganivet; Salamanca, 1.º de Septiembre de 1898.
[2] «Braga»; *Por tierras de Portugal y España*; I, 362.
[3] «Yuste»; *Por tierras de Portugal y España*; I, 410.
[4] *Cancionero*; 116; Buenos Aires, 1953.

> *Verde puro, sin azul,*
> *sin amarillo,*
> *sin cielo ni tierra, sólo*
> *verde nativo,*
> *verde de yerba que sueña,*
> *verde sencillo,*
> *verde de conciencia humana*
> *sobre camino*
> *sin suelo, orilla ni término,*
> *verde vacío,*
> *verde de verdor que pasa,*
> *de roble altivo,*
> *¡para mis ojos sedientos*
> *abismo místico!*

También su epistolario nos ofrece reiterada confirmación de este amor de Unamuno a la tierra nativa. Le escribe a Maragall, confidente de tantas intimidades suyas: «no soy castellano, aunque el alma de Castilla me haya empapado. El canto del Cantábrico meció mi cuna; nací y me crié en un puerto y entre montañas. Y ni el mar ni la montaña verde son cosa castellana» [1] ; «Cada vez pienso más en Bilbao, en *mi* Bilbao y en el alma y el porvenir de mi pueblo vasco, de ese pueblo terco, oscuro, lento, enemigo de la oratoria y de la parada, que todo lo hace en secreto» [2]; «yo vivo con el espíritu más en Bilbao que en esta Salamanca» [3]. Se contraponen en su ánimo, de continuo, estos dos amores: el que sigue atándole a Vas-

---

[1] Carta a J. Maragall; Salamanca, 21 de Diciembre de 1906.
[2] Carta a J. Maragall; Salamanca, 19 de Diciembre de 1907.
[3] Carta a J. Maragall; Salamanca, 28 de Diciembre de 1909.

conia y el que nutre su compenetración, día a día más estrecha, con el páramo castellano; como escribe Ferrater Mora, es innegable la presencia en su vida íntima de este conflicto originado por aquella dualidad de preferencias opuestas entre sí, y que es acaso, añade, «el único... que Unamuno ha intentado disimular en vez de exponer» [1]; razón ésta, me permito añadir, de lo mucho que le preocupó. Se deba afirmar o negar esta suposición, no faltan en las obras de Unamuno textos que muestran al desnudo la duplicidad de inclinaciones que le llevan a añorar, en Castilla, la tierra vasca y a soñar con Salamanca en Bilbao. Veámoslo en un testimonio escogido al azar; fué escrito en Salamanca, en 1909, y dice así: «prefiero este paisaje solemne, severo, grave; esta única nota, pero nota solemne y llena como la de un órgano, a aquella sonata de flauta de tres o cuatro notas verdes, de un verde agrio... Pero también me gusta recogerme en aquellos mis vallecitos vascos, que atraen y retienen como un nido» [2]. Muchas veces revivió Unamuno la impresión que le producía el tránsito bajo la peña de Orduña, cuando regresaba de Bilbao a Salamanca, cantada en cierta ocasión con estos versos [3]:

Madre Vizcaya, voy desde tus brazos
verdes, jugosos, a Castilla enjuta.

[1] J. Ferrater Mora: *Unamuno. Bosquejo de una filosofía*; 11; Buenos Aires, 1944.
[2] «El sentimiento de la naturaleza»; *Por tierras de Portugal y España*; I, 511-12.
[3] *Rosario de sonetos líricos*; 53; Madrid, 1911.

Horas después de haberlos escrito, huésped ahora del tren que lo devuelve a Salamanca, pensó estos otros [1]:

> *Es Vizcaya en Castilla mi consuelo*
> *y añoro en mi Vizcaya mi Castilla;*
> *¡oh si el verdor casara de mi suelo*
>
> *y el mar que canta en su riscosa orilla*
> *con el redondo páramo en que el cielo*
> *ante el sol se abre que desnudo brilla!*

Resta por considerar con algo más de atención lo que Castilla dió a Unamuno; vuelvo, pues, a tratar el tema ya esbozado al comienzo de este capítulo. En Salamanca, Unamuno rehuye cuanto puede los lazos de la convivencia para adentrarse en la soledad que el campo le brinda. Le contaba, en 1900, a Luis Ruiz Contreras [2]: «en cuanto puedo me voy al campo, donde enajenarse es ensimismarse, pues se llega a la comunión más íntima entre lo de fuera y lo de dentro... En el campo, llego a respirar con la tierra que me rodea; a ver, con el cielo; a oír, con los árboles». Paseando por la carretera de Zamora, la que llamó «soñadero feliz de mi costumbre», Unamuno va a encararse, todas las tardes, antes de caer el sol, con la llanura, ondulada, de la Armuña; desde París, en el destierro, recuerda, nostálgico, estas horas en que acudía, son palabras suyas, «a bañar mis ojos en el reposo del páramo, a sacar mi espíritu de la historia» [3]. Castilla proporcionó a Una-

---

[1] *Rosario de sonetos líricos*; 55.
[2] Carta a L. Ruiz Contreras; Salamanca, 14 de Mayo de 1900.
[3] «¡Montaña, desierto, mar!»; *Paisajes del alma*; I, 906.

muno el clima que su espíritu precisaba para concentrarse en su propia intimidad y ensimismarse, como pronto tendremos ocasión de comprobar. Unamuno en Castilla busca y logra la soledad. Podríamos comparar su actitud espiritual a la que simbolizan esos ruinosos castillos que vemos alzarse, cual solitarios fantasmas, en los oteros de las llanadas castellanas. Porque el castillo no nació en la meseta. Inquiriendo en su progenie la encontramos en el caserío, en la casa-fuerte de los montes cántabros y vascones; aquéllos, en los siglos de la Reconquista, dejaron el cobijo de la montaña para adentrarse por la tierra llana de Castilla, y, a medida que tal progresión se realizaba, el nuevo paisaje, tan opuesto al abandonado, les prestó hosquedad y fiereza; último producto de tal evolución es el castillo que hace destacar su perfil hermético y agresivo, expresión de un desmesurado individualismo plasmado en piedra. Iguales influencias, al recorrer idéntica ruta, provocaron un cambio decisivo en la personalidad de Unamuno, y ello autoriza a considerarle cual un castillo más asentado sobre la tierra de Castilla. Creóse así lo que él llamó su «alma castellana, dermato-esquelética, crustácea, con la osamenta —coraza— por de fuera, y dentro la carne»; esta carne, que sigue alimentando su espíritu, es la visión de sus valles y montañas, el recuerdo de la infancia, pues todo eso, escribe [1], «nos acompaña hasta la muerte y forma como el meollo, el tuétano de los huesos del alma misma...; para quien tiene alma vertebrada, con huesos que la mantengan en pie y mirando al cielo, esos huesos se nutren de un tuétano que está hecho con las serenas y nobles vi-

[1] «Ciudad, campo paisajes y recuerdos»; *Andanzas y visiones españolas*; I, 546.

siones de la niñez lejana». Escuchemos esta frase suya: «tuétano de los huesos del alma misma», o esta otra escrita también pensando en su tierra nativa: «tú eres el corazón de mi alma»; ambas, y muchas más que podría citar, nos revelan cómo fué Vasconia, en Unamuno, caudal de soterradas aguas, siempre puras, donde abreva y se nutre el ánimo, repone fuerzas el espíritu y aquieta sus dolores el hombre. Castilla supuso para Unamuno tan sólo el lugar, casi de destierro, donde una naturaleza hosca le facilita la interiorización, obligándole a remeterse en sí y entregarse al agónico dudar que fué su existencia íntima; él mismo vino a confesarlo cuando dijo que los campos de Castilla estaban hechos «para vivir en ellos con el fondo del alma, con el alma desnuda» [1]. Castilla proporcionó a Unamuno, repito, la soledad que le era necesaria para vivir vertido enteramente hacia cuanto llegó a convertirse en razón única de su existencia; más adelante será momento de historiarla.

[1] «Ávila de los Caballeros»; *Por tierras de Portugal y España*; I, 426.

CAPITULO VIII

LA VIDA COTIDIANA

La vida de Unamuno, en Salamanca, la de todos los días, es muy igual, casi monótona. Al ser nombrado Rector pasó a ocupar la casa rectoral, paredaña a la Universidad; desde su destitución en aquel puesto académico, en 1914, habitó un edificio de la calle de Bordadores con balcones que se abren ante la iglesia de «Las Ursulas» y los corpulentos negrillos del más bello rincón salmantino; a su lado se alza la historiada fachada de la famosa «Casa de las Muertes». Se levanta temprano; tiene su primera clase, que es diaria, a las nueve, y a días alternos otra a las diez; con frecuencia, antes de regresar a casa, da unas vueltas por la Plaza Mayor en compañía de amigos que escuchan reverentes su ininterrumpible monologar. Inmediatamente después de comer acude a una tertulia del Casino y algunos días se detiene por breves momentos en otra que tiene su sede en un café; en estas intrusiones suyas por el vivir ciudadano, nos dice Jacinto Grau [1], Unamuno «no era casi nunca «el don

---

[1] J. Grau: *Unamuno. Su tiempo y su España*; 27; Buenos Aires, 1946.

Miguel» auténtico. No era hombre para desparramarse ante pequeños rebaños de oyentes y admiradores». Nunca se prolonga mucho la presencia de Unamuno en estos conventículos, verdaderos «mentideros» de la vida local, pues muy pronto se apresta para su cotidiano paseo por la carretera de Zamora en el que le acompañará un reducido grupo de amigos, con cuya presencia obran nuevos vuelos sus monólogos; a veces les lee cosas suyas. Hacia las cinco, ya de regreso en casa, se aisla en el tranquilo refugio hogareño para consagrar las horas que restan de la jornada a su quehacer de escritor y a la lectura; sólo muy raramente vuelve a salir de noche, pues a los espectáculos casi nunca asiste. La habitación de la casa donde más horas habita es el despacho o librería; allí recibe a cuantos acuden a conocerle; en esta pieza le visitó, inesperada, su muerte en el atardecer del 31 de diciembre de 1936. César González Ruano nos describe así esta pieza del hogar de Unamuno: «Aquí, en este primer piso derecho, tiene una de las bibliotecas con fisonomía más extraña que yo me he echado a la cara. Libros, muchos libros, muchísimos libros, casi todos en rústica, deteriorados, o lo que es peor, pareciéndolo, más que alineados, amontonados en unas estanterías de pino, rústicas y sin pintar. Varias mesas y sillas, cargadas de libros, y unas paredes de alcoba burguesa, de 1905... Más que una biblioteca particular, esto parece una librería de viejo» [1]. De Salamanca sólo sale Unamuno para hacer breves escapadas a Madrid o a Bilbao, donde vuelve para encontrarse con los amigos y los recuerdos de una juventud cada día más lejana; la mayor

---

[1] C. González Ruano: *Vida, pensamiento y aventura de Miguel de Unamuno*; Prólogo; 24; Madrid, 1930.

parte de las veces, lo indiqué, su abandono del retiro salmantino lo motiva sus correrías por las provincias españolas y las visitas a Portugal.

Estos años de la vida de Unamuno, dice de ellos Ferrater Mora [1], «en particular los veinte primeros —los más salmantinos— son, como los de Bilbao y los de Madrid, años de tranquilidad, de aparente tranquilidad externa, porque en lo interior constituyen justamente la época en que llegan a claridad en el espíritu de Unamuno sus temas fundamentales». Su correspondencia contiene frecuentes alusiones a esta existencia suya; recogeré sólo una, de 1901, donde se lee: «Me siento entrar en la madurez. Físicamente se me van llenando de canas la cabeza y barba y voy cobrando más carnes de lo que quisiera (¡peso 78 kilos!). Tengo ya seis hijos. Espiritualmente entro en un período de calmosa navegación, dispuesto a llevar a cabo mis proyectos, todos literarios» [2]. En la modorra de la vida salmantina, las ideas de Unamuno, su afán por airearlas y su notoriedad pública, en constante alza, tenían que encontrar, era inevitable, la oposición de muy diferentes sectores de la sociedad local; no he de historiar aquí la guerra menuda que así originó, pues todos sus episodios pertenecen al terreno de lo anecdótico; fueron principales figuras en ella, con la suya, las de Dorado Montero, don Enrique Gil Robles y don Mamés Esperabé Lozano; el obispo Padre Cámara, los hermanos Rodríguez Pinilla y muchos más que no voy a citar por sus nombres. Influyó en la animosidad que entre tantos despertaba Unamuno su actitud religiosa, y así nos lo señala el anónimo

---

[1] J. Ferrater Mora: *Unamuno. Bosquejo de una filosofía*; 26; Buenos Aires, 1944.
[2] Carta a P. Jiménez Ilundain; Salamanca, Octubre de 1901.

autor de un artículo, rico en noticias, sobre su vida salmantina, quien escribía en una carta personal, el 30 de septiembre de 1901 [1]: «no sé si me perjudicará más que otra cosa el andar con éste [Unamuno], por lo malquisto que es en general, y más cuando parece que en ideas su conato de conversión no ha llegado a madurez, y aquí le tienen en cuenta que desde que es rector no ha asistido a una sola solemnidad religiosa de las que la Universidad celebra». Mención especial merece su vida profesoral. Era puntual en sus clases y buen cumplidor de los deberes académicos. Recuerdos elogiosos de su magisterio han suscrito varios de sus discípulos [2]. Siempre tuvo Unamuno más afecto a la cátedra de Filología comparada del latín y el castellano, de la cual fué nombrado titular en 1900, que a la de Lengua griega que le trajo a Salamanca en 1891. Simultaneó la enseñanza de ambas disciplinas hasta 1924, fecha de su exilio, pero a su regreso sólo quiso profesar la primera de las nombradas, que ahora se titula Historia de la Lengua española. Había mucho de pasión política, o personal si se prefiere, en tal preferencia, pues a Unamuno le gustó siempre decir, como repitió en su famoso discurso ante las Cortes constituyentes de la República, ya mencionado en esta obra, que él había venido de Vasconia «a enseñar castellano a los hijos de Castilla» [3]. Su manera de entender la misión del profesor tenía

[1] «El Unamuno de 1901 a 1903 visto por M.»; *Cuadernos de la Cátedra Miguel de Unamuno*; II, 13-31; Salamanca, 1951.

[2] Cfs. F. de Onís: «El problema de la Universidad española»; *Ensayos sobre el sentido de la cultura española*; 38-45; Madrid, 1932, y M. García Blanco: *Don Miguel de Unamuno y la lengua española*; 27-39; Salamanca, 1952.

[3] Discurso de Unamuno en las Cortes constituyentes de la República; sesión del 18 de Septiembre de 1931; *De esto y de aquello*; V, 587.

junto a ciertos fallos, que no voy a enumerar, indudables virtudes, y entre ellas, la más digna de elogio, la de ver en el quehacer profesoral algo más que la exposición, fría, de un programa escolar; puso Unamuno siempre en sus lecciones calor humano, cordialidad y amor y curiosidad por aquellos jóvenes que le escuchaban todos los días a idénticas horas. He aquí dos testimonios del propio Unamuno acerca de esta manera suya de ejercer sus obligaciones universitarias; data el primero de 1902 y dice en él [1]: «Tengo mi cátedra, procuro en ella, no sólo enseñar la materia que me está encomendada, sino disciplinar y avivar la mente de mis alumnos, obrar sobre cada uno de ellos, hacer obra pedagógica». Escribió el segundo, que paso a transcribir, en 1905: «Sé más que el suficiente griego para poner a aquellos de mis alumnos que gusten de él en disposición de valerse por sí mismo y de hacer progresos en la lengua de Platón, y puedo ponerlos al corriente de lo que se sabe de más importante respecto a literatura griega. Fuera de esto, no me creo obligado a hurtarme de lo que estimo sagrados deberes para con mi patria, engolfándome en eruditas disquisiciones sobre este o el otro punto de filología o de literatura helénica, lo cual sería pasadero si no hubiese aquí labores más urgentes que acometer» [2]. Un alumno suyo rememora, dialogando con Hernán Benítez, la figura profesoral de Unamuno [3]: «Don Miguel más que de profesor oficiaba de director espiritual de los estudiantes. Le abríamos de par en par

---

[1] «La educación; *Ensayos*; III, 304.
[2] «Sobre la erudición y la crítica»; *Ensayos*; III, 628.
[3] H. Benítez: «Nuevo palique unamuniano. (Introducción a doce cartas de Unamuno a González Trilla)»; *Revista de la Universidad de Buenos Aires*; VII, 479-551; Buenos Aires, 1950.

nuestras conciencias y aprendíamos de él a vivir la vida con hondura». Lo dicho explica que al ser nombrado Unamuno, con la sorpresa de muchos, Rector de la Universidad salmantina, aquella elección ocasionara «tanto escándalo del claustro como júbilo del alumnado»[1]. Unamuno puso en el ejercicio de este cargo su terquedad vizcaína, aquel extremado personalismo que tanto singularizaba sus andanzas de hombre público. «Lo que ha venido a trastornarme algo es esto de la rectoría —le cuenta en una carta a Jiménez Ilundain[2]—. Y no me ha venido del todo mal porque pongo en juego mi voluntad y mi energía, necesaria compensación del exceso de vida intelectual a que me había entregado. Sírveme, además, el rectorado de atalaya desde donde puedo inspeccionar no pocas miserias humanas. Es mucho lo que estoy aprendiendo».

La vida que vivió Unamuno en el angosto mundillo de Salamanca provocó en él una reacción que puede equipararse a la que en su intimidad despertaba la diaria contemplación de la ancha paramera castellana. La valoración de aquel efecto en su ánimo no ha sido, que yo sepa, aún realizada, no obstante abundar los textos que la abonan, de modo muy especial en el epistolario. Trataré aquí de exponerla. Tómese nota, ante todo, que Unamuno, hombre poco sociable, incapaz, por temperamento, de encontrar atractivo alguno en los modos habituales de convivencia, recusó siempre el vivir ciudadano, y tanto más enérgicamente cuanto mayor era el número de los que se sumaban en los apiñamientos urbanos; el gregarismo le resultó siempre odioso. Frente a las ciudades, llegó a escri-

---

[1] H. Benítez: *Ibíd.*
[2] Carta a P. Jiménez Ilundain; Salamanca, Octubre de 1901.

bir, «el campo es una liberación»[1]. Chocó Unamuno con cuantos la inesquivable convivencia ciudadana puso en su camino; mucho le hicieron padecer también esas pequeñas miserias que tantos gustan sembrar, los resentimientos por ellas creados, la mezquina polémica casera. En 1905; con la enseñanza de casi tres lustros de vida salmantina, le contestaba Unamuno a un innominado interlocutor: «Para crustáceos espirituales, créeme, no hay como los castellanos... Su reserva no es más que vaciedad interior»[2]; el mismo año, trabando diálogo con Don Quijote, repite[3]: «Si supieras lo que sufro, Don Quijote mío, entre estos tus paisanos, cuyo repuesto todo de locura heroica te llevaste tú, dejándoles sólo la petulante presunción que te perdía... ¡Si supieras cómo desdeñan desde su estúpida e insultante vanidad todo hervor de espíritu y todo anhelo de vida íntima!... Para ellos no hay quemantes lágrimas vertidas en el silencio, en el silencio del misterio, porque estos bárbaros se lo creen tener todo resuelto; para ellos no hay inquietud del alma, pues se creen nacidos en posesión de la verdad absoluta; para ellos no hay sino dogmas y fórmulas y recetas». El texto es sobradamente claro para necesitar exégesis. Algunas veces el mal humor de Unamuno contra sus convecinos le inducirá a decir que Salamanca es sólo «una mazorca de alquerías con todo el aire de la dehesa»[4]. Pero más que en los escritos destinados a publicidad inmediata fué en la intimidad de sus cartas donde con menos trabas vertió sus

---

[1] «Ciudad, campo, paisaje y recuerdos»; *Andanzas y visiones españolas*; I, 544.
[2] «Soledad»; *Ensayos*; III, 612.
[3] *Vida de Don Quijote y Sancho*; IV, 354-55.
[4] «La civilización pantalónica»; *De esto y de aquello*; V, 880.

resquemores; un día le escribe a *Azorín*[1]: «Estoy ahogando en lucha mis amarguras. Tengo que insultar a D. Pedro, a don Juan, a D. Ramón, a D. Pascual, a todos esos tan estúpidos como amables señores que dan su paseíto hasta el álamo del río y guardan todo el orgullo de su incomprensión. ¡Qué inespiritualidad, Dios mío!... me volverán loco si Dios no pone remedio... Cada día me envuelve más la soledad». Apenas han transcurrido veinticuatro horas, y ya tenemos de nuevo a Unamuno vertiendo en otra carta, esta dirigida a Maragall, el mismo sentimiento: «Ay, querido Maragall, ustedes me tienen por un genuino representante del alma castellana, y no saben bien lo que sufro entre esta gente... ¡Esto es imposible! He querido darles el conocimiento de sí mismos. ¡Todo inútil!... No puede ser, querido Maragall, no puede ser, no puede ser. Estoy amargado con lo que veo y oigo. Dispénseme, usted sabe que aborrezco las groserías, pero voy a decirle una. Estas gentes tienen cerebro cojonudo. Quiero decir que en la mollera en vez de sesos tienen testículos»[2]. Vuelve a escribirle a Maragall, meses después[3]: «¿Qué he de decirle yo que cada día me hundo más en mí mismo y me desintereso más, por tristeza y enojo, de lo de fuera? De cuando en cuando, sin embargo, hago mis salidas, pero vuelvo a recogerme sin saber si mi acometida fué fructuosa y ni aún siquiera si fué del todo justa». Para ser veraces es preciso añadir a lo expuesto que también en ocasiones esta lucha menuda, de todos los días, gustó a Unamuno, quien entonces se entregaba a ella con fruición buscando, acaso, enardecerse para mejor pelear después su

---

[1] Carta a *Azorín*; Salamanca, 14 de Mayo de 1907.
[2] Carta a J. Maragall; Salamanca, 15 de Mayo de 1907.
[3] Carta a J. Maragall; Salamanca, 19 de Diciembre de 1907.

íntima y enconada guerra, la que encendió y alimentaba su personal actitud religiosa. En una carta suya dirigida a Jiménez Ilundain se lee lo que sigue: «Este pueblo me conviene al espíritu, en contra de lo que usted parece suponer, porque así lucho y lucho fuertemente. Todo el elemento católico se ha desencadenado contra mí, y el ver que hoy en la ciudad soy el gozne de la agitación espiritual —que la hay— me anima. Ya los estudiantes se han dividido en bandos. Este ambiente me conforta» [1].

En realidad, la Salamanca que amó Unamuno, la que vive, para siempre en tantas páginas de sus libros, no la componen estos personajes con quienes tuvo que compartir, agradándole o lamentándolo, tantas horas de su existencia; aquella Salamanca es la que viste la gracia arquitectónica de sus edificios, cuanto habla al viandante de una vida que ya pasó y unos afanes que no volverán a vivirse. Viéndola así, Salamanca fué para Unamuno como una prolongación del paisaje de Castilla en que tanto gustaba aislarse; en un atardecer, cuando el sol que declina pone oro sobre la piedra, las torres de esta Salamanca suya, sólo suya, se le antojan a Unamuno «gigantescas columnas de mieses» [2]. En otra ocasión, dominándole una emoción idéntica, repite [3]: «También la ciudad es naturaleza; también sus calles, y sus plazas, y sus torres enhiestas de chapiteles son paisaje. Y sus líneas son como las líneas de

---

[1] Carta a P. Jiménez Ilundain; Salamanca, 18 de Abril de 1904.
[2] «Atardecer de estío en Salamanca»; *Andanzas y visiones españolas*; I, 764.
[3] «La torre de Monterrey a la luz de la helada»; *Andanzas y visiones españolas*; I, 695.

9

estos campos». Algunos años antes había escrito [1]: «traigo el campo a la ciudad. Pero la ciudad es a su vez también campo, la ciudad hecha naturaleza serena, impasible y noble... Una catedral es también bosque, y hay paisajes, verdaderos paisajes ciudadanos, sobre todo, en las viejas ciudades, en aquellas sobre cuyos monumentos y viviendas han pasado los siglos que sobre un bosque pasan». Salamanca dió a Unamuno la soledad que tan necesaria le fué; como el páramo en que se envuelve, la ciudad le ayudó a interiorizarse, atándole mejor a su lucha íntima, religiosa, en la que quemó su vida entera. Salamanca llegó a convertirse en «verdadero hogar para el alma», y al elogio le añade Unamuno la siguiente reflexión: «no hay como estas ciudades para el que acierte a saber aislarse y gozar de la soledad, yendo de tiempo en tiempo a bañarse en campo libre» [2]. He aquí algunas expresiones, escritas entre 1906 y 1933, donde se califica a Salamanca de «nido de soledades» y «remanso de sosiego» [3]; «dorada y hermosa jaula de Salamanca» [4]; «esta mi librería de Salamanca» [5]. La Soledad que Salamanca le proporcionó, deseándola, la agradeció muchas veces, pero en ocasiones llegó a pesar, agobiante, en su espíritu; «es cierto que la soledad da fuerzas en un principio —le escribía, en 1895, a *Clarín* [6]—, pero acaba por matar de ahogo», y en dos de sus cartas a Maragall repite: «¡vivo tan solo!» [7];

---

[1] «Ciudad, campo, paisaje y recuerdos»; *Andanzas y visiones españolas*; I, 544.

[2] «La gloria de don Ramiro»; *Temas argentinos*; IV, 1055.

[3] «Presentación y saludo»; *Temas argentinos*; IV, 993.

[4] «El sentimiento de la naturaleza»; *Por tierras de Portugal y España*; I, 517.

[5] «Notas a Lucano»; *De esto y de aquello*; V, 157.

[6] Carta a *Clarín*; Salamanca, 2 de Octubre de 1895.

[7] Carta a J. Maragall; Salamanca, 2 de Noviembre de 1906.

«me siento tan solo, amigo Maragall, ¡tan solo!... Si no fuese por mi mujer y mis hijos, por mi mundo que me lleva a Dios...»[1]. Otras, acabo de decirlo, ensalza su aislamiento, como lo hace en este párrafo de una carta fechada en 1900[2]: «Es un encanto este retiro adonde sólo apagadas me llegan las voces de ahí. Salgo al campo y hablo con él, prefiriendo que mis palabras se pierdan en el cielo inmenso, a no que resuenen entre cuatro paredes de un corral de vecindad, sobre la cháchara de comadres».

Parte muy importante de su existencia cotidiana fué para Unamuno la que vivió en el hogar. Fué éste refugio siempre dispuesto para acogerle, reposadero donde acudía a cobrar nuevas fuerzas y hurtar su ánimo de la insoportable angustia en que tantas veces terminaban por despeñarle sus dudas, la lucha íntima, también a enjugar las aflicciones que le deparaban sus donquijotescas salidas al ruedo de la vida nacional. Unamuno concebía el hogar como un pequeño mundo al margen de la Historia, igual que en su biografía la niñez; ambos se le antojaban intemporales, eternos. Refugiarse en el hogar o repensar los recuerdos de la infancia suponía para Unamuno sacar su vida del tiempo, de entre los acontecimientos, bañar el alma en eternidad. La concepción unamuniana del hogar recuerda aquella afirmación de Ortega y Gasset de cómo es éste un modo de coexistencia desligado por completo de la convivencia social; serían familia y sociedad mundos antagónicos, separados por una frontera que los incomunicase totalmente[3]. El

[1] Carta a J. Maragall; Salamanca, 28 de Diciembre de 1909.

[2] Carta a L. Ruiz Contreras; Salamanca, 23 de Enero de 1900.

[3] J. Ortega y Gasset: «Cuaderno de bitácora»; *Obras Completas*; II, 592; Madrid, 1946.

personaje de un drama de Unamuno nos dice: «El hogar y la historia están reñidos entre sí» [1]. Todos los comentaristas de Unamuno coinciden en destacar su amor por la vida hogareña, hacia esa convivencia, hecha de afecto y ternura, con la mujer y los hijos [2]. Tras esta valoración de la vida familiar se halla, prestándole apoyo, la manera de entender Unamuno la misión social de la mujer y el papel que debe representar en la existencia del varón. De este tema de la mujer y el amor [3] no he de decir aquí sino lo imprescindible para alcanzar la meta que persigue esta obra. «El trato amoroso entre varón y mujer», escribe Unamuno, es «lo más íntimo... lo más entrañado... lo más vital de las relaciones humanas» [4]; sobre el amor se pronuncia así un personaje suyo [5]: «No hay más que un solo amor verdadero... el primero... el que nació de la niñez... el que un hombre virgen cobra a una virgen...». De esta naturaleza fué el entrañado y perdurable amor que lo unió a su esposa desde que ambos eran aún casi niños. Al hombre le es necesaria la mujer para poseerse plenamente a sí mismo: «el hombre lleva a la mujer dentro» [6]; «cabe decir que el verdadero hombre, el hombre acabado, cabalmente humano, es la

---

[1] *Tulio Montalbán y Julio Macedo*; Acto 3.º; Esc. IV; San Sebastián, 1927.

[2] Cf. M. Legendre: «Miguel de Unamuno, hombre de carne y hueso»; *Cuadernos de la Cátedra Miguel de Unamuno*; I, 29-55; Salamanca, 1948, y «El Unamuno de 1901 a 1903 visto por M.»; *Cuadernos de la Cátedra Miguel de Unamuno*; II, 13-31; Salamanca, 1951.

[3] Cf. sobre ello Luis S. Granjel: *La mujer y el amor en la vida y en las obras de don Miguel de Unamuno*; en preparación.

[4] «Flor de hablar»; *De esto y de aquello*; V, 940.

[5] *Tulio Montalbán y Julio Macedo*; Acto 4.º; Esc. III; San Sebastián, 1927.

[6] «La originalidad de la niñez»; *De esto y de aquello*; V, 932.

pareja, compuesta de padre y madre»[1]. El matrimonio pone paz en el ánimo del varón, acalla la voz de la carne, y este silencio le es preciso para poder oír voces que importan más: «La mayor de las ventajas del matrimonio —escribió en 1907[2]—, y son muchas las que tiene, es que, regularizando el apetito carnal, le quita al hombre pruritos de desasosiego, dejándole tiempo y energía para más altas y nobles empresas».

Esta breve colección de afirmaciones de Unamuno en torno al amor, el hogar y la mujer han de sernos útiles para mejor entender lo que ahora se dirá. Voy a adentrarme en la zona más recatada de su intimidad, por la vida que Unamuno compartió con su esposa; extremaré aquí ese respeto a que obliga hablar de lo que para todos importa más. Fué su esposa, doña Concha Lizárraga y Ecénarro, la mano protectora a la que siempre se mantuvo asida la existencia de Unamuno, y que tanto bien hizo a su personalidad de fondo algo infantil. Emociona leer unas confidencias hechas, poco antes de casarse, en carta a Juan Arzadun, el mejor de sus amigos; sueña mientras la escribe con los frutos de carne de aquel puro amor, y le dice: «¡Si Dios no me los da, no importa, los tendré ideales! Y después de todo ¿no es ella un niño? ¡Un niño, un verdadero niño, hasta la cara; por eso me gusta! Tiene el carácter fresco de un chiquillo. Esto, injertado en un alma y cuerpo de mujer, es todo lo que deseo y lo he de tener»[3]. Entre sus apuros económicos, entre los desvelos y preocupaciones religiosas, mucho más importantes, en su trabajo de escritor, siempre la figura de aquella fiel compañera acude cada vez que

---

[1] *El hermano Juan*; Prólogo; Madrid, 1934.
[2] «Sobre la lujuria»; *Mi religión y otros ensayos*; III, 895.
[3] Carta a J. Arzadun; Bilbao, 18 de Diciembre de 1890.

el desánimo se apodera de Unamuno; enumerándole los afanes
de su existencia, le cuenta a Jiménez Ilundain cuánto le ayuda
a vivirlos la esposa, «que por nada se acongoja, que guarda
su niñez perdurable, que me alegra la casa y el corazón con su
inalterable alegría, que es mi mayor sostén y el alba perfecta
de mi vida. ¡Un alba, sí, que es lo más hermoso; no sale el
sol que agosta y quema, pero nunca es noche! ¡Bendito el
día en que me casé!» [1]. También merece ser leído este otro
testimonio tomado de una carta a Maragall: «en mi vida de
lucha y de pelea —le dice Unamuno [2]—, en mi vida de bedui-
no del espíritu, tengo plantada en medio del desierto mi tienda
de campaña. Y allí me recojo y allí me retemplo. Y allí me
restaura la mirada de mi mujer, que me trae brisas de mi infancia. Nos conocimos, de niños casi, en Bilbao; a los doce
años volvió ella a su pueblo, Guernica, y allí iba yo siempre
que podía, a pasear con ella a la sombra del viejo roble, del
árbol simbólico. Y allí me casé. A mi mujer la alegría del corazón le rebasa por los ojos, y ante ella tengo vergüenza de
estar triste». No sería fácil encontrar frases más bellas y pre-
cisas que estas suyas para expresar todo cuanto el hogar y
la mujer, dándole vida con su presencia, significaron para
Unamuno.

Los días del destierro, separándole por vez primera de la
esposa, habían de enseñarle a Unamuno cuán ciertas seguían
siendo aquellas confidencias escritas, entonces, hacía más de
tres lustros. En la explicación añadida por él a uno de los
sonetos fechados en Fuerteventura escribe: «En toda mi lucha

---

[1]   Carta a P. Jiménez Ilundain; Salamanca, 8 de Febrero de 1904.
[2]   Carta a J. Maragall; Salamanca, 15 de Febrero de 1907.

civil de estos últimos años el apoyo mayor que he tenido es
la entereza de espíritu de la compañera de mi vida..., de la que
ha sido y es mi baluarte y mi más hondo consuelo»[1]; al año
siguiente, ahora en París, cuando más debió sentir la falta del
hogar y de cuanto no pudo llevarse de Salamanca, nos confiesa Unamuno, en páginas enteramente autobiográficas, un
suceso del que se dará en otro capítulo cumplida noticia;
reproduzco el texto donde se menciona, pues con él nos descubre el más íntimo lazo de los que ataron tan estrechamente
la vida de Unamuno a la de su esposa: «En un momento de
suprema, de abismática congoja, cuando me vió en las garras
del Ángel de la Nada, llorar con un llanto sobrehumano, me
gritó desde el fondo de sus entrañas maternales, sobre-huma-
nas, divinas, arrojándose en mis brazos: «¡hijo mío!» Entonces descubrí todo lo que Dios hizo para mí en esta mujer, la
madre de mis ocho hijos, mi virgen madre, que no tiene otra
novela que mi novela»[2]. Cuando años más tarde, apenas reco-
brada, la muerte se la arrebató, y para siempre, el dolor de
Unamuno se patentizó tanto como en su propia naturaleza
física en sus escritos. Tratando este tema surge, inexquivable,
una pregunta: ¿Es Teresa, la mujer que protagoniza y da título a una becqueriana colección de poesías publicadas por
Unamuno en 1924, transunto literario de su esposa? Para Hernán Benítez la respuesta sería afirmativa; «me atrevo a asegurar —escribe[3]—... que Teresa sustituye en el libro epónimo
a los nombres de doña Salomé Jugo de Unamuno, la madre,

---

[1] *De Fuerteventura a París*; 52; París, 1925.
[2] *Cómo se hace una novela*; IV, 957.
[3] H. Benítez: *El drama religioso de Unamuno*; 101-02; Buenos
Aires, 1949.

y de Concha, la esposa de don Miguel. A mi entender *Teresa*, aunque publicado en 1924, reúne poemas escritos muchos años antes, algunos quizá cuando su autor era aún novio»[1]. La tesis que aquí se nos ofrece, discutible en sí, apunta a un rasgo del libro citado que no pierde su significado autobiográfico aunque aquella se niegue. Aludo a la pasión amorosa que da vida a los versos allí recogidos, y que solo en el amor de su esposa pudo Unamuno conocer; posee este sentimiento pasional una tonalidad maternal que el lector, estoy seguro, habrá percibido en casi todos los textos de Unamuno transcritos antes, y es que en él, hombre en quien influyó mucho la figura de la madre, todo amor de mujer es maternal; la mujer prohija al que ama, gustaba decir Unamuno, y todos los personajes femeninos de su mundo novelesco y dramático son mujeres que viven arrebatadas por la pasión maternal. El sentimiento filial del varón ante la mujer, operante en su propia existencia, se lo hizo sentir Unamuno a Rafael, que no sería sino su contrafigura literaria de aceptarse la tesis de Hernán Benítez, cuando aquél poetiza en la Rima treinta y siete[2]:

> *Eres mi madre, Teresa,*
> *por toda la eternidad*

---

[1] Sobre la cronología de esta obra de Unamuno, cf. M. García Blanco: *Don Miguel de Unamuno y sus poesías*; 257-77; Salamanca, 1954.

[2] *Teresa*; 97; Madrid, 1924.

CAPITULO IX

HOMBRE PUBLICO

La existencia de Unamuno, y mucho más su obra de escritor, vivida la primera y realizada la segunda en el retiro de Salamanca, alcanzaron pronto resonancia nacional, y hasta europea; por muchos años fueron lo más universal de la vida española. El intervencionismo público de Unamuno, que tanto ayudó a darle renombre, tuvo siempre el carácter teorizante y la casi nula efectividad real que caracteriza la acción política de los noventayochistas, entre los cuales figuró en lugar preferente.

Unamuno acostumbraba a hacer frecuentes aunque siempre breves escapadas a la Corte; se dejaba ver en el Ateneo y por algunas tertulias literarias, alojándose en la Residencia de Estudiantes; Unamuno, ha escrito de él quien la dirigía, era «el perfecto Residente»[1]. Fué muy discutido su discurso de la Zarzuela de 1906, organizado por *Azorín;* episodio que rememora Ramón Gómez de la Serna en uno de sus libros[2]. En

---

[1] A. Jiménez: *Ocaso y restauración. Ensayo sobre la Universidad española moderna*; 229; México, 1948.

[2] R. Gómez de la Serna: *Azorín*; 161-65; Buenos Aires, 1942.

carta a Jiménez Ilundain, fechada en 1904, cuenta Unamuno cómo sus artículos y libros levantan cada vez mayores tormentas polémicas; el obispo de Salamanca, le dice, ha tratado de conseguir la condenación de sus escritos; artículos suyos son rebatidos desde las columnas de *El Siglo Futuro*, y Nocedal se lamenta ante el Congreso de que la rectoría de la Universidad salmantina se encuentre regida por un hombre que él califica de «mal español»; a todas estas noticias, que le enumera a Ilundain con mal oculta complacencia, les pone Unamuno este epitafio: «continuaré mi labor» [1]. Y la continuó, es cierto, y con más enconado ardor cada día. Contribuyó a encresparla la destitución, no bien explicada, de su cargo de Rector, siendo ministro Bergamín, en septiembre de 1914; la resonancia que la prensa concedió al hecho, el aire que le dieron, entre otros, Ortega y Gasset y el propio destituído, convierten el «caso Unamuno» en motivo de interpelación parlamentaria que terminó costándole a Bergamín su poltrona ministerial [2]. Desde entonces toma nuevos vuelos el intervencionismo político de Unamuno; la primera Gran Guerra Mundial lo lleva a la bandería aliadófila y pone en sus manos otros temas con los cuales remozó su campaña, casi demagógica, contra la Monarquía, calificada por el propio Unamuno de «pleito personal» con Alfonso XIII. Su destitución de Rector hizo también fracasar el proyectado viaje de Unamuno a Sudamérica en 1916. Las cartas que escribió a Jiménez Ilundain abundan en noticias de esta actividad pública suya; le dice en 1915, hablándole de la guerra: «yo no le oculto que hago votos por la derrota de la técnica

[1] Carta a P. Jiménez Ilundain; Salamanca, 8 de Febrero de 1904.
[2] Cf. A. de Ergoyen: «La primera cesantía de Miguel de Unamuno»; *El Español*; núm. 114; Madrid, 30 de Diciembre de 1944.

y hasta de la ciencia, de todo ideal que se contraiga al enriqueci-
miento, la prosperidad terrenal y el engrandecimiento terri-
torial y mercantil... Si la guerra abate la soberbia mundana
europea y nos devuelve a una especie de nueva edad romántica, bien venida sea» [1]; en una carta fechada en 1920 se lee [2]:
«Estoy sometido desde hace año y medio a tres procesos. Los
tres en Valencia y los tres por supuestas injurias por escrito
a S. M.; y estoy en libertad provisional, con obligación de
presentarme al Juzgado los días 1 y 15, con retención de la
séptima parte del sueldo. Alcanzo el indulto; mas, para obte-
nerlo, he de someterme al juicio, y no quiero... Romanones ha
querido arreglar la cosa, y aun los Gobiernos se prestan a ello,
pero es ya un pleito —¡y de vizcaíno!— personalísimo entre
el rey —y su madre— y yo... no falto de Salamanca ni un 1.º
ni un 15. Mi fuerza está ahí. Y en no pedir merced, que es
lo que esperan. Por cosas análogas no he podido ir a la Argentina ni a Nueva York, y necesito una reparación de justicia y
la obtendré. ¿Cuándo? No lo sé. De aquí a un mes, o a un
año, o diez, o a veinte o a cincuenta. Viviré para ello lo que
haga falta... Estoy aquí preso de mi dignidad hollada». Un
año antes, en 1919, se había presentado Unamuno como can-
didato republicano a Cortes. El golpe de Estado de Primo de
Rivera (13 de septiembre de 1923) acabó de exaltar el fervor
político del antiguo Rector de Salamanca; tanto, que bastaron
muy pocos meses para que esta última etapa de su intervencionismo público lo condujera al destierro en la isla canaria
de Fuerteventura, y con ello a vivir una experiencia que resultó

---

[1] Carta a P. Jiménez Ilundain; Salamanca, 26 de agosto de 1915.
[2] Carta a P. Jiménez Ilundain; Salamanca, 6 de Junio de 1920.

decisiva, pues motivó un cambio en sus íntimos problemas que nadie, ni él mismo, hubiera podido anticipar.

¿Cuáles fueron los juicios que la vida pública española inspiró a Unamuno? La postura que ante ella adoptó fué, en sus rasgos principales, la misma que hicieron suya los restantes noventayochistas, analizada minuciosamente por Laín Entralgo en su obra sobre aquella generación [1]. Su aislamiento en Salamanca, también disparidades ideológicas, motivaron que el nombre de Unamuno no compareciera en los actos colectivos que agruparon a los restantes miembros del grupo generacional, como sucedió, para citar un sólo ejemplo, con el famoso manifiesto político de *Los Tres,* bajo cuya rúbrica se ocultaban los nombres de Baroja, *Azorín* y Maeztu. El tema de España, su pasado y su porvenir, su azaroso presente, es motivo que aparece con machacona insistencia en las obras de Unamuno; él inspiró buena parte de su labor de publicista. Que tuvo, cuando menos en contados momentos de su vida, esperanzas de medrar en la política activa nos lo revela, entre otros testimonios que podría aducir, el siguiente párrafo escrito por Areilza en una carta que dirigió a Jiménez Ilundain; hablándole de Unamuno, le dice: «Sigue en la intimidad de Canalejas esperando la cartera de Instrucción Pública cuando le llame Dios al poder, lo que ha de tardar un rato porque tenemos Maura para largo» [2]. Pero más que estos sueños, no sé hasta que punto efímeros, de medro político, importa destacar el carácter crítico, teorizante, de la intervención pública de Unamuno, semejante, lo repito, al que predominó siempre en todos los miembros de

---

[1] Cf. P. Laín Entralgo: *La generación del Noventa y Ocho*; Madrid, 1945.
[2] Carta de E. Areilza a P. Jiménez Ilundain; 10 de Enero de 1909.

u generación; como ellos, atacó Unamuno el parlamentarismo
- el liberalismo; reproduzco dos testimonios sobre este doble
asgo de su actitud ante la política española; dice el primero [1]:
Recientemente he repetido una vez más en Madrid —y por
aberlo dicho en Madrid ha tenido mayor resonancia, llegando
aasta el parlamento mismo— que éste, nuestro parlamento, se
ompone en general de ricos, que son los mejores; de criados
le ricos, que son cien veces peores que ellos y de abogados
le ricos, que es lo último que se puede ser en el orden moral»;
e lee en el segundo, tomado de una carta a González Trilla,
antiguo alumno suyo residente en la Argentina: «No quiero
para mi patria el liberalismo argentino y menos el liberalismo
francés, ese horrendo y tiránico jacobinismo ateo que persigue
odo sentimiento cristiano, que conspira a arrancar del alma
del pueblo la fe en otra vida» [2]. Tanto como al extremismo
derechista, combatió Unamuno el extremismo anarquizante, y
buena prueba de ello nos la ofrecen los comentarios que le
nspiró la ejecución de Ferrer; de «imbécil» y «malvado» lo
califica en la carta a González Trilla mencionada, y en otra,
dos años posterior, dirigida a Jiménez Ilundain [3], escribe: «Se
fusiló con perfecta justicia al mamarracho de Ferrer, mezcla de
loco, tonto y criminal cobarde, a aquel monomaníaco con de-
lirios de grandezas y erostratismo»; denuncia a renglón seguido
las campañas antiespañolas que por toda Europa motivó aquel
suceso, y tras llamar «mamarracho» a Lerroux por el papel,
poco lucido, que representó en la «Semana trágica» de Barcelona, añade: «Han tomado a este país como campo de experi-

[1] «Algo sobre el parlamentarismo»; *De esto y de aquello*; V, 310.
[2] Carta a C. González Trilla; Salamanca, 12 de Diciembre de 1909.
[3] Carta a P. Jiménez Ilundain; Salamanca, 28 de Marzo de 1911.

mentación del anarquismo internacionalista. Y cae el imbécil
de Moret, y le sucede este charlatán y atropellado Canalejas.
Toda esta etapa *liberal* es una bacanal indecorosa, con ese
Burell que debería ya estar en presidio. Antes de un año verá
usted a todas las personas honradas, simplemente honradas,
desde ultrarradicales abajo, pidiendo la vuelta de Maura. Es una
desgracia tal vez, pero es el único político honrado, y todos nos
vamos convenciendo de que eso de su clericalismo es una fábula... Yo de mí le sé decir que, mientras mandaron los conser-
vadores, no se logró cerrar una sola escuela protestante o laica
en mi distrito (tengo a mi cargo cuatro provincias)». Esta confesión extrañará a más de uno de mis lectores; descubre aquí, es
cierto, una manera de pensar que choca con cuanto la fama le
atribuía gratuitamente. En carta a González Trilla, en pocos
días anterior a la citada, escribía Unamuno esta alabanza a las
virtudes políticas de don Antonio Maura: «Se logró echar a
Maura, el político más serio y más sincero que tenemos y no
clerical, y ahora padecemos la canalla liberalesca» [1]. Denunció la
trapacería con que unos cuantos políticos venían repartiéndose el
poder antes y después de la fecha nefasta del desastre colonial.
«Esto de España —le cuenta Unamuno a Ilundain en 1907— [2] me
apena cada vez más. La avenida de la ramplonería y la cuquería
sube. Voy creyendo que no nos queda sino emigrar en masa a
América... mi España se hunde en la ñoñez». En los años que pre-
ceden a la Dictadura, la preocupación por España llega a ser
en Unamuno obsesionante; le escribe, a principios de 1920,

<hr />

[1] Carta a C. González Trilla; Salamanca, 10 de Marzo de 1911.
[2] Carta a P. Jiménez Ilundain; Salamanca, 4 de Enero de 1907.

a Ilundain [1]: «Lo de aquí cada vez peor. Vivimos bajo un compacto y enorme nubarrón negro, preñado de pedrisco, que nos cubre todo el cielo, nos quita el sol, nos amaga apedrearnos cualquier día. Yo me consumo en una expectativa incesante. El sentimiento de incertidumbre e inseguridad es general y continuo. Nadie sabe lo que va a pasar aquí»; en tal situación llegó incluso a entreveer, clarividente, algo del futuro que sería realidad en los siguientes decenios; el texto donde se estampa su profecía, fechado en diciembre de 1922, dice textualmente [2]: «Desde enero de 1919 acá la disolución histórica de España ha ido en aumento y hoy parece que llegamos al fondo de lo que el Sr. Maura llamó «declive» y yo he llamado «derrumbe», fondo que será el principio del ascenso a una nueva cumbre acaso tras de la cual habrá otro barranco». La cumbre y el barranco aquí anticipados son, la interpretación es fácil, los años de la Dictadura y los de la segunda República respectivamente.

Los defectos que descubre la ideología política de Unamuno, nada escasos, no consiguen ocultar una indudable y destacada virtud; me refiero al recio, sincero e inquebrantable españolismo que la nutre; le decía, en 1911, a Jiménez Ilundain [3]: «Yo cada día más irreductiblemente español y más antieuropeo»; años después, dialogando ahora con su personaje Augusto Pérez, exclamará Unamuno: «¡Soy español!», y añade, dando razones a esta profesión de fe: «Español de nacimiento, de educación, de cuerpo, de espíritu, de lengua y hasta de profesión y oficio; español sobre todo y ante todo, y

---

[1] Carta a P. Jiménez Ilundain; Salamanca, 16 de Enero de 1920.
[2] «Romances de ciego»; *De esto y de aquello*; V, 390.
[3] Carta a P. Jiménez Ilundain; Salamanca, 26 de Enero de 1911.

el españolismo es mi religión, y el cielo en que quiero creer es una España celestial y eterna, y mi Dios, un Dios español, el de Nuestro Don Quijote; un Dios que piensa en español»[1]. El lector a quien interese conocer mejor esta faceta de la personalidad de Unamuno deberá leer la obra de Laín Entralgo sobre la generación del Noventa y Ocho, tantas veces citada por mí. Desde luego, lo vuelvo a repetir, Unamuno no era un político; quiero decir, un político en el sentido que todos concedemos a este calificativo. Para Unamuno, hacer política, como dijo de él Cassou[2], «es defender su persona, afirmarla, hacerla entrar para siempre en la historia. No es asegurar el triunfo de una doctrina, de un partido, acrecentar el territorio nacional o derribar un orden social»; en opinión de Jacinto Grau, Unamuno «veía la política como hombre inteligente, pero no era político..., político temporal, como todo genuino político, de acción inmediata. Unamuno era un político de eternidades»[3]. Veamos qué pensaba el propio Unamuno de su ideario político. Anótese, ante todo, su empeño por entroncarlo con el liberalismo *ochocentista;* mejor, con la tradición ilustrada del siglo XVIII que tantos fervores despertó entre los intelectuales guipuzcoanos. Comentando el entusiasmo liberal de su abuela paterna, que le llevó a abandonar Vergara para refugiarse en Bilbao con ocasión de las dos guerras carlistas, añade Unamuno unas reflexiones con las cuales pretende nada menos que encontrar en esta tradición liberal familiar la raíz de su

---

[1] *Niebla;* II, 852.

[2] J. Cassou: «Portrait d'Unamuno»; reproducido al frente de la edic. esp. de *Cómo se hace una novela;* IV, 920.

[3] J. Grau: *Unamuno. Su tiempo y su España;* 45-6; Buenos Aires, 1946.

personal postura religiosa[1]. Tuvo Unamuno, en su juventud, veleidades ideológicas socialistas y más tarde anarquizantes; hablándole de esto, le escribió a Federico Urales[2]: «mis lecturas de economía (más que de sociología) me hicieron socialista, pero pronto comprendí que mi fondo era y es, ante todo, anarquista. Lo que hay es que detesto el sentido sectario y dogmático en que se toma esta denominación. El dinamitismo me produce repugnancia, y la propaganda de violencia, retórica». Recuerde el lector lo que antes oímos decir a Unamuno sobre Ferrer y las fuerzas políticas que provocaron la «Semana trágica» barcelonesa. La manera de entender el socialismo Unamuno tampoco era fácil que la encontraran inteligible los creyentes en el marxismo ortodoxo; su opinión se la expuso a *Clarín*, en 1895[3]: «Sueño con que el socialismo sea una verdadera reforma religiosa», y meses después, dirigiéndose al mismo, vuelve a decirle[4]: «Para mí el socialismo es la aurora de lo que Spencer llama sociedades industriales, fundadas en la cooperación y la justicia (la que se identifica con la caridad), no en la concurrencia y la ley». Ni su socialismo es tal socialismo, como tampoco es anarquista su anarquismo, y es que en realidad el ideario de Unamuno no encaja en ningún credo, es, como él mismo quiso que fuese todo lo suyo, inclasificable, y así se lo confesó a quienes le escuchaban en su discurso de la Zarzuela de 1906: «Yo, que no soy un hombre de partido, no he venido a traeros un específico; no me gusta eso que

[1] «Abolengo liberal»; *Visiones y comentarios*; 117-21; Buenos Aires, 1949.
[2] Carta a Federico Urales.
[3] Carta a *Clarín*; Salamanca, 31 de Mayo de 1895.
[4] Carta a *Clarín*; Salamanca, 2 de Octubre de 1895.

llaman una solución concreta. No he querido más que animar los espíritus y verter donde quiera que me llamen y hasta donde no me llamen, oportuna, y sobre todo inoportunamente, el sacramento de la palabra» [1]. Por lo demás, también esto es bien cierto, a esa particular, tan personal manera de hacer política Unamuno se entregó todo entero, y ello le autorizó a decir desde su exilio [2]: «Existen desdichados que me aconsejan dejar la política. Lo que ellos con un gesto de fingido desdén, que no es más que miedo, miedo de eunucos o de impotentes o de muertos, llaman política, y me aseguran que debería consagrarme a mis cátedras, a mis estudios, a mis novelas, a mis poemas, a mi vida. No quieren saber que mis cátedras, mis estudios, mis novelas, mis poemas, son política».

El modo unamunesco de entender y vivir la política posee nombre; se llama *quijotismo*. Eran las suyas prédicas que tenían mucho de sermoneo laico. Confirmémoslo aduciendo unos datos. En 1900 le escribe a Arzadun [3]: «Me llaman de Vigo, y en vez de soltar seis conferencias de economía política o de lingüística, haré una seisena, seis sermones laicos con su tinte protestante»; «me dedico a remover espíritus, a despertar conciencias», le cuenta a Jiménez Ilundain en 1904 [4]; cinco años más tarde se lee en otra carta suya [5]: «Esta tarde salgo para Valladolid, donde les he de cantar las verdades a esos liberales baci-yelmistas o del bloque. Mi divisa es: primero la verdad que la paz. Antes quiero verdad en guerra que

[1] Cit. por R. Gómez de la Serna: *Azorín*; 165; Buenos Aires, 1942.
[2] *Cómo se hace una novela*; IV, 962.
[3] Carta a J. Arzadun; Salamanca, 12 de Diciembre de 1900.
[4] Carta a P. Jiménez Ilundain; Salamanca, 18 de Abril de 1904.
[5] Carta a C. González Trilla; Salamanca, 2 de Enero de 1909.

mentira en paz», y en otra, dirigida como la anterior a Casimiro González Trilla, dos años posterior, se lee: «Voy a empezar a mandobles con el retablo de Maese Pedro» [1]. Los testimonios podrían multiplicarse. Contra unos y otros, contra
todos, fué Unamuno derramándose, dándose como era o creía
ser, indiferente a los ecos que su entrega pudiera desvelar, buscando sólo que resonaran, cualquiera que fuese su tono, elo-
gioso o crítico; prefirió ser discutido a que le siguiesen ciegamente imitando con habilidad de simios desde sus gestos
hasta sus paradojas; hablándonos de lo que llamaba «mi evangelio de oposición» escribe en un artículo fechado en 1911 [2]:
«Es el nervio de mi ética social éste del esfuerzo por impo-
nerse unos a otros los hombres y los pueblos, es el nervio de
la ética quijotesca. Cada cual debe pelear por sellar a los demás
con su sello, por llevar su espíritu a los espíritus de los demás.
Es lo que vengo haciendo y es lo que Maeztu llama mi egotismo». Como dice de él Ramón Gómez de la Serna, quiso
Unamuno «actuar de conciencia española, representar al hombre libre» [3]. Y siempre, claro, igual que don Quijote, ciego para
las consecuencias que su intervencionismo público podía depa-
rarle; incapaz de comprender la discrepancia existente entre
su sueño, el que predicaba, y la realidad que lo acogía, pues
es él mismo quien lo dice [4], «¿de qué me servirá predicar a los
cuatro vientos el evangelio de Don Quijote, si llegada la
ocasión no me metiese en quijoterías por los mismos pasos por

[1] Carta a C. González Trilla; Salamanca, 10 de Marzo de 1911.
[2] «Sobre el imperialismo catalán»; *De esto y de aquello*; V, 510.
[3] R. Gómez de la Serna: «Don Miguel de Unamuno»; *Retratos contemporáneos*; 407; Buenos Aires, 1944.
[4] «Algo sobre la crítica»; *Contra esto y aquello*; III, 1131.

que él se metió?». Buscó ser en todo momento el hombre quijotizado que Laín Entralgo, descubriéndolo en los escritos de Unamuno, nos retrata así: «un hombre triste y grave, no pesimista, luchador resignado, impávido ante el ridículo, hombre de voluntad, más espiritual que racional, muy hijo del Medioevo... El hombre quijotizado empeñará su existencia en dos empresas, una tocante a la vida y atañadera la otra a la muerte, a la inmortalidad allende la muerte» [1]. Unamuno, con su personal existencia, queriéndolo, logró dar figura carnal a esta idealizada estampa; podrá gustarnos o no, podemos criticarla, pero no podremos negar que así era él en su vida pública y que siéndolo fué consecuente con las ideas que siempre predicó.

[1] P. Laín Entralgo: *España como problema*; 71-2; Madrid, 1949.

SEGUNDA PARTE

EL ANHELO

LIBRO CUARTO

EL ENSIMISMAMIENTO

CAPITULO X

1897

La fecha que encabeza este capítulo señala la de un año crucial en la vida de Unamuno, pues en su transcurso sobrevino la crisis religiosa de la cual había de surgir la actitud dudosa, agónica, que ya nunca abandonó. Es momento de historiar el suceso y apuntar sus primeras consecuencias. A espaldas de su vida cotidiana de padre de familia, profesor, escritor y hombre público; escondiéndose tras los afanes de cada día, se fué forjando y creció, hasta dominarle por completo, un acuciante problema, el de si a su muerte algo de lo que él era sobreviviría; si morir sería o no anonadarse. Vivió así Unamuno una doble existencia: exterior e íntima, o histórica e intrahistórica; ambas discurren paralelas y como ignorándose, si bien la segunda influye en la primera más que aquella en ésta. Con el presente capítulo se inicia el conocimiento de la personalidad íntima de Unamuno, que muchos no lograron adivinar bajo sus palabras, habladas o escritas, en los gestos todos de su comportamiento ante los demás, en el modo de encarar la vida y vivirla. El primer elemento de cuantos componen este envés de la personalidad de Unamuno lo constituye su talante religioso que terminó de fraguarse en el

curso de la crisis que ahora vamos a relatar. Porque su conocimiento es fundamental para entender la postura vital que
desde entonces no abandonó, recurriré ampliamente a los testimonios que de ella ofrece pródigamente su epistolario.

En tres ocasiones hizo Unamuno historia de este episodio
íntimo en la confesión general de sus cartas. La primera de
todas, a Juan Arzadun, lleva la fecha de 1897 [1]. Cuenta aquí
Unamuno cómo fué descubriéndose en él la preocupación religiosa entre sus convicciones de socialista teórico: «lo malo
del socialismo corriente es que se da como doctrina única y
olvida que, tras el poblema de la vida, viene el de la muerte.
¿Qué hay más allá de ésta? Porque si al morir muero del
todo, y como yo los demás hombres, al hacer la vida más fácil,
más pasajera, más grata y amable, es, aumentando la pena de
tener que perderla un día, llevar a los hombres a la infelicidad
de la felicidad, a la tremenda *noia* del pobre Leopardi, al
spleen devorador, a la sombría desesperación que entenebreció
la decadencia romana, esa edad del estoicismo y del suicidio...
Del seno mismo del problema social resuelto (¿se resolverá
alguna vez?) surgirá el religioso: ¿La vida merece la pena de
ser vivida?». Sigue en la misma carta, descubriéndose sin
rebozo alguno. «¡Tengo tantas cosas que decirte! ¡He pasado
por tantas angustias íntimas! Me han revuelto hasta lo hondo
los eternos problemas, el de la propia salvación eterna sobre
todo. Me he sentido al borde de la Nada inacabable, y he acabado por sentir que hay más medio de relacionarse con la
realidad que la razón, que hay gracia y que hay fe, fe que al
cabo se logra queriendo de veras creer. ¿Si yo en realidad

---

[1] Carta a J. Arzadun; Salamanca, 30 de octubre de 1897.

creo o es que tan sólo quiero creer? No lo sé. Ando desorientado, pero con mayor paz interior». Pocos meses más tarde; su corresponsal es ahora Jiménez Ilundain, vuelve a revivir lo sucedido: «¡Si supiera usted qué noches de angustia y qué días de inapetencia espiritual!... Me cogió la crisis de un modo violento y repentino, si bien hoy veo en mis escritos el desarrollo interior de ella. Lo que me sorprendió fué su explosión. Entonces me refugié en la niñez de mi alma, y comprendí la vida recogida, cuando al verme llorar se le escapó a mi mujer está exclamación, viniendo a mí: «¡Hijo mío!» Entonces me llamó hijo. Me refugié en prácticas que evocaran los días de mi infancia, algo melancólica pero serena. Y hoy me encuentro en gran parte desorientado, pero cristiano y pidiendo a Dios fuerzas y luz para sentir que el consuelo es verdad»[1]. Se descubre en este texto el papel que jugó la esposa en aquellos dramáticos días de la primavera de 1897; tan honda se clavó en él la escena, que habían de pasar por ella muchos años, casi treinta, y aún volvería a revivirla para contárnosla en las páginas autobiográficas de su libro *Cómo se hace una novela*. Antes de finalizar el año 1898, en nueva carta dirigida también a Jiménez Ilundain, se rememora todavía el episodio que ahora historiamos; cuestiones muy terrenas: los hijos, apremios económicos y otros mil motivos de distracción que le trae el vivir de cada día, consiguen apartarle algo de la honda cuita; sin embargo, escribe allí Unamuno, «temo que si los cuidados de orden temporal y familiar se me alivian, resurjan más potentes mis hondas preocupaciones, las de orden *inmaterial* y *eterno*. Ni un momento dejo de sentir en lo hondo

---

[1] Carta a P. Jiménez Ilundain; Salamanca, 3 de Enero de 1898.

de mi espíritu el rumor de estas aguas»[1]. El suceso alzó en torno suyo un muro de soledad, que incluso parecía alejarle de quienes más quería: «Hay momentos —añade Unamuno en la misma carta— en que me parece estar solo y que los demás no son más que sombras, espectros que se mueven y hablan». Tercer testimonio. Estamos en 1900; Unamuno le escribe a *Clarín* en este año una famosa carta, toda ella pura confesión, en la cual, para mejor desnudar su alma, habla de sí mismo impersonalmente; refiere en ella como él, Unamuno, mientras iba ganando nombre con las obras de su pluma, interiormente, «sufría mucho. Después de una crisis en que lloró más de una vez y hubiera sido un infierno su vida a no tener mujer e hijos, creyó en realidad haber vuelto a la fe de su infancia, y aunque sin creer en realidad empezó a practicar, hundiéndose hasta en las devociones más rutinarias, para sugerirse su propia infancia. Fué una fiesta en su casa, vió gozar a su madre (que es el único freno que le contiene de escribir muchas cosas que piensa); su hermana, recién salida del convento por dolencia, fué a vivir con él hasta que, repuesta, tornó a profesar ya. Pero se percató de que aquello era falso, y volvió a encontrarse desorientado, preso otra vez de la sed de gloria, del ansia de sobrevivir en la historia»[2].

Los textos transcritos proporcionan una imagen suficiente, tanto por su veracidad como por la riqueza en detalles, de la crisis religiosa a que se vió arrojada la vida de Unamuno, inesperadamente, en el mes de marzo de 1897. Pero no son las suyas las únicas noticias que nos hablan de aquel aconteci-

[1] Carta a P. Jiménez Ilundain; Salamanca, 23 de Diciembre de 1898.
[2] Carta a *Clarín*; Salamanca, 9 de Mayo de 1900.

miento. A él se refieren algunos de sus amigos, a cuyo testimonio voy a recurrir. En una carta que no lleva fecha, pero puede afirmarse fué escrita en 1898, el doctor Enrique Areilza, amistad bilbaína de Unamuno, le cuenta a Jiménez Ilundain, compañero de ambos, cómo el año anterior había vuelto a sobrecoger a Unamuno «aquel misticismo terrorífico, que alcanzó el pináculo en la cuaresma, y que creo le hubiera llevado hasta el catolicismo ortodoxo si el sol y el calor de la buena estación no hubiesen ahuyentado las cucarachas de su entendimiento, dando al mismo tiempo bríos a su corazón y ganas de vivir a su voluntad... Mas este descanso —sigue escribiendo Areilza— será, posiblemente, sustituído por nuevos arrebatos, con las nieves y ventiscas de este invierno y con las panzadas de fruiciones religiosas que seguramente se dará en la Roma española (Salamanca), con sus cuarenta iglesias y cuarenta conventos. Realmente la tristeza es mala consejera, y nada hay más peligroso, para irse al abismo místico, que frecuentar las iglesias cuando el corazón duele»[1]. El tono despreocupado e irónico de esta carta casa bien con el elegante escepticismo religioso que entonces profesaba quien la escribió. Años después, estando Unamuno en Bilbao, trató Areilza de arrancarle sus preocupaciones religiosas y devolverle la paz espiritual que antes de la crisis le garantizaba su cientifismo ateo. No lo consiguió, y a contarle su empeño y el fracaso en que terminó dedicó Areilza toda una carta de su correspondencia con Jiménez Ilundain; sarcástica en su letra, aquella carta, de la cual voy a transcribir unos párrafos, revela la incomprensión que Unamuno encontró incluso entre sus más íntimos amigos, y

---

[1] Carta de E. Areilza a P. Jiménez Ilundain.

también, y esto importa más, ciertas facetas de lo que fué su vida interior en aquellos días tan decisivos para él. Escribe Areilza [1]: «El hombre acaba sus dudas creyendo lo que más le conviene. Así se forma la fe interna... Su fe novísima, su odio a la ciencia positiva, y su apego al funcionarismo del Estado, arranca de ese hondón. No le creo insincero; al contrario. Dice siempre lo que cree. Pero es que termina por creer aquello que más le satisface... Ha consumido la vida en conocer ciencia positiva, que es fría e inexorable; y como no le ha proporcionado gloria ni tranquilidad de espíritu, la odia a muerte; la odia tanto más cuanto la tiene dentro; es la espina dolorosa que mortifica su fe, pero de la cual no podrá desprenderse porque constituye el fondo de su gran saber y de su valía». Esta semblanza más que injusta es dura, pues no se le puede negar el acierto con que consiguió revelar ciertos rasgos del humano talante de Unamuno, sobre todo, el que alude a su pretendido anticientifismo; de éste añade Areilza lo que sigue: «Búrlase de la ciencia hechológica como el jorobado podría reirse de su propia joroba o el rey de la corona que le engrandece», y de su actitud dudosa entre la fe que pugna por recuperar y el racionalismo que le niega tal consuelo, escribe su autor en esta carta: «En ese onanismo macabro ha encontrado consuelo a sus sufrimientos, vislumbrando alguna manera de calmar la sed de originalidad que le atormenta y alcanza su ideal de inclasificabilidad».

Unamuno, en el tránsito de la crisis que aquí rememoramos, como antes en Bilbao, tornó a sumergirse en el ejercicio, rutinario, de las prácticas del culto, buscando con ello dar vida

[1] Carta de E. Areilza a P. Jiménez Ilundain; 13 de Junio de 1902.

a la fe que perdió siendo estudiante en Madrid; que no lo lograra se debió, puede afirmarse, más que a otra cosa, a su empeño de recuperar aquella fe de la infancia con actos de mero voluntarismo, olvidando que su razón, la primera que era preciso someter a la verdad dogmática, persistía encastillada en los mismos errores causantes de su descreimiento. Pero sea cual fuere el motivo de aquel fracaso, lo cierto es que su propósito desembocó en este lamentable epílogo y asimismo que mientras lo persiguió Unamuno dió pruebas de sumisión a las normas de la Iglesia; en la carta antes citada cuenta Areilza cómo la crisis religiosa le puso «a las puertas de la Santa Eucaristía, con carácter casi patológico». De lo mismo hablan dos comentaristas de Unamuno; el primero, Hernán Benítez, nos dice [1]: «Viejos amigos de Don Miguel me certificaron... haber visto a Don Miguel practicar su fe católica, con misas, confesiones y comuniones, en la misma ciudad del Tormes, durante los primeros años de su arribo a ella»; este testimonio, bastante impreciso, tiene confirmación en lo que escribe, sobre lo mismo, José Miguel de Azaola [2]: «consta positivamente que volvió en varias ocasiones a practicar fugazmente la religión católica, y quizás a aceptar en su integridad la doctrina de la Iglesia; pero fueron breves rectificaciones de una conducta y un pensamiento cada vez más caracterizadamente heterodoxos. La última de ellas se produce en 1897; al menos, no hay pruebas auténticas de otras posteriores». Surgió la crisis de 1897,

[1] H. Benítez: *El drama religioso de Unamuno*; 148; Buenos Aires, 1949.
[2] J. María de Azaola: «Las cinco batallas de Unamuno contra la muerte»; *Cuadernos de la Cátedra Miguel de Unamuno*; II, 33-109; Salamanca, 1951.

según el testimonio de Corominas [1], de modo inopinado, en la noche de un día del mes de marzo, noche de «llanto inconsolable»; sobrecogido por el suceso, buscó refugio en el convento dominicano de San Esteban y en el vivió en retiro durante tres días; desde entonces, concluye Corominas, «la vida de Unamuno... fué una remembranza de aquella lucha». Antonio Sánchez Barbudo, a quien se deben los más detenidos análisis de las varias vicisitudes experimentadas por las ideas religiosas de Unamuno, fecha los comienzos de la crisis que historiamos hacia 1895; por este año, escribe [2], «se observa en él un recrudecimiento de preocupaciones religiosas hasta entonces quizá sofocadas»; dos años después irrumpiría en su conciencia aquella inquietud; con su existencia «al borde de la Nada», experimentando una auténtica vivencia de angustia, debió tener lugar, añade el autor que cito, la lucha «entre los dos Unamunos, el de la eternidad y el de la gloria, el externo y el íntimo, el que habla y el que calla». Esta crisis, repite nuestro comentarista en otro de sus trabajos [3], «no fué, en síntesis, sino una muy sincera desesperación de la que brotó anhelo vivísimo de fe».

La crisis a que estoy dedicando este pormenorizado relato tuvo su expresión en la obra literaria de Unamuno; Sánchez Barbudo quiere encontrar una referencia directa a aquel acon-

[1] P. Corominas: «El trágico fin de Miguel de Unamuno»; *Atenea*; LIII, 101-14; Concepción, Chile, 1938.

[2] A. Sánchez Barbudo: «Sobre la concepción de *Paz en la guerra*. La formación del pensamiento de Unamuno»; *Insula*; 46; Madrid, 15 de Octubre de 1949.

[3] A. Sánchez Barbudo: «La formación del pensamiento de Unamuno. Una experiencia decisiva: la crisis de 1897»; *Hispanic Review*; XVIII, 217-43; Philadelphia, 1950.

UNAMUNO CON SUS NIETOS

CASA RECTORAL DE SALAMANCA
HABITADA POR UNAMUNO HASTA 1914

tecimiento en el relato «Una visita al viejo poeta» [1], que se publicó en 1899; presenta en él su autor a un poeta que ha renunciado a la gloria literaria prefiriendo recrearse en la intimidad de su alma, buscando por ella a Dios; «diríamos —escribe el crítico citado [2]— que Unamuno se imagina a sí mismo en la situación en que se habría encontrado de haber hecho a raíz de su crisis lo que no hizo: haberse recluído en el convento, o al menos en su casa, ajeno a la ambición del literato»; en otros términos, mientras en el personaje del relato la intimidad vence a lo exterior, lo intrahistórico a lo histórico, en la vida real de Unamuno ocurrió, como se verá, todo lo contrario. La crisis religiosa de 1897 inspiró asimismo a Unamuno su ensayo *Nicodemo el fariseo*, la primera de unas *Meditaciones evangélicas* que no llegó a terminar; hablándole de ellas le escribía en 1898 a Jiménez Ilundain [3]: «Preparo unas *Meditaciones evangélicas*, y entre ellas hay una, «El mal del siglo», en que desarrollo el hecho de que hoy entristece a las almas el nihilismo, la perspectiva abrumadora de la nada ultramundana». En *Nicodemo el fariseo*, le dice en carta a Luis Ruiz Contreras [4], «vertí un buen pedazo de mi vida». ¿En qué terminó la crisis de 1897? Luego llegará el momento de volver a considerar con la atención que merece esta inexquivable pregunta; por el momento me limito a proporcionar al lector la respuesta que nos ofrece Unamuno [5]: «Bajo aquel golpe inte-

[1] *El espejo de la muerte*; II, 641-46.
[2] A. Sánchez Barbudo: «La formación del pensamiento de Unamuno. Una experiencia decisiva: La crisis de 1897»; *Hispanic Review*; XVIII, 217-43; Philadelphia, 1950.
[3] Carta a P. Jiménez Ilundain; Salamanca, 3 de Enero de 1898.
[4] Carta a L. Ruiz Contreras; Salamanca, 14 de Mayo de 1900.
[5] Carta a F. Urales.

rior volví o quise volver a mi antigua fe de niño. ¡Imposible! A lo que realmente he vuelto es a cierto cristianismo sentimental, algo vago, al cristianismo llamado protestantismo liberal, al de los Baur, Harnack, Ritschl y la tan simpática escuela francesa de Renan, Réville, los dos Sabatier, Stapfer, Menegoz, etcétera, a la dirección que marcó Schleiermacher». Pero retornemos ahora al Nicodemo unamuniano. El texto de este ensayo, publicado en las páginas de *Revista Nueva*, fué antes tema de una lectura hecha por Unamuno en el Ateneo de Madrid el 13 de noviembre de 1899. Nicodemo, el fariseo, con quien dialoga su autor siguiendo la traza del relato evangélico, es, transfigurado, el propio Unamuno. Se da aquí un desdoblamiento de su personalidad, y todo el ensayo no es, por tanto, sino uno de sus monodiálogos. Nicodemo simboliza al intelectualista que Unamuno fué hasta que la crisis religiosa lo colocó en la actitud vacilante, dudosa, que en el ensayo reencarna con su propio nombre. Le dice Unamuno a Nicodemo; se lo dice, entiéndase, a sí mismo: «Reza, Nicodemo, reza y pide, y no hagas como los que apartan estos pensamientos de su mente, y de su corazón, y a pretexto de una mentirosa salud se dicen: no quiero ponerme a pensar en mis creencias, ni examinar mi fe... ¡a vivir! No, tú no puedes ni debes vivir ya así; no puedes, no, no lo puedes, por la gracia de Dios», y le añade: «El que no crea en Él se condenará a eterno hastío, a ansia y terror a la vez de la nada» [1], y ésta fué, permítaseme anticiparlo, su propia condenación, de la que no quiso o no supo hurtar su destino. Por estos pasos, tan fielmente reproducidos en las páginas de *Nicodemo el fariseo*, transita

---

[1] *Nicodemo el fariseo*; IV, 28-9.

la vida espiritual de Unamuno desde el cientifismo spenceriano, que quiere ignorar lo trascendente, a la postura agónica que busca creer en una existencia perdurable sin lograrlo nunca. Entre ambas situaciones, justificando tan decisivo giro intelectual, se encuentra la crisis religiosa vivida por Unamuno en 1897; esta crisis, escribe Sánchez Barbudo [1], «resulta ser, aparte de un motivo directo de inspiración en las obras posteriores a 1900, una como fuente secreta de todo su pensamiento»; a ella ha de recurrirse también, añade, para explicar el cariz protestante que evidencian ciertos rasgos de la actitud religiosa hecha suya desde entonces por Unamuno [2]. Pero el testimonio más fidedigno, el que importa destacar, nos lo ofrece Unamuno con aquella carta a *Clarín*, varias veces citada ya, donde le habla de sí mismo impersonalmente; tras contarle allí el episodio de su crisis religiosa le dibuja la situación espiritual en que aquella le colocó: «Unamuno es una víctima de sí mismo, un *heautonmoronmenos*. Pásase la vida luchando para ser como no es y sin conseguirlo. Las más de las cosas que parece recomendar a otros se las recomienda a sí mismo. ¡Ah, qué triste es después de una niñez y juventud de fe sencilla haberla perdido en vida ultraterrena, y buscar en nombre, fama y vanagloria un miserable remedio de ella! Cuando Unamuno dice y repite que hay que vivir para la eternidad y para la historia es porque sufre de querer vivir en la historia, y aun

[1] A. Sánchez Barbudo: «La formación del pensamiento de Unamuno. Una experiencia decisiva: La crisis de 1897»; *Hispanic Review*; XVIII, 217-43; Philadelphia, 1950.

[2] Cf. asimismo J. Luis L. Aranguren: «Sobre el talante religioso de Miguel de Unamuno»; *Catolicismo y protestantismo como formas de existencia;* 191-209; Madrid, 1952.

cuando su parte mejor le muestra lo vano de ello, su parte peor
le tira» [1]. Ocurre lo que antes apunté; luchan en su ánimo el
hombre prendido de un anhelo, para él inalcanzable, de eternidad y el hombre que todo lo da por conseguir fama terrena,
para hacerse un nombre; ninguno de ambos venció en tal
pelea, tantas veces recordada por Unamuno en sus escritos al
hablar en ellos, con sospechosa insistencia, del relato bíblico
de la muerte de Abel a manos de Caín; aquella lucha terminó
por encararlo, ya en los años finales de su vida, con un problema que mucho iba a preocuparle: el de la personalidad, el de
saber quién era realmente él.

Desde la fecha de su crisis religiosa, Unamuno avanza con
rapidez por el camino que le lleva a consolidar en su ánimo
la actitud vital que con aquel suceso empezó a cobrar forma.
Postura caracterizada por una animadversión, más deseada que
efectiva, hacia el racionalismo intelectualista, y junto a ella la
aceptación de una religiosidad, ciertamente equívoca, que
luego veremos la define el propio Unamuno como fe dudosa
o agónica. Una corta antología de textos tomados de las cartas
que escribió a Jiménez Ilundain entre 1900 y 1906, demostrarán
lo afirmado de modo más convincente que con un laborioso
razonamiento mío. Se lee en el primer texto de los selecciona-
dos [2]: «A mi juicio nada más miserable que no ocuparse de
la ultra-vida». Dos años después le dice Unamuno: «Estoy
restableciendo a Dios en mi conciencia, al Dios personal y
evangélico (que surge de entre las ruinas del Ente realísimo
de la escolástica), al Padre de Cristo» [3]; en el mismo año, refu-

---

[1]   Carta a *Clarín;* Salamanca, 9 de mayo de 1900.
[2]   Carta a P. Jiménez Ilundain; Salamanca, 19 de octubre de 1900.
[3]   Carta a P. Jiménez Ilundain; Salamanca, 13 de mayo de 1902.

tando ciertos argumentos de Ilundain, le contesta así [1]: «Yo no digo que merecemos un más allá, ni que la lógica nos lo muestre; digo que lo necesito, merézcalo o no, y nada más. Digo que lo que pasa no me satisface, que tengo sed de eternidad, y que sin ella me es todo igual. Yo necesito eso, *¡lo ne-ce-si-to!* Y sin ello ni hay alegría de vivir ni la alegría de vivir quiere decir nada». Esta confidencia descubre cómo el temor al anonadamiento en la muerte rondó, encubierto o al desnudo, por todas las elucubraciones mentales que obsesionaron a Unamuno desde la fecha de su crisis; «temo mucho, muchísimo morirme —escribe en otra carta, también de 1902 [2]—; ¡tiemblo ante la imagen de la muerte!... La obsesión de la muerte viene de plenitud de vida; la tenemos los que sentimos que la vida nos desborda, y porque nos desborda la queremos inacabable». Ya en 1904 empieza Unamuno a encontrar seguro el suelo creencial que viene prestando apoyo a su existencia desde 1897; en dos cartas, separadas entre sí por un período de tiempo de poco más de dos meses, escribe a Jiménez Ilundain: «¡Estoy contento, muy contento, lleno de vida, y por dentro muy alegre!... Y, créame, tengo fuertes motivos para creer que mi constante preocupación por las *ultratumberías*, por el problema de la muerte y del más allá y por lo religioso es lo que serena y alegra mi vida» [3]; «sigo creyendo que lo capital es el problema religioso y que para el pueblo todo, tomado en conjunto, no hay salvación fuera del cristianismo, que sólo éste da motivo y consuelo para vivir. Estamos

---

[1] Carta a P. Jiménez Ilundain; Salamanca, 10 de agosto de 1902.
[2] Carta a P. Jiménez Ilundain; Salamanca, 7 de diciembre de 1902.
[3] Carta a P. Jiménez Ilundain; Salamanca, 8 de febrero de 1904.

amasados con él»[1]. Finalmente, en una carta suya de 1905 y de otra del siguiente año, he tomado los dos testimonios que aún he de citar, los cuales recogen, en su expresiva concisión, la última etapa del periplo que recorrió la mente de Unamuno desde su inicial postura spenceriana, nutrida de positivismo racionalista y de fe en la ciencia, a esta otra de agónico dudador, que ya nunca abandonará, propia del hombre que quiere creer por puro acto de voluntad, sin lograrlo, a espaldas de la razón que continúa negando. «Cada día —dice el primer texto de los prometidos[2]— me siento más cristiano, más creyente en la otra vida y menos positivista, o como usted quiera llamarlo»; repite en el segundo[3]: «Cada día creo más en un Dios personal, conciencia del Universo, ordenador de todo. Y cada día creo menos en la validez de las pruebas tradicionales y lógicas de su existencia».

[1] Carta a P. Jiménez Ilundain; Salamanca, 18 de abril de 1904.
[2] Carta a P. Jiménez Ilundain; Salamanca, diciembre de 1905.
[3] Carta a P. Jiménez Ilundain; Salamanca, 14 de febrero de 1906.

CAPITULO XI

INTERIORISMO

El suceso, de índole religiosa como se vió, que tuvo por escenario la intimidad de Unamuno por los años finales de la pasada centuria, provocó en él un proceso psicológico al que alimentó asimismo la inclinación más poderosa de su temperamento y la compulsión que sobre su manera de ser obraba el ceñudo paisaje de Castilla, ya conocida por el lector. Aludo a su ensimismamiento. Los *Tres ensayos,* publicados en 1900, constituyen la expresión literaria de este proceso. En carta dirigida a Jiménez Ilundain [1] le anticipa Unamuno el esquema de la tesis desarrollada en aquellos ensayos, y añade a la noticia esta referencia personal: «Mi vida es una continua autorevelación». Sobre su estado de ánimo en el período de elaboración del primer ensayo, el titulado «¡Adentro!» le dice en la misma carta: «Hace una temporada que no paseo con los amigos... Ni tresillo ni casino... Jamás he trabajado tanto como ahora, ni con tanta intensidad, a mi juicio». Refiriéndose, concretamente, al ensayo en cuya redacción se ocupa, añade

[1] Carta a P. Jiménez Ilundain; Salamanca, 26 de enero de 1900.

Unamuno: «Creo sea lo más denso de cuanto haya hasta hoy escrito... Es una denudación de alma, como el *Nicodemo,* si bien señalando otra etapa de mi vida interior. Porque voy saliendo de aquélla y sacudiéndome de todo resto de catolicismo y religión ritual, a medida que ahondo en el cristianismo, *en la fe de Cristo,* más bien que *en la fe en Cristo.* Leo el *Jesús de Nazareth,* de Réville, obra hermosa, concebida en la dirección de Renán... Sólo aquí, sólo en este hermoso retiro, ha podido ocurrírseme ese Ensayo, nuevo sermón, si bien mucho más laico». Componen los *Tres ensayos,* con el ya nombrado, los titulados «La ideocracia» y «La fe»; unidos, significan no tanto la manifestación del proceso de interiorización entonces vivido por Unamuno, primera consecuencia de la crisis religiosa de 1897, bien evidente en el ensayo «¡Adentro!», como su nueva actitud ante el intelectualismo racionalista («La ideocracia») y su manera de plantear ahora el problema religioso, creencial, que le preocupa hasta obsesionarle («La fe»).

Su ensayo «¡Adentro!» se abre con esta significativa afirmación: «¡Mi centro está en mí!» Figurando ser un diálogo mantenido con un imaginario interlocutor, que viene a ser no tanto el lector de turno como él mismo, va explayando Unamuno las cuestiones que trae implícitas la afirmación precedente. Es la primera entre todas la búsqueda de la soledad, una soledad como la que a él le deparó el páramo castellano y su modo de vivir en Salamanca; «sal pronto de ahí —es el consejo [1]— y aíslate por primera providencia; vete al campo, y en la soledad conversa con el Universo o si quieres, habla a la congregación de las cosas todas. ¿Que se pierde tu voz? Más

---

[1] «¡Adentro!»; *Tres ensayos;* III, 210.

te vale que se pierdan tus palabras en el cielo inmenso a no que resuenen entre las cuatro paredes de un corral de vecindad, sobre la cháchara de las comadres. Vale más ser ola pasajera en el Océano que charco muerto en la hondonada». No significa esto que Unamuno postule un abandono de toda convivencia, pues le son necesarios los demás, la «gente», para influir en ellos y en ellos prolongar su yo personal, perpetuarse: «No quieras —añade [1]— influir sobre el ambiente ni eso que llaman señalar rumbos a la sociedad... Coge a cada uno, si puedes, por separado y a solas en su camarín, e inquiétalo por dentro, porque quien no conoció la inquietud jamás conocerá el descanso. Sé confesor más que predicador. Comunícate con el alma de cada uno y no con la colectividad». Despegado así de la convivencia, no dejándose deformar por ella, lograda la soledad y en diálogo mudo con la desértica aridez de una tierra cual la de Castilla, el hombre podrá volver los ojos del espíritu a su propia intimidad, le será factible interiorizarse y caminar en constante autodescubrimiento: «Tu vida es ante tu propia conciencia la revelación continua, en el tiempo, de tu eternidad, el desarrollo de tu símbolo; vas descubriéndote conforme obras. Avanza, pues, en las honduras de tu espíritu, y descubrirás cada día nuevos horizontes, tierras vírgenes, ríos de inmaculada pureza, cielos antes no vistos, estrellas nuevas y nuevas constelaciones... No encadenes tu fondo eterno, que en el tiempo se desenvuelve, a fugitivos reflejos de él. Vive al día, en las olas del tiempo, pero asentado sobre tu roca viva, dentro del mar de la eternidad; al día en la eternidad, es como debes vivir» [2]. No nos detenga la consideración de lo que vista desde

---

[1] «¡Adentro!»; *Tres ensayos*; III, 215.
[2] *Ibíd.*; III, 211.

fuera pueda semejar tal actitud, pues se pregunta Unamuno, ¿qué puede importar lo que a los demás les parezca?; «¿que no te entienden? —le dice a su interlocutor [1]—. Pues que te estudien o que te dejen; no has de rebajar tu alma a sus entendederas». Sobre todo, es necesario no desperdiciar un solo átomo de este esfuerzo continuado de autoconocimiento, y esto para mejor darse después y poder entregar lo que uno en tales profundidades de la propia intimidad vive, y haciendo posible que en los demás reviva, rememorado, lo más personal de uno mismo, seguir viviendo; es decir, no morir: «Reconcéntrate para irradiar —concluye Unamuno [2]—; deja llenarte para que rebases luego, conservando el manantial. Recógete en tí mismo para mejor darte a los demás todo entero e indiviso».

Ideoclasta se proclama Unamuno en el segundo de los ensayos que comento; desde la crisis de su religiosidad propendió a cerrar con saña contra las ideas, frutos de la razón. Temió siempre, si se sometía a los fueros de la inteligencia, perder su individual personalidad, confundirse con cuantos profesaran las convicciones que él confesase. De otra parte, anhelando creencias; una sobre todas: la que concede fe en una existencia perdurable, tenían que parecerle muy pobres, sobre falsas, cuantas elucubraciones era capaz de urdir su razón. El drama de Unamuno radica precisamente en esto: por no saber servirse de la razón para creer, perdió su vida entera, él, el ideoclasta, en servir a las más deleznables ideas, las que nunca pudieron darle ni una sombra tan siquiera de la creencia que tanto

---

[1] «¡Adentro!»; *Tres ensayos*; III, 211.
[2] *Ibíd.*; III, 216.

anheló. Pero gustó proclamarse ideoclasta y creyó serlo siempre. Lanza su primer manifiesto contra la inteligencia en las páginas del ensayo a que aludo; dice aquí: «Yo, en cuanto hombre, soy idea más profunda que cuantas en mi cerebro alojo, y, si lograse darles mi tonalidad propia, eso saldrían ganando de su paso por mi espíritu... No es divinamente humano sacrificarse en aras de las ideas, sino que lo es sacrificarlas a nosotros, porque el que discurre vale más que lo discurrido, y soy yo, viva apariencia, superior a mis ideas, apariencias de apariencia, sombras de sueño» [1]. Deduce de estas afirmaciones una doctrina de la verdad que quiero repetir, pues más adelante habrá sobrados momentos para que el lector la recuerde con provecho: «Suelen ser nuestras doctrinas —opina Unamuno [2]—, cuando no son postura de afectación para atraer la mirada pública, el justificante que *a posteriori* nos damos de nuestra conducta, y no su fundamento apriorístico... Lo importante es pensar, sea como fuere, con estas o con aquellas ideas, lo mismo da: ¡pensar!, ¡pensar!, y pensar con todo el cuerpo y sus sentidos, y sus entrañas, con su sangre, y su médula, y su fibra, y sus celdillas todas, y con el alma toda y sus potencias, y no sólo con el cerebro y la mente; pensar vital y no lógicamente». Finalmente, en el tercer ensayo, el titulado «La fe», explaya Unamuno la primera versión de su personalísima manera de entender este núcleo de toda vida religiosa. Con preguntas y respuestas, a estilo de catecismo, se interroga y se contesta a sí mismo:

«P.—¿Qué cosa es fe?

---

[1] «La ideocracia»; *Tres ensayos;* III, 218 y 220.
[2] *Ibíd.;* III, 223.

R.—Creer lo que no vimos.

¿Creer lo que no vimos? ¡Creer lo que no vimos, no!, sino crear lo que no vemos. Crear lo que no vemos, sí, crearlo, y vivirlo, y consumirlo, y volverlo a crear y consumirlo de nuevo, viviéndolo otra vez, para otra vez crearlo... y así en incesante tormento vital. Esto es fe viva... La fe es confianza ante todo y sobre todo; fe en sí mismo tiene quien en sí mismo confía, en sí y no en sus ideas; quien siente que su vida le desborda y le empuja y le guía; que su vida le da ideas y se las quita» [1]. Y «fe cristiana» ¿qué es?, torna a preguntarse Unamuno, para responder: fe hecha de confianza, sin dogmas, no fe teologal; fe que es desnudo acto de la voluntad, deseo de creer, sin concurso de la razón, más bien contra ella; fe, sobre todo, en la humana figura de Cristo, pues esta fe, escribe [2], «o es confianza en Cristo o no es nada; en la persona histórica y en la histórica revelación de su vida, téngala cada cual como la tuviere. Tiénenla muchos que de Él dicen renegar; descubriríanla a poco que se ahondasen. Fe en Cristo, en la divinidad de Cristo, en la divinidad del hombre por Cristo revelada, en que somos, nos movemos y vivimos en Dios; fe que no estriba en sus ideas, sino en Él; no en una doctrina que representara, sino en la persona histórica, en el espíritu que vivía y vivificaba y amaba. Las ideas no viven, ni vivifican, ni aman». Con esta afirmación, que nunca dejó de confesar, se enlaza su manera de encarar el tema de Cristo, sobre todo, en los versos de su *Cristo de Velázquez*, y cuanto tal reflexión le inspiró. Pero de esto, como de la manera suya de entender

[1] «La fe»; *Tres ensayos*; III, 227.
[2] *Ibíd.*; III, 231.

la fe, cuestiones ambas muy importantes en el mundo intelectual, o si se prefiere vital de Unamuno, nada he de añadir ahora a lo dicho, pues en otro capítulo será preciso volver a ello con mayor detención y más rico acopio de noticias.

Al vivir Unamuno esta etapa de su vida, se dió en él un proceso psíquico que se puede calificar de interiorismo. Fué aquél un momento trascendental en su existencia. Todo coadyuva para lanzarle a esta aventura que durará cuanto su vida dure; su temperamento, la influencia racial, el ámbito geográfico de Castilla son otras tantas razones que acuden a explicarnos lo sucedido. Yo imagino este acontecimiento comparándolo a esa sensación que se vive al contemplar desde una habitación el atardecer de un día cualquiera. Las sombras comienzan a cubrirlo todo con su manto uniforme, y siempre nos asalta la impresión de que la noche nace a nuestro lado; mientras el paisaje lo percibimos todavía con suficiente claridad, la oscuridad se ha adensado de tal modo en nuestro inmediato contorno que la mirada ya no es capaz de reconocer tras ella el pequeño mundo que nos rodea. Iluminemos ahora la habitación; iluminémosla brillantemente. ¿Qué sucede? Sobre el mundo exterior cae, con rapidez teatral, el telón de la noche, mientras que en la habitación antes desvanecida en sombras todo es percibido de nuevo hasta su menor detalle. Fué un simple juego de contrastes lo que tuvo lugar. Pues bien, algo muy semejante a este sencillo fenómeno puede ocurrir en la vida de un hombre. El yo humano yace, dentro de la figurada habitación del mundo psíquico, envuelto en una constante penumbra, y ello motiva que conozcamos mejor la vida que discurre en torno a nosotros que los sucesos acaecidos en la propia intimidad; se vive corrientemente asomados a una ventana abierta al mundo exterior. Si un hombre logra iluminar su mundo interior, personal, entonces el escenario donde representa su vida se desvanecerá a sus ojos, cierto, pero a tal precio logrará conocerse. A este cambio en la orientación vital lo califica Ortega y Gasset de «ensimismamiento» [1]. El proceso de interiorismo o ensimismamiento adquiere una más completa interpretación en la explicación psicológica que de él nos da el psiquiatra y psicoanalista Carlos Gustavo Jung [2], para quien tal suceso, que prefiere denominar «individuación», ocurriría, de acontecer, en la madurez de la vida, en cuyo transcurso sobrevendría un replegamiento paulatino de la energía vital que puso al hombre, durante su juventud, en contacto con su mundo exterior y la vida que en él se vivía; en otros términos, tendría lugar en la madurez una introyección de la líbido, la «individuación», mediante la cual adquiriría el hombre el más amplio y profundo conocimiento de su propia personalidad, complejo proceso que Jung califica de «autificación» o «realización del sí-mismo».

Varios son los factores, y de muy diversa naturaleza, que pueden favorecer este proceso de individuación, ensimismamiento o interiorismo. Algunos de ellos se unieron en Unamuno y a su acción conjunta se debe la plenitud con que vivió tal suceso y el que sus consecuencias alcanzaran en su vida una resonancia verdaderamente ejemplar por lo intensa. Voy a enumerar los más importantes. Influyó, ante todo, el temperamento de Unamuno, del cual ha dado uno de sus comentaristas esta concisa fórmula: «narcisista, introversión psicológica hecha

---

[1] Cf. J. Ortega y Gasset: «Ensimismamiento y alteración»; *Obras completas*; V, 285-311; Madrid, 1947.

[2] C. G. Jung: *The integration of the Personality;* 30-50; Edic. Ingl.; London, 1946.

en él indestructible modalidad habitual» [1]. Como tipo psicológico fué un acabado exponente del hombre introvertido. Define a la introversión [2] una preponderante convergencia de la líbido o energía vital en sí mismo, conducente a una hipertrófica valoración de la propia personalidad y a una consiguiente depreciativa visión de cuanto no se constriñe al ámbito de lo más inmediato; forja así su existencia el introvertido a espaldas de la realidad que lo envuelve, embargado o ensimismado por los sucesos de su compleja vida íntima. Exteriormente, el introvertido muestra una faz hermética y una conducta aparentemente paradógica, contradictoria y arbitraria, pues es lo que acontece en su intimidad, y los demás ignoran, y no las conveniencias sociales, quien guía, de preferencia, sus actos; se hace preciso por tanto adentrarse muy profundamente en la vida interior del introvertido para llegar a conocerlo. No pueden negársele, sin embargo, cualidades sociales al introvertido; la mente humana, al profundizar en este autoconocimiento, consigue alcanzar, sobre todo, si se trata de una personalidad de excepción cual la de Unamuno, ese fondo «colectivo» que forma el subsuelo común donde asientan las concretas individualidades que somos cada uno de nosotros. En este hecho radica la entrañada universalidad con que la vida y las obras de Unamuno se enriquecen; vale decir que es su exagerado individualismo quien concede a sus escritos el acento capaz de hacer vibrar, al recibirlo, las fibras más recónditas de nuestro ser, las más humanas desde luego. Unamuno fué, precisemos mejor su perfil psicológico, dentro de su introversión, un intui-

---

[1] N. González Caminero, S. J.: *Unamuno, I. Trayectoria de su ideología y de su crisis religiosa;* 199; Comillas, 1948.
[2] C. G. Jung: *Tipos psicológicos;* Edic. esp.; Buenos Aires, 1945.

tivo. Intuición es la cualidad psíquica que lleva, en quienes la poseen, a conocer los hechos y enjuiciarlos desde la profundidad de sus motivaciones y no sobre la superficie de los resultados. Se comprende ahora cómo cuando se dan unidas la introversión y la tendencia intuitiva, obtenemos como producto humano al hombre soñador, al vidente o al místico; en cualquier caso, al hombre que se abisma en sí mismo hasta tocar con la sonda de su intuición los fondos de lo inconciente para sacar a la luz de la conciencia los impulsos primordiales, las imágenes arquetípicas que allí anidan, tesoro heredado de cuyo dinamismo extrae vida toda existencia humana. Estas visiones que enhechizan y ciegan para toda otra visión no son, en quien las intuye, objeto de consideración estética, pues a tales profundidades de la intimidad no cabe postura independiente ni crítica. Los problemas que su conocimiento plantea, aún siendo comunes para todos, son sentidos y vividos por su descubridor como íntima y radicalmente personales. Tal concentración en sí mismo; este entronizar el mundo interior, subjetivo, sobre la realidad objetiva dentro de la cual vive, hace que el introvertido resulte presa fácil de la pasión. Más adelante será ocasión de referir a la existencia de Unamuno este rasgo de su manera de ser. Intuitivo e introvertido, ese es el más escueto diseño de su personalidad psicológica; él predice la razón de su caída, encarado al ceñudo paisaje castellano, en la honda sima de una pasión que en Unamuno fué, como se verá, la de no morir. Además de introvertido e intuitivo era Unamuno un imaginativo; cuando ensalza las virtudes de la imaginación no está haciendo otra cosa que justificar una de las facetas más peculiares de su temperamento; la propensión, tan suya, hacia la contradicción y la paradoja. He aquí un triple

CASA HABITADA POR UNAMUNO EN
SALAMANCA HASTA EL DIA DE SU MUERTE

ESCRITORIO Y DORMI-
TORIO DE UNAMUNO

testimonio [1]: «el más genuino producto de la imaginación: la paradoja»; «la riqueza imaginativa le lleva al hombre a contradecir a los ojos de los pobres en imaginación»; «para el imaginativo la vida es sueño y es para él la vida sueño porque el sueño es vida, porque sus sueños tienen realidad de cosas vivientes».

Colaboró en la ayuda que al ensimismamiento en Unamuno prestó su temperamento la compulsión constante con que obró sobre su ánimo el desnudo páramo castellano; recuerde el lector cuanto acerca de tal influjo se dijo en un capítulo anterior; en el que siga a éste se volverá a tocar el tema tratando de una faceta de aquél cuyo comentario soslayé antes. Por último, motivos de índole intelectual; las lecturas a que se entrega Unamuno con mayor fruición cada día no sólo favorecen el proceso de interiorización que aquí se estudia, pues a un tiempo dan al ensimismamiento unamuniano un tono marcadamente religioso. Desde que la crisis de 1897 colocó a Unamuno en una actitud vital de duda agónica, sus preferencias de lector favorecen la adopción de tal postura proporcionándole argumentos con que robustecerla ideológicamente. Leyó Unamuno a Kierkegaard y las obras de los más destacados teólogos protestantes: Baur y Straus, Harnack, Holztmann y Ritschl; en ellos cosechó los argumentos utilizados luego para criticar la obra teológica del catolicismo. Merece destacarse el influjo en él ejercido por la lectura de Sören Kierkegaard; fué, posiblemente, ésta la primera y una de las más importantes resonancias que la agónica dialéctica del pensador danés consi-

---

[1] «La imaginación en Cochabanba»; *Contra esto y aquello;* III, 1.156-58.

guió despertar en el ámbito intelectual latino. En las cartas de Unamuno se encuentran frecuentes testimonios de estas incursiones suyas de infatigable lector, facilitadas por su poliglotismo. «Yo leo mucho», le dice, en 1900, a Luis Ruiz Contreras: «Mi esfuerzo consiste en apropiarme lo que leo y convertirlo en carne y sangre propias» [1]; anterior en poco más de un mes es este otro párrafo que tomo de una carta suya a *Clarín:* «me preocupan mucho los estudios religiosos; la gran *Domengeschichte* de Harnack me abrió grandes horizontes; ahora estudio las últimas evoluciones de la teología luterana con Ritschl a la cabeza» [2]. Dos años más tarde le dice a Maragall [3]: «he vuelto a sumergirme en estudios teológicos, de historia, crítica y exégesis del cristianismo. Ahora estudio la dirección que han dado el neoluteranismo Rothe, Hermann y Ritschl», y en 1904, dirigiéndose a Nin Frías, repite [4]: «leo a Kierkegaard, en su lengua, el danés, la *Religionsphilosophie* de Pfleiderer, obras de Ritschl (el teólogo alemán), sermones del norteamericano Brooks. etc.»; en otra carta del mismo año [5] encontramos consignadas sus lecturas de Willian James y Emerson. No se ha de analizar aquí el papel que esta vasta formación libresca jugó en la génesis de las elucubraciones unamunescas en torno al tema, para él obsesivo, de la perduración o anonadamiento tras la muerte física. Importa ahora destacar tan sólo el hecho, éste indudable, de que ellas dieron un matiz peculiar a los frutos que cosechó Unamuno en aquella apasio-

[1] Carta a L. Ruiz Contreras; Salamanca, 14 de mayo de 1900.
[2] Carta a *Clarín*; Salamanca, 3 de abril de 1900.
[3] Carta a J. Maragall; Salamanca, 3 de noviembre de 1902.
[4] Carta a Nin Frías; Salamanca, 25 de mayo de 1904.
[5] Carta a Nin Frías; Salamanca, 15 de agosto de 1904.

ada introspección por los senos más recónditos de su intimi-
ad, en su constante autoanalizarse y ensimismarse más cada
ía, empujado a ello por la situación creencial en que le colocó
a crisis religiosa de 1897, ayudándole, eso sí, la edad, su
emperamento, las lecturas a que se consagró desde entonces y
l paisaje de Castilla, de cuyo influjo trataré de nuevo en el
apítulo que sigue al que ahora termina.

CAPITULO XII

VIVENCIAS DE LAS CUMBBES

No sólo los impulsos predominantes en su temperamento y el influjo obrado por las lecturas a que se entregó Unamuno, doble influencia analizada ya, determinaron que en su vida, y a raíz de la crisis religiosa experimentada en 1897, se hiciera patente, con particular desmesura, aquel proceso de interiorización o ensimismamiento. Como anticipé, también intervino en su génesis el efecto compulsivo ejercido sobre su ánimo por la diaria convivencia con el paisaje de Castilla; hablaré ahora de este influjo completando lo expuesto en un capítulo anterior.

Empezaré destacando, pues bien merece esta prioridad, el sesgo religioso que siempre tuvo para Unamuno la soledad que le deparó la altiplanicie castellana. Se dijo ya cómo el paisaje desértico de la meseta concede primaria importancia al cielo que lo cubre y cómo la tierra desnuda, sin atractivo sensorial alguno, empuja la mente de quien la contempla a la reflexión de los temas eternos, remetiéndola en sí misma, desasiéndola de lo inmediato y perecedero. Se comprende también que en hombres como Unamuno, predispuestos por naturaleza a este género de reacción, las consecuencias de tal influjo habían de extremarse. Es sobre todo en sus efusiones líricas donde más pura se nos muestra la derivación religiosa por la cual se orientó su pensamiento bajo la emoción suscitada en él por el paisaje. Escribe en la poesía titulada «Castilla» [1]:

> *Tu me levantas, tierra de Castilla,*
> *en la rugosa palma de tu mano,*
> *al cielo que te enciende y te refresca,*
> *al cielo, tu amo.*

La soledad que le da Castilla lo alza al cielo, y también facilita su diálogo con Dios [2]:

> *En la tierra yo solo, solitario,*
> *Dios solo y solitario allá en el cielo,*
> *y entre los dos la inmensidad desnuda*
> *su alma tendiendo.*
>
> ... ...
>
> *Dejadme solo y solitario, a solas*
> *con mi Dios solitario, en el desierto;*
> *me buscaré en sus aguas soterrañas*
> *recio consuelo*

Siempre agradeció Unamuno a Castilla esto que a él le daban sus campos austeros, la inhóspita faz de su paisaje. Juan Maragall, el gran poeta catalán, unido a Unamuno por un sin-

---

[1] *Poesías; Antología poética;* 12; Madrid, 1942.
[2] «En el desierto»; *Poesías; Ibíd.;* 59-60.

cero afecto, cuando el recuerdo de su amigo afloraba a su memoria gustaba imaginárselo en esta actitud de solitaria y total compenetración con el páramo castellano; en una de sus cartas le confiesa que se figura el paisaje salmantino «con un horizonte más simple y más autero, más desnudo y más... intenso. Y a V. ante él, complaciéndose fuertemente en la desolación, en ese aire puro de desierto, sin regalo alguno para los sentidos, y por esto hurgando despiadadamente en su propia alma para encontrar a Dios en ella, y no en otra parte alguna, y así le comprendo como el único sobreviviente de ese gran reino espiritual: Castilla!... Le veo como el único héroe en pie de una batalla perdida, rodeado de cadáveres y de ruinas humeantes, irguiéndose todavía, aunque ya solo y profiriendo aquella gran voz de desafío a Europa y al siglo: —Africanos? Sí»[1]. La intuición del poeta dibuja, certera, el mejor símbolo para resumir lo que fué la vida de Unamuno en Castilla.

Desde Salamanca, siempre que sus ocupaciones académicas se lo permiten, Unamuno toma, con la compañía de pocos amigos, el camino que lleva a las cumbres; huye a ellas buscando lo que la ciudad, el vivir en convivencia no puede darle. Perdida la memoria de las cosas humanas en el agreste rincón de Guadalupe que llamó, con frase feliz, «reposadero», escribe[2]: «procuraba hartarme de visión de campo, llenar el alma de su verdura secular, como procura henchirse el pecho de aire el que va a hundirse por algún tiempo en el seno de las aguas. ¡Cuántos cuidados se me lavaron en aquella visión de verdura!». Muchas veces, llevado de este afán, asciende Unamuno

---

[1] Carta de J. Maragall a Unamuno; Barcelona, 19 de diciembre de 1906.
[2] «Guadalupe»; *Por tierras de Portugal y España;* I, 408.

a la Peña de Francia, a Gredos, a los más enhiestos picachos de la orografía peninsular. De lo que encaramado en ellos experimentaba su espíritu nos da fiel noticia su poesía a Gredos [1]; los elementos fundamentales de esta vivencia son, con la soledad, el más importante, el desasimiento de cuanto de mezquino, de demasiado humano, trae a la existencia el cuidado del diario vivir, y una mayor proximidad a la Divinidad, al Dios personal en que creyó Unamuno. En la cima de la Peña de Francia llegó a sentir, nos confiesa, «la inmovilidad en medio de las mudanzas, la eternidad debajo del tiempo» [2]; «se lleva a las alturas —añade— el corazón y la cabeza hechos en los valles y llanos, y allí arriba, en la cumbre, hablamos de nuestras preocupaciones, de literatura, de filosofía, de poesía, de religión, del inmortal anhelo de inmortalidad sobre todo, pero no de sociología». En el pensamiento de Unamuno, lo vamos descubriendo, se contraponen formalmente la «cumbre» y el «llano»; ambos nombres son utilizados por él, metafóricamente, cual símbolos de dos modos divergentes de vivir. Representa el segundo la existencia compartida con cuantos en torno a nosotros viven, la vida social o ciudadana; representa el primero, la «cumbre», el vivir solitario, desasido de lo terreno, prendido el ánimo en una contemplación que tiene no pocos rasgos de semejanza con la vivencia mística. Estamos de nuevo, con Unamuno, izados sobre la roca de la Peña de Francia; se contempla a nuestros pies el llano, y en él, lejano, el lugar donde asienta Salamanca, «su ciudad»; cubre a la llanura ligera niebla y de ella emerge sólo la montaña que nos sustenta; vida fresca,

---

[1] «En Gredos»; *Andanzas y visiones españolas;* I, 760-63.
[2] «El silencio de la cima»; *Andanzas y visiones españolas;* I, 542.

purificada, reparte la sangre por nuestro cuerpo, pues cuanto la envenenaba, afanes y necesidades, odios, rencillas y deseos nacidos de lo menos humano de nuestra propia naturaleza, se ha quedado allá abajo, en la ciudad que nos los inspiró; nada puede distraernos de la preocupación fundamental y eterna. «Es una visión —concluye Unamuno [1]— que recuerdo siempre que en el fondo de estas ciudades del llano en que vivimos amanece un día sin sol, por velarlo la niebla baja. Esta baja niebla, que retiene y arrastra sobre los plantíos los gérmenes del añublo. A la cumbre, donde no llegan las nieblas, tampoco llega el añublo del espíritu. Se añubla el alma, como el trigo, bajo la niebla que forma el vaho de nuestras mismas concupiscencias».

Para Unamuno, y es ésta apreciación que reitera una y otra vez, «toda Castilla es cumbre» [2]; «la grandiosa paramera de Castilla —repite en otra ocasión [3]—... es toda ella cumbre». Y en una de sus más hermosas poesías canta así a este paisaje [4]:

> *Es todo cima tu extensión redonda*
> *y en tí me siento al cielo levantado,*
> *aire de cumbre es el que se respira*
> *aquí, en tus páramos.*

Toda Castilla es cumbre; en otras palabras, cualquier rincón de su llanura, igual que en sus cimas, favorece la entrega a la reflexión que más importa, a su preocupación religiosa. Escribe

---

[1] «En la Peña de Francia»; *Andanzas y visiones españolas;* I, 609.
[2] «Castillos y palacios»; *Paisajes del alma;* I, 915.
[3] «Al pie del Maladeta»; *Andanzas y visiones españolas;* I, 704.
[4] «Castilla»; *Poesías; Antología poética;* 12; Madrid, 1942.

desde la Peña de Francia, refugio a donde tantas veces acudió Unamuno [1]: «Allí, en la cumbre, allí sí que parece la vida un sueño y un soplo. Pero un sueño restaurador de la vela... Ni distracción, ni di-versión, sino más bien in-tracción e in-versión. Al perderse así en aquel ámbito de aire hay que meterse en sí mismo. Pero en lo mejor de sí. Meditar, esto es, vagabundear con el espíritu por los campos de lo indefinido». Bajando otro día de Gredos, nos quiso contar las emociones que su alma vivía encaramado en tan alta cima; versificándolas, le fué posible expresarse mejor [2]:

> *Aquí me trago a Dios; soy Dios, mi roca,*
> *sorbo aquí, de su boca con mi boca,*
> *la sangre de este sol, su corazón,*
> *de rodillas aquí, sobre la cima,*
> *mientras mi frente, con su lumbre, anima*
> *al cielo abierto en santa comunión*

Emoción idéntica; más intensa, incluso, en ocasiones, provocaba en Unamuno la contemplación del páramo; relea el lector conmigo estos párrafos tomados de su artículo «Paisajes del alma»: «El páramo suele ser también montaña, todo él vasta cima ceñida en redondo por el cielo. Cuando el cielo del alma-páramo de la vasta alma esteparia se cubre de aborrascadas nubes, de una sola enorme nube, que es como otro páramo que cuelga del cielo, es como si fuesen las dos palmas de las manos de Dios. Y entre ellas, tiritando de terror, el corazón del

---

[1] «En la Peña de Francia»; *Andanzas y visiones españolas;* I, 606.
[2] «En Gredos»; *Andanzas y visiones españolas;* I, 763.

alma teme ser aplastado». El hombre perdido en el páramo, añade, «no puede mirar más que al cielo. Y la más trágica crucifixión del alma es cuando, tendida, horizontal, yacente, queda clavada al suelo y no puede apacentar sus ojos más que en el implacable azul del cielo desnudo o en el gris tormentoso de las nubes». En el alma clavada así a la tierra, la visión del cielo le depara una impresión capaz de remover todo su ser, pues en tal postura, concluye Unamuno, «sujeta a la palma de la mano izquierda de Dios, contempla la mano de su diestra, y en ella, grabada a fuego de rayo, la señal del misterio, la cifra de la esfinge, del querubín, del león-águila» [1].

Ahora que sabemos de qué naturaleza eran las emociones vividas por Unamuno cuantas veces se engolfaba en la contemplación del paisaje castellano, todo él cumbre, es momento propicio para tornar a una reflexión ya esbozada en un capítulo anterior: me refiero al influjo que aquél ejerció sobre los pensamientos en que se ocupaba sin descanso el íntimo vivir, agónico, de Unamuno. En ella encontraremos respuesta a una pregunta con la cual tropiezan cuantos peregrinan por la biografía de Unamuno, y que podría formularse en estos o parecidos términos: ¿Por qué Unamuno, quien siempre se sintió atraído por el recatado encanto de los valles de su nativa Vasconia, prefirió a la fácil delicia que allí se le ofrecía el hosco, descarnado paisaje de Castilla, tan opuesto al que rehuía? Antes de contestar recuérdese que Unamuno nunca dejó de ser un sensible catador de paisajes; era sincero al decirnos que «nuestras mejores y más propias ideas, molla de nuestro espíritu, nos vienen, como de fruta alimenticia, de la visión del

---

[1] *Paisajes del alma;* I, 829.

mundo que tenemos delante, aunque luego, con los jugos de la lógica, la transformemos en quimo ideal, del que sacamos el quilo que nos sustenta. Y que es el que se suda al trabajar. Y estas nuestras ideas, ya transformadas, especies hechas carne y sangre, y hasta hueso, de nuestro espíritu, se agarran como con zarcillos de vid a las visiones, sus madres» [1]. Repito: ¿Por qué Unamuno quiso vivir atado al paisaje de Castilla? La respuesta, implícita ya en cuanto acerca del tema se ha expuesto, va a perfilársenos mejor con unos testimonios del propio Unamuno, recogidos de diferentes trabajos suyos; aluden todos a la impresión que señoreaba su ánimo cada vez que tornaba a gustar el encanto de cualquier paisaje apacible y acogedor, en el que pareciera asomarse la faz de la tierra nativa; se nos muestra en ellos también de donde le provenía la necesidad que, sintiéndola, le empujaba a volver a Castilla, rehuyendo el abrazo seductor con que aquellos parajes le invitaban a aposentar en ellos su vida. Recordando una excursión a Galicia escribe, ya de regreso en Salamanca [2]: «Fluye allí por todas partes la invitación al dulce sueño sin ensueños, a dormir en el seno de la tierra». El texto que sigue se lo inspiró a Unamuno el contemplar la quebrada de los Tilos, en tierras de Gran Canaria: «Se siente ganas de quedarse, de quedarse a olvidar... ¿a olvidar? Tal vez más bien a recordar. ¡Quién sabe!... Pero los cuidados le persiguen a uno a dondequiera como las erimias, las furias, a Orestes. ¡Hay que volver! ¡Hay que volver, es decir, hay que seguir viviendo! Mañana espera; espera ese terrible mañana, que es el eterno misterio. ¡No poder quedarse en una de

[1] «Frente a los negrillos»; *Andanzas y visiones españolas;* I, 647.
[2] «Junto a las rías bajas de Galicia»; *Andanzas y visiones españolas;* I, 582.

estas quebradas, junto al arroyo, bajo los tilos que forman como una vasta catedral viviente, con sus miles de columnas y su bóveda de follaje; no poder quedarse allí, en un perpetuo hoy, sin ayer y sin mañana» [1]. Y acogido en el refugio de Manacor, en Mallorca [2], se pregunta: «¿Podría vivir mucho tiempo en este apacible, respetuoso y no demasiado curioso pueblo mallorquín? Si un día la batalla de la vida me rinde, si mi coraje flaquea, si siento en el corazón del alma la vejez, me acordaré, estoy de ello seguro, de este pueblo tranquilo y feliz; me acordaré de su luz espléndida y también de su lago subterráneo de aguas tenebrosas y quietas; me acordaré de sus quietas legiones de almendros y de higueras, todos bien alineados; me acordaré de sus patriarcales molinos de viento volteando sus velas sobre los arreboles que deja el sol al ponerse en la sierra de la costa brava; me acordaré de esta paz; pero ¿hoy? Hoy no he hecho sino empezar a gustar este sosiego, y ya el amor a la inquietud se me enciende... Y, sin embargo, ¡qué grato es esto!... ¿Quién acierta?». Su anhelo de eternidad acuciándole a no cejar en la lucha que tiene por escenario su propia intimidad, donde pelean sin descanso ni posibilidad de victoria su afán por no morir del todo cuando la muerte lo llame y la incapacidad racional de creer en la inmortalidad de su alma; esta aporía en que se debate su vida, le hace siempre volver a Castilla, a la tierra adusta donde el paisaje, negándole toda satisfacción sensorial, le ayuda a seguir luchando. Mejor que mi razonamiento confirman esta interpretación las siguientes palabras de Unamuno escritas a su regreso de una ascensión al

---

[1] «La Gran Canaria»; *Por tierras de Portugal y de España*; I, 486.
[2] «En la calma de Mallorca»; *Andanzas y visiones españolas*; I, 666-67.

Maladeta, en el Pirineo aragonés [1]: «sólo al tocar otra vez el llano, el ancho y redondo llano de Castilla, que es todo él cumbre, volví a encontrarme el hombre de lucha y de conquista».

---

[1] «Al pie del Maladeta»; *Andanzas y visiones españolas;* I, 705.

LIBRO QUINTO

LA ANGUSTIA VITAL

CAPITULO XIII

ENCUENTRO CON LA MUERTE

El proceso de ensimismamiento historiado en los capítulos precedentes, que tuvo en Unamuno, como se dijo, un carácter acusadamente religioso, termina por colocarle ante la anticipada visión de su propia muerte. En honor a la veracidad debo advertir que vivencias de tal índole habían sido experimentadas ya por Unamuno con anterioridad a la fecha de su afincamiento en Salamanca, antes, por tanto, de que el paisaje de Castilla pudiera obrar, del modo como lo hizo, en su ánimo. Testifica esto una anécdota personal adscrita luego a la imaginaria existencia de la contrafigura literaria de su juventud, el personaje Pachico Zabalbide, que luego referiré; también en otra ocasión, contemplando en Ceberio un atardecer, en esa hora crepuscular que tantos presentimientos consigue poner en vela, «me dió —dice Unamuno rememorándola [1]— una congoja que no sabía de dónde arrancaba y me puse a llorar sin saber por qué. Fué la primera vez que me ha sucedido esto, y fué el campo el que en silencio me susurró al corazón el misterio de

---

[1] *Recuerdos de niñez y mocedad;* I, III.

13

la vida». Muchas veces había de volver a vivir tan angustios;
experiencia, y de todas fué la más honda la experimentada er
Salamanca al morir el último día del año 1906, por las misma
horas en que treinta años más tarde había de sorprenderle l;
muerte; su recuerdo puede rememorarlo el lector releyendo
los versos de una de sus más extraordinarias poesías, escrit;
cuando sobre su ánimo pesaba la losa de aquella vivencia [1].

Su interiorización condujo a Unamuno hasta ese trasfondo
del mundo psíquico sobre el que asienta la existencia entera
Este mundo abisal es el reino de las creencias. Las creencias, h;
escrito Ortega y Gasset analizando su función en el vivir
humano [2], «constituyen la base de nuestra vida, el terreno sobre
que acontece»; ellas justifican la actitud vital que adoptemos,
toda nuestra vida intelectual. Su carácter prerracional hace que
en ocasiones ignoremos su presencia tras lo aparencial del vivir
y desconozcamos, por tanto, el valor, decisivo siempre, que su
aceptación, su posesión tiene para nosotros. Las creencias nutren la fe; fe en «algo», dogma religioso, principio ideológico
o supuesta verdad científica. La pérdida de la fe que se acep-
taba supone para el hombre que las creencias donde su vida se
nutría han perdido su vigencia, dejan de ser tales, y el suelo,
firme mientras se mantuvieron operantes y vivas, en que se apoyaba su existir, se transforme en un vacío por el que se des-
peñan los cimientos del vivir; en otras palabras, significa que
la vida de aquel ser humano se halla en crisis. En Unamuno fué el racionalismo filosófico y cientifista quien volatizó

---

[1] «Es de noche, en mi estudio»; *Poesías; Antología poética;* 114-15;
Madrid, 1942.
[2] J. Ortega y Gasset: *Ideas y creencias; Obras Completas;* V, 383;
Madrid, 1947.

su fe e hizo naufragar su base creencial; conocemos, con detalles, el proceso de su descreimiento, y no se ha de volver a narrarlo; lo que de él resta contar son las consecuencias a que tal suceso dió origen en este plano profundo de su personalidad. El ensimismamiento fué iluminando en Unamuno zonas cada vez más profundas de su intimidad. A este proceso, que tan honda resonancia había de lograr en su vida, aluden los siguientes versos de un soneto escrito por Unamuno, en Bilbao, en 1910 [1]:

> *Hay del alma en el fondo oscura sima*
> *y en ella hay un fatídico recodo*
> *que es nefando franquear...*

Unamuno franqueó tal recodo, dió vista, al hacerlo, a la «oscura sima» cantada en estos versos, y pudo conocer lo que de intrahistórico, de eterno, yace en ella; es éste, antes lo dije, el mundo de las creencias, que Unamuno prefiere llamar la «tradición eterna», «lo verdaderamente original... lo originario, la humanidad en nosotros» [2]. Reiteradamente, y desde sus más tempranos escritos, alude a él Unamuno. La vida que quiso vivir Pedro Antonio, un personaje de *Paz en la guerra*, se apoya ya en esta idea: «Vive en la verdadera paz de la vida —nos dice de él su creador [3]— dejándose mecer indiferente en los cotidianos cuidados al día; mas reposando a la vez en la calma del desprendido de todo lo pasajero, en la eternidad; vive al día en la eternidad.

[1] «Nuestro secreto»; *Rosario de sonetos líricos;* 29; Madrid, 1911.
[2] *En torno al casticismo;* III, 18.
[3] *Paz en la guerra;* II, 321.

Espera que esta vida profunda se le prolongue más allá de la muerte, para gozar, en un día sin noche, de luz perpetua, de claridad infinita, de descanso seguro, en firme paz, en paz imperturbable y segura, paz por dentro y por fuera, paz del todo permanente. Tal esperanza es la realidad que hace a su vida pacífica en medio de sus cuidados, y eterna dentro de su breve curso perecedero». En *Nicodemo el fariseo*, se dirige Unamuno a Nicodemo; es decir a sí mismo, y le pregunta[1]: «¿Te has parado a mirar la eternidad en el seno del siempre fugitivo ahora y no abarcando pasado y futuro? Porque esa eternidad que te imaginas se extiende desde lo insondable del último inasequible ayer a lo insondable del último inasequible mañana, es una eternidad muerta en su quietud, y has de buscar la eternidad viva sustentando el movimiento actual, en las entrañas mismas del presente, cual sustancia de éste, como raíz de la permanencia de lo fugitivo, en Dios para quien ayer y mañana son siempre hoy. Es una meditación que sacude las raíces del alma esta del tiempo descansando en la eternidad, de nuestra vida fluyendo sobre la eterna vida de Dios».

Lo fugitivo y lo imperecedero; cuanto muere a medida que se vive y lo que perdura, inmutable, bajo el rodar del tiempo, la historia y la intrahistoria; dos planos en que el hombre vive a la vez su vida; dos modos de existencia que Unamuno imaginó siempre antagónicos, que nunca pudo aunar y por lo cual el problema de la personalidad, de quién él era, siempre le preocupó y llegó a ser, como se verá, en los últimos años de su vida, cuestión sobre la que convergió todo su interés. Esta existencia soterraña, que discurre tras la aparencial o histórica, guarda,

---

[1] *Nicodemo el fariseo;* IV, 21.

egún Unamuno, el «secreto de la vida». Cuando tal dijo, fué
en 1906, ya los ojos de su espíritu no hacían desde años otra
cosa que contemplar, obsesos, aquel secreto apenas desvelado.
Le cuenta a un anónimo interlocutor; a cada uno de sus lectores
en realidad, o más bien a sí mismo: «Tú sabes que llevamos todo
el misterio en el alma, y que lo llevamos como un terrible y
precioso tumor, de donde brota nuestra vida y del cual brotará
también nuestra muerte. Por él vivimos y sin él nos moriríamos
espiritualmente; pero también moriremos por él, y sin él nunca
habríamos vivido. Es nuestra pena y nuestro consuelo... El misterio parece estar en nosotros a las veces como dormido o entu-
mecido; no lo sentimos, pero de pronto, y sin que siempre
podamos determinar por qué, se nos despierta, parece que se
irrita y nos duele, y hasta nos enfebrece y espolea al galope a
nuestro pobre corazón»[1]. ¿Cuál es la naturaleza de este secreto?
El mismo Unamuno nos lo dice[2]: «El secreto de la vida humana,
el general, el secreto raíz de que todos los demás brotan, es el
ansia de más vida, es el furioso e insaciable anhelo de ser todo
lo demás sin dejar de ser nosotros mismos, de adueñarnos del
Universo sin que el Universo se adueñe de nosotros y nos ab-
sorba; es el deseo de ser otro sin dejar de ser yo, y seguir
siendo yo siendo a la vez otro; es, en una palabra, el apetito de
divinidad, el hambre de Dios». Cuando Unamuno llegó a conocer, fruto de su ensimismamiento, el secreto que la vida escon-
de, su existencia se caracterizaba ya, como se ha dicho, porque
el racionalismo había derrocado su fe y la roca de creencias
que le prestara soporte vital se había convertido en un vacío sin

---

[1] «El secreto de la vida»; *Ensayos;* III, 721-22.
[2] *Ibíd.*; III, 731.

fondo donde se debatía en trance de permanente naufragio, en crisis, su existencia. Por ello, al aprender, repetiré sus palabras, que «el resorte de vivir es el ansia de sobrevivir en tiempo y en espacio» [1], comprendió, y con angustia como se verá, que su razón no había de permitirle creer en ello aunque sentía imperiosa necesidad de conseguirlo.

Este encarar la finitud inexorable de su vivir histórico; uno de los primeros problemas con que el ensimismamiento hace tropezar al hombre que lo vive, estaba llamado a influir decisivamente en la meditabunda existencia de Unamuno. Desde esta situación vital los hombres adquieren una visión de la muerte, «su» muerte, totalmente inédita, pues entonces, dice Landsberg, cada uno de nosotros, yo mismo, como tu lector, «no sólo poseo la evidencia que tengo de morir *alguna vez*, es decir, cuando haya llegado al punto límite temporal que es la muerte natural, sino, además, la evidencia de que estoy inmediatamente ante la posibilidad real de la muerte en cada uno de los instantes de mi vida, *ahora y siempre*. La muerte está a mi vera» [2]. Y es precisamente el existir otra vida tras la muerte, porque esta no supone un anonadamiento como temía Unamuno, lo que confiere a la muerte su más importante sentido, pues, escribe Julián Marías [3], «si el hombre terminara con su vida, en rigor sólo «dejaría de vivir»; no *moriría;* para que exista para el que muere la muerte cumplida, es menester que éste perdure tras ella; si no la muerte sólo sería algo que sucede fuera de uno, en el pró-

[1] «El secreto de la vida»; *Ensayos;* III, 731.

[2] P. L. Landsberg: «Experiencia de la muerte»; *Piedras blancas seguido de Experiencia de la muerte y La libertad y la gracia en San Agustín;* 62; edic. esp., México, 1940.

[3] J. Marías: *Miguel de Unamuno;* 56-7; Madrid, 1943.

imo», ya que, de ser así, mientras el hombre vive, «no existe la muerte, y cuando ésta llega, el hombre no existe, no está ya para esperarla, no se encuentra con ella. Por tanto, no tiene realidad alguna para él». En el hombre, apunta Ferranter Mora, «el morir es, en el fondo, un luchar contra la muerte, es decir, un agonizar», y en otro sentido, añade recogiendo una idea que expuso Simmel, «la muerte forma y configura nuestra existencia» [1]. Todo hace, según ha escrito el psicólogo Jung, que «la muerte sea una parte integrante de la vida» [2]. Este enfrentamiento con la finitud, el abocar de la propia vida al portal de su muerte, la proximidad de tal suceso, motiva que en la intimidad del hombre brote un ansia o anhelo, a veces sólo confusamente sentido, de pervivir, de salvar algo en la aniquilación corporal que impone la muerte. La situación vital, mejor que ideológica, que Unamuno había hecho suya antes de tropezar con el problema del morir, es la misma que presta apoyo a buena parte de la minoría intelectual de Occidente; no será trabajo perdido el que dediquemos a perfilarla en unos pocos rasgos. Caracteriza la situación creencial del europeo de nuestros días, más que su falta de fe en el cristianismo el hecho de que ahora empieza a dudar de aquellas ideas, un día elevadas al rango de creencia, con las cuales pretendió suplantar su fe religiosa, y esta segunda pérdida lo deja sin amparo ante el rebrotar amenazador de cuantas incógnitas despejaba el dogma cristiano; descubre esta situación el valor «existencial» de toda creencia y también cómo le es preciso al hombre creer en algo, en lo que sea, capaz de solventar

---

[1] J. Ferrater Mora: *El sentido de la muerte*; 215 y 225; Buenos Aires, 1947.

[2] R. Wilhelm y C. G. Jung: *The secret of the Golden Flower*; 124; edic. ingl.; London, 1945.

la tensión interna, vivida con angustia, entre finitud y eternidad; dicho en términos unamunescos, entre lo histórico y lo intrahistórico. El europeo contemporáneo, obligado así a centrar su interés en esta realidad, tan inmediata, que le ofrece su propio existir alterado, llega a cobrar conciencia de la finitud inherente a su vida; es precisamente su irreligiosidad la que hace tan patente en su ánimo la realidad de la muerte. Julián Marías acierta al señalar cómo en nuestra época, al perder buena parte de su vigencia las postrimerías o novísimos de la escatología cristiana, sin embargo, la primera de todas, la muerte, se filtra por doquier y adquiere una desmesurada importancia en el pensamiento contemporáneo; la vida se polariza en su desenlace y la «tanatología» se convierte en el rasgo acaso más peculiar de la hora histórica que hoy vivimos [1]. Se confirma en esta experiencia vivida por el hombre moderno la afirmación de San Bernardo, después repetida por Lutero, de que el conocimiento de uno mismo, sin el conocimiento de Dios, conduce a la desesperación. El hombre de nuestro siglo, espectador de su propio vivir, alejado de Dios y enfrentado con el problema, irreducible a la razón, de su finitud, cae, por último, en la desesperación madre de la angustia; en la agonía, dirá Unamuno.

A Unamuno le preocupó siempre la muerte; muchos son los textos que podría aducir para confirmarlo; elegiré dos entre tantos. Tomo el primero de una carta que escribió a *Clarín;* hablando en ella de la muerte, le dice: «Es mi secreta obsesión. Hace aún no más de dos días he asistido a una larga agonía y me levanté lleno de ideas fecundas, con carne y con jugo» [2]; el

---

[1] J. Marías: *Introducción a la filosofía*; 92; Madrid, 1947.
[2] Carta a *Clarín*; Bilbao, 26 de junio de 1895.

segundo texto elegido procede de su obra doctrinal más importante, y se lee en él [1]: «Este pensamiento de que me tengo que morir y el enigma de lo que habrá después, es el latir mismo de mi conciencia». Entendía Unamuno la muerte como un anonadamiento; tal pensamiento, vivido con angustia, se encuentra ya en la novelesca existencia de Pachico Zabalbide, contrafigura literaria de los años mozos de su creador. Sus reflexiones sobre la muerte, va a contarnos de él Unamuno, «le llevaban en la oscuridad solitaria de la noche a la emoción de la muerte, emoción viva que le hacía temblar a la idea del momento en que le cogiera el sueño, aplanado ante el pensamiento de que un día había de dormirse para no despertar. Era un terror loco a la nada, a hallarse solo en el tiempo vacío, terror loco que, sacudiéndole el corazón en palpitaciones, le hacía soñar que, falto de aire, ahogado, caía continuamente y sin descanso en el vacío eterno, con terrible caída. Aterrábale menos que la nada el infierno, que era en él representación muerta y fría, mas representación de vida al fin y al cabo» [2]. Este pensar en el anonadamiento definitivo que puede ser la muerte y no en los tormentos que por nuestras faltas puedan estarnos reservados, era el único capaz de conmover a Unamuno; escribe [3]: «no hay otro infierno que éste; el que Dios nos olvide y volvamos a la inconsciencia de que surgimos». Repite años después [4]: «De mí sé decir que cuando era un mozo, y aun de niño, no lograron conmoverme las patéticas pinturas que del Infierno se me hacían, pues ya desde entonces

[1] *Del sentimiento trágico de la vida*; IV, 493.
[2] *Paz en la guerra*; II, 70.
[3] *Vida de Don Quijote y Sancho*; IV, 352.
[4] *Del sentimiento trágico de la vida*; IV, 467-68.

nada se me aparecía tan horrible como la nada misma. Era una furiosa hambre de ser, un apetito de divinidad». El encuentro de Unamuno con la vivencia, anticipada, de su propia muerte; tropiezo que no hubiera podido soslayar aun queriéndolo, dió pie a sus agónicas elucubraciones, pues la actitud vital en que ya Unamuno se apoyaba entonces constituía una aporía de la que no supo o no quiso escapar; la constituía, de una parte, su incredulidad religiosa; y en su otro flanco su postura intelectual, el hecho de que si bien los razonamientos de su mente, aún nutridos por el cientifismo spenceriano, con lecturas de Kant y Hegel, le impedían recobrar la fe infantil, nunca volvieron a adquirir, desde la crisis de 1897, en Unamuno, su antigua omnipotencia, siendo por ello incapaces de servirle, trocados en auténtica creencia, de venda que cegara por completo sus ojos a su deseo de perdurar de alguna forma tras la muerte física. La resultante de este choque de opuestas tendencias, es una actitud vital dudosa, que vacila entre la necesidad de creer y la imposibilidad racional de conseguirlo. Vista desde esta postura la vida, su propia existencia, se le aparece a Unamuno contorsionada por una mueca patética, dolorosa, mal oculta en la doble versión poética que voy a citar. El Rafael de Teresa, una de sus varias reencarnaciones literarias, le dice al recuerdo de la mujer que amó [1]:

> *Vivir es solamente, vida mía,*
> *saber que se ha vivido,*
> *es morirse a sabiendas dando gracias*
> *a Dios de haber nacido.*

[1] *Teresa*; 69; Madrid, 1923.

Y en su *Cancionero* [1] nos habla de la vida como una

> ...*esperanza que se inmola*
> *y vive así, inmolándose, en espera.*

Concebir la muerte como anonadamiento del ser que es uno supone alzar en la intimidad el fantasma de la angustia. De la vivencia de nuestra muerte nace la angustia cuando a aquella, cual le sucedió a Unamuno, no se contrapone la fe en la inmortalidad, creencia, lo sabemos bien, que nunca consiguió recuperar Unamuno. Surge la angustia de ese anhelo insatisfecho de más-que-vida que, en frase de Simmel, late en la entraña del vivir humano; según Ruggiero, es la angustia «el contacto inmediato y misterioso de tiempo y eternidad, de finitud e infinitud; es la chispa fugaz causada por el choque de dos desconocidos: el individuo y Dios» [2]. Sören Kierkegaard, primer definidor moderno de la angustia, veía en ella una función religiosa primaria, considerándola fruto del pecado, consecuencia de la «caída» que dió origen, en la vida del hombre, a la finitud y el dolor [3]; Heidegger, privando a las intuiciones kierkegaardianas de su fondo religioso, cree que la angustia surge en el horizonte vital de la vida humana ante la previsión del anonadamiento en la muerte. Una posición intermedia entre ambas interpretaciones es la que hizo suya Unamuno.

---

[1] «La sima»; *Cancionero*; 447; Buenos Aires, 1953.
[2] G. di Ruggiero: *The philosophy of existence*; 27-8; edic. ingl.; London, 1946.
[3] S. Kierkegaard: *El concepto de la angustia*; edic. esp.; Madrid, 1930.

En la interioridad del ser humano, exacerbada en el hombre radicalmente irreligioso de nuestros días, existe, nos dice Laín Entralgo [1], «un desequilibrio, un morboso desconcierto agónico entre la seguridad de vivir con dolor hacia la muerte y el ansia de vivir inacabable y plenamente, sin la muerte a la vista y siendo él mismo todo lo que ve y sueña que puede ser». Esta tensión íntima, generadora de la angustia, vino a disolverla la creencia cristiana con su imagen del hombre; como expuso y reiteró tantas veces San Agustín, fué el pecado original quien, apartando al hombre del lugar que tenía asignado en la Obra divina de la creación, lo ha dejado en permanente contradicción interna. La «enfermedad», en frase del propio San Agustín, impuesta a la naturaleza humana por el pecado, va a ser curada con la creencia en su redención por Cristo; quien pierda tal convicción o no logre alcanzarla vivirá en aquella primera situación de inquietud y desazón íntima que traducía la lucha entre una infinitud anhelada y no creída y la finitud, ésta indudable, a que se halla sometida nuestra existencia carnal. Esta es la actitud de Unamuno; es la postura de un hombre descristianizado, sí, pero incapaz, a la vez, como antes dije, de seguir aceptando, con fe ciega, convertidos en creencia, los frutos de su propia razón. La situación vital del hombre contemporáneo encierra un componente de carácter religioso muy peculiar; consecuencia de ello es esa angustia que le roe interiormente, la que hizo presa en Unamuno. El tiempo actual, nos dice Xavier Zubiri [2] es época de ateísmo, de desligación

[1] P. Laín Entralgo: *Las generaciones en la Historia*; 53; Madrid, 1945.

[2] X. Zubiri: «En torno al problema de Dios»; *Naturaleza, Historia, Dios*; 464-65; Madrid, 1944.

y desfundamento; por eso el problema religioso hoy no es problema de confesiones, es problema de religión-irreligión; lo que ha sobrevenido así en el alma humana, escribe Simmel [1] no es un vacío que busca colmarse de nuevo, sino algo más profundo: la aparición de una necesidad o anhelo que hasta entonces mantuvo saciado la creencia religiosa y que ahora, perdida ésta, revela a quien lo experimenta cómo aquella creencia poseía, descontado su real valor, un significado dentro del vivir personal, incapaz éste, sin su auxilio, de solventar los radicales problemas con que enfrenta al hombre la reflexión sobre su propia existencia. Los hombres de nuestro tiempo, el caso de Unamuno es un buen ejemplo, viven pasiva, pasionalmente, en el vacío que dejó en ellos la pérdida de la fe; la repercusión que tal suceso provoca en ellos nutre los frutos más característicos de la cultura actual; en Unamuno, hemos de verlo, alimenta su entera vida mental, la guerra íntima, agónica, de la cual es crónica fiel su obra de escritor.

Estas reflexiones previas que no pretendían otra cosa sino situar al lector en lugar adecuado para mejor entender lo que ahora se ha de decir, iluminan, vertidas sobre la personalidad de Unamuno, el proceso psicológico vivido por él al sentirse anegado en la marea de la angustia. Vuelvo a confirmar con nuevos testimonios aquella propensión de Unamuno a ver la muerte como aniquilación del existente. Los textos que ahora voy a citar suponen, más que una simple expresión de esta idea el resultado de una primera reflexión sobre tal convicción. «Cuando no se cree más que en la vida de la carne, se camina a la muerte», escribe en 1895 [2], y tres años después meditando

---

[1] G. Simmel: «El problema de la situación religiosa»; *Cultura femenina y otros ensayos*; 234; edic. esp.; Madrid, 1934.
[2] *En torno al casticismo*; III, 11.

el mismo problema, repite [1]: «Si al morir los organismos que las sustentan vuelven las conciencias todas individuales a la absoluta inconciencia de que salieron, no es el género humano otra cosa más que una fatídica procesión de fantasmas que va de la nada a la nada». Concebir así la muerte; pensar que en ella se ha de disolver el ser que somos, provocó en Unamuno esa angustia indecible de la que antes se habló. Dos textos reproducen fielmente la vivencia angustiosa vivida por Unamuno. Escribió el primero meditando sobre la vida de Don Quijote, y nos dice en él [2]: «hay veces que, sin saber cómo y de dónde, nos sobrecoge de pronto, y al menos esperarlo, atrapándonos desprevenidos y en descuido, el sentimiento de nuestra mortalidad. Cuando más entoñado me encuentro en el tráfago de los cuidados y menesteres de la vida, estando distraído en fiesta o en agradable charla, de repente parece como si la muerte aletease sobre mí. No la muerte, sino algo peor, una sensación de anonadamiento, una suprema angustia. Y esta angustia, arrancándonos del conocimiento aparencial, nos lleva de golpe y porrazo al conocimiento sustancial de las cosas». Y añade Unamuno, encarándose con su lector de turno: «¿Te puedes concebir como no existiendo? Inténtalo, concentra tu imaginación en ello y figúrate a tí mismo sin ver, ni oir, ni tocar, ni recordar nada; inténtalo, y acaso llames y traigas a tí esa angustia que nos visita cuando menos la esperamos, y sientas el nudo que te aprieta el gaznate del alma, por donde resuella tu espíritu. Como el arrendajo al roble, así la cuita imperecedera nos labra a picotazos el corazón para ahoyar en él su nido». Tomo

---

[1] «La vida es sueño. Reflexiones sobre la regeneración de España»; *Ensayos*; III, 204.
[2] *Vida de Don Quijote y Sancho*; IV, 330-31.

el segundo texto de la obra donde de modo más sistemático se propuso Unamuno exponer sus personales convicciones[1]; la letra del mismo es la que sigue: «Imposible nos es... concebirnos como no existentes, sin que haya esfuerzo alguno que baste a que la conciencia se dé cuenta de la absoluta inconciencia, de su propio anonadamiento. Intenta, lector, imaginarte en plena vela, cuál sea el estado de tu alma en el profundo sueño; trata de llenar tu conciencia con la representación de la no conciencia, y lo verás. Causa congojosísimo vértigo el empeñarse en comprenderlo. No podemos concebirnos como no existentes».

La angustia que así desvelada dominó en el ánimo de Unamuno tuvo en él una repercusión orgánica, carnal, que no ha sido comentada por los críticos e historiadores de su vida. De ella he hablado en otro lugar[2], y lo que ahora diga será versión resumida de cuanto en tal trabajo se expone. Que un estado psíquico puede provocar alteraciones funcionales en el cuerpo de quien lo experimenta es opinión que la medicina de nuestro tiempo, recuperando una verdad ya conocida y aceptada en otras edades, no duda en reconocer. Las vivencias angustiosas consiguen resonancia carnal, de modo casi selectivo, en el área cardiaca dando lugar a una vasoconstricción coronaria y con ello al síndrome orgánico inseparable en muchas ocasiones de la angustia psíquica; si, como dice Brissaud, la angustia es «una meditación de la muerte», el estenocárdico, en frase de Braun, «con todos sus sentidos alerta, vive en cierto modo su muerte». Pues bien, Unamuno experimentó, y reiteradamente, el síndrome de vasoconstricción coronaria; llegó a

[1] *Del sentimiento trágico de la vida*; IV, 491.
[2] Cf. Luis S. Granjel: «Patografía de Unamuno»; *Imprenta Médica*; XVII, 663-71; Lisboa, noviembre de 1953.

pensar muchas veces en el «angor péctoris». Su epistolario nos ofrece sobre ello testimonios fidedignos. Le escribe a Maragall en 1907: «Aquí donde usted me ve, sano y fuerte, he pasado por eso, por la preocupación de la angina de pecho, de un mal cardíaco» [1], y de nuevo al mismo, en 1911 [2]: «Vivo apenado. Mi corazón de carne, el fisiológico, empieza a trastornárseme; me he pasado los Carnavales casi en la cama, sin más que unas horas para pasear al sol, y dicen que todo cardiópata acaba en nerviópata»; al día siguiente de esta última carta, dirigiéndose ahora a González Trilla, retorna Unamuno a su preocupación: «Antójaseme que tengo envejecido el corazón, el de carne. Dicen que eso es aprensión. Pero ello, sea lo que fuere, me produce una especie de exaltación e irritabilidad» [3]. La sombra de este temor reaparece bastantes años después, haciéndola suya el personaje U. Jugo de la Raza, en quien encarnó Unamuno sus desesperanzas de exilado: «Volvía a encontrar —nos cuenta de su vida su creador— [4] lo que, años antes, había llamado la disnea cerebral, acaso la enfermedad de MacKenzie, y hasta creía sentir un cosquilleo fatídico a lo largo del brazo izquierdo y entre los dedos de la mano». No quiero conceder a estos testimonios otro valor de el que cualquiera, considerándolos sin prejuicios, les daría; suponen, en mi opinión, no una explicación causal de la angustia psicológica vivida por Unamuno, sino todo lo contrario, la expresión en el plano somático de aquella vivencia y del suceso que la provocó: su tropiezo con la realidad, insoslayable, de su muerte.

---

[1] Carta a J. Maragall; Salamanca, 15 de febrero de 1907.
[2] Carta a J. Maragall; Salamanca, 9 de marzo de 1911.
[3] Carta a C. González Trilla; Salamanca, 10 de marzo de 1911.
[4] *Cómo se hace una novela*; IV, 947.

CAPITULO XIV

ANHELO DE PERVIVENCIA

De su deseo de no morir del todo un día, y la angustia que le hizo experimentar tal empeño al no poderlo acallar saciándolo con el agua viva de una creencia, surgió en Unamuno poderoso, exaltado, su anhelo de inmortalidad, el instinto de perduración o sobrevida. Hablar de él será tema de este capítulo. Muy pobre es la imagen del hombre dibujada por Unamuno: «somos acaso —dijo en cierta ocasión— [1] un relámpago entre dos eternidades de tinieblas». Pero de este pensamiento inicial, que tuvo que angustiarle, como permite sospecharlo lo dicho en el capítulo anterior, pasa a la afirmación esperanzadora: «El hombre es un hijo de la tierra que aspira al cielo —sea cual fuere éste—, un hijo de la materia que tiende al espíritu» [2], y su vida psíquica «es una lucha contra el eterno olvido» [3]. Estas suposiciones se las inspiró a Unamuno aquella convicción que una vez, interrogativamente, formuló así: «¿Qué es sino el espanto de tener que llegar a ser nada lo que nos empuja a

---

[1] «Sarta sin cuerda»; *De esto y de aquello*; V, 711.
[2] «La humanidad y los vivos»; *De esto y de aquello*; V, 300.
[3] *La agonía del Cristianismo*; IV, 830.

querer serlo todo, como único remedio para no caer en esto tan
pavoroso de anonadarnos?»[1]. Tal anhelo es en Unamuno afán
único, excluyente de todo otro deseo. Confirmémoslo leyendo
los testimonios que él mismo nos ofrece: «El ansia de inmortalidad —sentencia Unamuno—[2] es la esencia del alma racional»; así define su más íntima ilusión, la misma que cantó en
estos dos tercetos de su soneto «A la esperanza»[3]:

> *Yo te espero, sustancia de la vida;*
> *no he de pasar cual sombra desvaída*
> *en el rondón de la macabra danza,*
>
> *pues para algo nací; con mi flaqueza*
> *cimientos echaré a tu fortaleza,*
> *y viviré esperándote, Esperanza!*

Permítaseme transcribir un nuevo testimonio de aquel deseo
suyo: «Yo necesito —afirma en él—[4] la inmortalidad de mi
alma; la persistencia indefinida de mi conciencia individual,
la necesito; sin ella, sin la fe en ella, no puedo vivir, y la duda,
la incredulidad de haber de lograrla, me atormenta. Y como
la necesito, mi pasión me lleva a afirmarla, y a afirmarla arbitrariamente, y cuando intento hacer creer a los demás en ella,
hacerme creer a mí mismo, violento la lógica y me sirvo de
argumentos que llaman ingeniosos y paradógicos los pobres
hombres sin pasión que se resignan a disolverse un día del
todo». Ansia siempre viva de inmortalidad fué la que dictó a

[1] *Vida de Don Quijote y Sancho*; IV, 380.
[2] «Paisaje teresiano»; *Andanzas y visiones españolas*; I, 740.
[3] *Rosario de sonetos líricos*; 255; Madrid, 1911.
[4] «Sobre la europeización»; *Ensayos*; III, 796.

Unamuno estos apasionados textos, que paso a transcribir, elegidos entre tantos como podría cosechar el lector en el cuerpo de sus obras: «¡Alma de mi alma, corazón de mi vida, insaciable sed de eternidad e infinitud, sé mi pan de cada día!»[1]; «¡Ser, ser siempre, ser sin término! ¡Sed de ser, sed de ser más! ¡Hambre de Dios! ¡Sed de amor eternizante y eterno! ¡Ser siempre! ¡Ser Dios!»[2]; «Si del todo morimos todos, ¿para qué todo? ¿Para qué? Es el ¿para qué? de la Esfinge, es el ¿para qué? que nos corroe el meollo del alma, es el padre de la congoja... No quiero morirme, no; no quiero, ni quiero quererlo; quiero vivir siempre, siempre, siempre, y vivir yo, este pobre yo que me soy y me siento ser ahora y aquí, y por esto me tortura el problema de la duración de mi alma, de la mía propia»[3].

No consiguió creer, sin embargo, en la única verdad que, aceptada como tal, podía darle fe en su inmortalidad, y por ello su actitud hubo de ser siempre dudosa, desesperanzada; agónica la titulará Unamuno. Era la postura que hizo vivir al extravagante filósofo don Fulgencio Entrambosmares, en el mundo de una de sus primeras novelas; le decía esta encarnación literaria, confesándose con él, a su discípulo Apolodoro[4]: «no creemos ya en la inmortalidad del alma, y la muerte nos aterra, nos aterra a todos, a todos nos acongoja y amarga el corazón la perspectiva de la nada de ultratumba, del vacío eterno. Comprendemos todos lo lúgubre, lo espantosamente lúgubre de esta fúnebre procesión de sombras, que van de la nada a la nada, y que todo esto pasará como un sueño, como un

[1] *Vida de Don Quijote y Sancho*; IV, 354.
[2] *Del sentimiento trágico de la vida*; IV, 492.
[3] *Ibíd.*; IV, 495 y 497.
[4] *Amor y pedagogía*; II, 445-46.

sueño, Apolodoro; como un sueño, como sombra de un sueño, y que una noche te dormirás para no volver a despertar nunca, nunca, nunca, y que ni tendrás el consuelo de saber lo que allí haya... Y los que te digan que esto no les preocupa nada, o mienten o son unos estúpidos, unas almas de corcho, unos desgraciados, que no viven, porque vivir es anhelar la vida eterna, Apolodoro... Vivir unos días, unos años, unos siglos, unos miles de siglos, ¿qué más da? Y como no creemos en la inmortalidad del alma, soñamos en dejar un nombre, en que de nosotros se hable, en vivir en las memorias ajenas. ¡Pobre vida!». Añade, refluyendo su monólogo a su propia existencia; lo que oigamos ahora vale como si su creador lo dijera de sí mismo: «¿Qué soy yo? —se pregunta don Fulgencio Entrambosmares—. Un hombre, que tiene conciencia de que vive; que se manda vivir y no que se deja vivir; un hombre, que quiere vivir, Apolodoro; vivir, vivir. Yo tengo voluntad y no resignación de vivir; yo no me resigno a morir, porque quiero vivir. No; no me resigno a morir; no me resigno... Y ¡moriré!».

No será extemporánea, creo, una breve reflexión sobre lo que la antropología actual empieza a entender con el nombre de instinto; este conocimiento permitirá justificar el significado que ha de concedérsele a ese anhelo de no morir que con tanta insistencia acosó el ánimo de Unamuno. Tratando de descubrir la naturaleza del impulso vital llamado instinto y que hasta ahora sólo era analizado en su multiforme manifestación fenoménica, la psicología junguiana ha devuelto su verdadero sentido al término «líbido», que el psicoanálisis quiso confundir con el de sexualidad [1]. Entendida así, la líbido, es decir, el instinto, viene

[1] Cf. B. Hinkel: «Jung's Libido Theory in the light of Bergsonian Phylosophy with illustrative examples»; *Journ. of Nervous and Mental Deseases*; *41*, 1914.

ser una energía inespecífica que brota del hontanar mismo de vida y la nutre haciéndola ser, existir. Y la vida del hombre, diré con palabras de Landsberg, «no es en su propia esenia una *existencia abocada a la muerte...* Ella se dirige hacia la ealización de sí misma y hacia la eternidad» [1]. Podemos conluir diciendo que ese impulso vital, inespecífico, lo repito, en u origen, empuja al hombre a vivir y a vivir más, siempre más, ncendiéndole el deseo de no morir. Ahora bien, en su realizaión, al canalizarse por distintas vías, este impulso primario llea a los hombres a buscar su perduración en campos distintos, n ocasiones hasta contradictorios, dando lugar a que se evidenien distintas modalidades de acción instintiva, base, a su vez, le esa individualización de instintos en que recaen casi todos os que han tratado este confuso capítulo antropológico. Sin retensiones de codificar una clasificación de los modos de maifestarse el impulso instintivo en el hombre; buscando únicanente proporcionar al lector unos datos que han de serle útiles ara entender la personalidad de Unamuno, recordaré cómo las ías por las cuales persigue el hombre el logro de ese afán de erduración son fundamentalmente tres. Por la primera de tolas, buscan los hombres la conservación de su individualidad ísica, no dejarla morir; aquí se incluyen el hambre y la sed con ellas las múltiples reacciones de autodefensa. Recorriendo l segundo camino, los hombres persiguen su perduración carnal; poner algo de sí mismo en otras individualidades que seguián viviendo cuando ellos dejen de existir, las que a su vez,

---

[1] P. L. Landsberg: «Experiencia de la muerte»; *Piedras blancas seguido de Experiencia de la muerte y La libertad y la gracia en San Agustín*; 86; edic. esp.; México, 1940.

movidas por idéntico afán, también se darán un día para no mo
rir; el nombre de esta modalidad instintiva es el de sexualidad
Por último, la tercera forma de actualización del impulso primi
genio enciende en los hombres el deseo de hurtar su propia per
sonalidad de la muerte, conseguir que ésta no los anonade, y qu
algo de sí mismos, del ser que cada uno es, concreto e indivi
dual, se salve en aquel trance y perdure tras él en una nuev
existencia inacabable, eterna. En este afán, el más humano d
todos, revive el recuerdo soterrado, inconciente, del paraíso
perdido; la naturaleza humana, caída por el pecado, que perdio
al cometerlo cuantos dones le fueron conferidos por su Crea
dor, «enferma» desde entonces, no ha olvidado, sin embargo
aquellos bienes que le arrebató la culpa libremente consumada
Este recuerdo ancestral que desde el comienzo de la Histori
viene heredando y trasmitiendo la humanidad de una a otr.
generación, nos lo testifica, en el plano antropológico, el afár
de no morir que en todos anida y a todos induce a buscar que
nuestra personalidad se salve de la muerte y recupere en otr.
vida la existencia paradisíaca que en este mundo le es impo
sible vivir. Como dijo con hermosas palabras San Agustín, «no
queremos despojarnos del cuerpo, sino llegar con él a la in
mortalidad» (*de Civ. Dei*; xiv, 3), y en otra ocasión añadió:
«Quiero que todo yo sea sano, porque todo soy yo. No quiero
que mi carne sea eternamente separada de mí, como cosa extra
ña a mí mismo, sino que toda ella sea sanada conmigo» (*Serm.*;
xxx, 3).

Que este anhelo lo sintió, y con singular hondura, Unamuno
es algo que el lector no puede dudar pues le han sido propor
cionadas pruebas bien convincentes que lo testifican; era ta
deseo quien movió su pluma al escribir: «la suprema *necesi*
dad humana es la de no morir, la de gozar por siempre la pleni

tud de la propia limitación individual»[1], el mismo que le llevó a exclamar, fervorosamente, en otra ocasión[2]: «... que mi vida no acabe, Dios mío!». Por el triple cauce señalado se actualizó en Unamuno el impulso instintivo que le movió a vivir; de modo preponderante, lo veremos ahora confirmado, por el caz de la perduración personal tras la muerte, y en una variante de la misma, pues al no ser capaz de creer en esta inmortalidad no obstante anhelarla, el impulso vital se transforma en él en deseo de renombre o fama. Del instinto de conservación física nada hay que señalar; el de perduración carnal fué hondamente vivido por Unamuno, cabeza de familia prolífica, quien siempre tuvo conciencia de cuanto la paternidad significa. Testimonio elocuente de este interés de Unamuno lo son todas sus novelas, llenas, escribe Azaola[3], «de preñeces y de lactancias, de gritos de parto y de esos otros gritos, más callados, pero más agudos, de quienes se saben estériles, y hasta se quieren estériles, pero no se resignan a serlo... Quizá no haya libro alguno de Unamuno —añade—... donde no se ponga de manifiesto, con fuerza poco común, su preocupación por la fecundidad carnal. Y, junto a ella, un inflexible sentido de la pureza». En opinión de Julián Marías[4], «el afán por la resurrección de la carne hacía que la paternidad tuviese para él el más hondo sentido... En la paternidad buscaba una creación, una prueba viviente, un signo visible de la perpetuación de la carne». Confirmemos esta tesis con textos del propio Unamuno. Escribe, ya en su ancianidad: «Reproducirse es conservar la identidad espiritual del

---

[1] *Del sentimiento trágico de la vida*; IV, 712.
[2] «A lo que salga»; *Ensayos*; III, 539.
[3] J. M.ª de Azaola: «Las cinco batallas de Unamuno contra la muerte»; *Cuadernos de la Cátedra Miguel de Unamuno*; II, 33-109; Salamanca, 1951.
[4] J. Marías: *Miguel de Unamuno*; 36; Madrid, 1943.

linaje, la personalidad histórica» [1]; la paternidad, añade más adelante [2], encierra, para quien la vive plenamente, un sentimiento
fraterno y hasta maternal, «pues la paternidad es humanidad, es
hombría, y es por lo tanto maternidad también. El hombre
varón que se sienta de veras hombre, se siente a la vez padre e
hijo y hermano, y se siente madre también». La finalidad que
orienta esta obra me impide detener mi atención y llamar la de
mis lectores sobre los sugestivos problemas que encierra la interpretación unamunesca de la paternidad, la cual guarda muy
estrecha relación con su valoración de la maternidad, tan evidente en su novelística y sus opiniones acerca del donjuanismo
y el amor, dos temas de los que se ocupó con significativa reiteración [3].

La búsqueda del renombre acució siempre el ánimo de Unamuno; alcanzarlo suponía para él salvar algo del ser que era
haciéndolo perdurar en la memoria de los demás. «La vanidad
aparece en Unamuno —opina, certero, Julián Marías— [4] como
una sombra del afán de pervivencia, del ansia de sobrevivirse».
La fama así perseguida, aunque se logre, sin embargo, nunca
podrá satisfacer plenamente a quien la alcanza, si éste tiene conciencia aunque dudosa de una posible vida personal tras la muerte, pues sucede, dice Laín Entralgo analizando esta situación
vital, que «la angustia de pensar que el ser de nuestra existencia
es un «ser a muerte» hace radicalmente trágica la fama que ante
uno mismo tienen sus propias acciones. Ser «famoso» es en tal
caso una auténtica tragedia: la tragedia del hombre a quien

---

[1] *El hermano Juan*; Prólogo; 23-4; Madrid, 1934.
[2] *Ibíd.*; 31.
[3] Cf. Luis S. Granjel: *La mujer y el amor en la vida y en las
obras de don Miguel de Unamuno*; en preparación.
[4] J. Marías: *Miguel de Unamuno*; 206; Madrid, 1943.

no satisface pensar que sólo puede ser inmortalizado por la granjería y la fama mundana de sus obras [1]. Algo de esto le sucedió a Unamuno, y fué para él, como se verá, motivo de amargas consideraciones. Ni la perduración carnal ni la de su nombre, y ambas las consiguió, lograron apagar la sed que en él despertó el anhelo de inmortalidad, aquel apetito de seguir siendo por siempre lo que era, conservando la conciencia de su propia individualidad. Unamuno, preso en este dilema que tanto le angustió, terminará proclamando «la existencia de un instinto inaudito: el instinto de inmortalidad, que surge del fondo último de una voluntad de seguir viviendo» [2]. A igual conclusión llega el Conde de Keyserling [3]: «Su hambre de vida —nos dice hablándonos de él— era un asirse al dogma de la resurrección literal de la carne, entendida al pie de la letra, y exigirla tanto más imperativamente por su entendimiento, por cuanto él ya no estaba en condiciones de creer ingenuamente en el dogma». Y tómese nota de que la inmortalidad con que Unamuno sueña resulta ser una eternización tanto como del espíritu de su soporte carnal. En Unamuno, su búsqueda de la fama, el «erostratismo» que le consumía, no sólo supone, como dije, un sucedáneo, bien pobre por cierto, del anhelo de inmortalidad, pues fama o renombre, gloria mundana e inmortalidad personal tras la muerte fueron en él deseos contrapuestos, entre los cuales nunca hubo paz. Cuando Unamuno anhela la inmortalidad, desdeña la fama; por boca de un figurado poeta, ya anciano, va a decirnos haciendo hablar a su criatura: «¡Mi nom-

[1] P. Laín Entralgo: *Las generaciones en la Historia*; 94; Madrid, 1945.
[2] J. Ferrater Mora: *Unamuno. Bosquejo de una filosofía*; 90; Buenos Aires, 1944.
[3] Conde de Keyserling: *Viaje a través del tiempo, II. La aventura del alma*; 169; edic. esp.; Buenos Aires, 1951.

bre! ¿Para qué he de sacrificar mi alma a mi nombre?
¿Prolongarlo en el ruido de la fama? ¡No! Lo que quiero es
asentar en el silencio de la eternidad mi alma... No, no quiero
que mi personalidad, eso que llaman personalidad los literatos,
ahogue a mi persona (y al decirlo se tocaba el pecho). Yo,
yo, yo, este yo concreto que alienta, que sufre, que goza, que
vive; este yo intransmisible..., no quiero sacrificarlo a la idea
que de mí mismo tengo, a mi mismo convertido en ideal abstracto, a ese yo cerebral que nos esclaviza...» [1]. Cuando Unamuno cree inalcanzable esta sobrevida personal se dice a sí mismo lo que nos repite don Martín, personaje de una narración
suya [2]: «No, no me sobreviré yo... sino mis obras. Mis obras
me sobrevivirán». De este enfrentarse de ambos deseos, peleando
entre sí por dominar su ánimo, nos da Unamuno un veraz testimonio en un esbozo dramático cuyo argumento le contó a
Ganivet con estas palabras: «se llamará *Gloria o Paz*, o algo
parecido. Es la lucha en una conciencia entre la atracción de la
gloria, de vivir en la historia, de transmitir el nombre a la pos-
teridad, y el encanto de la paz, del sosiego, de vivir en la eternidad. Es un hombre que quiere creer y no puede; obsesionado
por la nada de ultratumba, a quien persigue de continuo el es-
pectro de la muerte. Está casado y sin hijos. Su mujer, des-
creída y ambiciosa, le impulsa a la acción; a que le dé nombre
ya que no hijos. Es un tribuno popular, jefe presunto de una
revolución. Después de un gran triunfo oratorio y cuando más
esperan de él quema las naves, renuncia a su puesto, escribiendo
al Comité de salud pública una carta que no admite arrepentimiento; a consecuencia de esto su mujer, después de tratarle
como a un loco, le abandona; le abandonan los amigos, y se

[1] «Una visita al viejo poeta»; *El espejo de la muerte*; II, 643-44.
[2] «Don Martín, o de la gloria»; *De esto y de aquello*; V, 1007.

refugia en casa de uno, el único fiel, a buscar paz y fe. El día de la revolución las turbas descubren su retiro, van allá, le motejan de traidor, quiere contenerlas, y cae mortalmente herido. Entonces reaparece la mujer, a la que pide que le cante el canto de cuna para el sueño que no acaba». Y le añade Unamuno a Ganivet en la carta este párrafo donde se descubre el envés autobiográfico del argumento que acabamos de conocer: «Temo que me resulte en exceso lírico, de un lirismo áspero y muy lleno de insultos. Pero le aseguro que hay en él gritos del alma, gemidos de dolor realmente sentidos, y alguna escena que pareciendo exagerada es rigurosamente exacta» [1]. Considero casi innecesario añadir que tras aquel figurado protagonista; despojando a su fingida existencia de cuantos detalles creyó necesario acumular su creador, perdura, y bien al desnudo, la faceta acaso más íntima de la personalidad de Unamuno; la pelea que en sí mismo trabaron su anhelo de perdurar tras la muerte y el deseo de renombre, que tantas veces lo arrojó a las mezquinas luchas del mundo dentro del cual vivió.

[1] Carta a A. Ganivet; Salamanca, 20 de noviembre de 1898.

CAPITULO XV

LA RAZÓN DEL FILOSOFAR

La vida de Unamuno, vuelvo a repetirlo, fué un ininterrumpido monologar en torno al problema, para él único, que forjó su incapacidad para creer en la inmortalidad personal y el anhelo inextinguible de creer en ella. Su postura religiosa, ya conocida del lector, le indujo a no buscar solución a tal aporía en la que se debatía su existencia; rehusó siempre hallarla, y de aquí nació la definición unamuniana de la vida como lucha y el identificar este término con el de agonía. Agonía, escribe Unamuno [1], «quiere decir lucha. Agoniza el que vive luchando, luchando contra la vida misma. Y contra la muerte». Si el agonizar es lucha, luchar, a su vez, supone dudar; vivir, como él vivió, con el ánimo partido en contradictorios anhelos. ¿Qué es dudar?, se pregunta Unamuno, para contestarse [2]: «*Dubitare* contiene la misma raíz, la del numeral *duo*, dos, que *duellum*, lucha. La duda, más la pascaliana, la duda agónica o polémica, que no la cartesiana o duda metódica, la duda de vida —vida es lucha— y no de camino —método es camino—, supone la dua-

---

[1] *La agonía del Cristianismo*; IV, 829.
[2] *Ibíd.*; IV, 833.

lidad del combate», y añade: «Afirmo, creo, como poeta, como creador, mirando al pasado, al recuerdo; niego, descreo, como razonador, mirando al presente, y dudo, lucho, agonizo, como hombre, como cristiano, mirando al porvenir irrealizable, a la eternidad». En Unamuno la duda es ensalzada al rango de auténtica creencia, pues como viene a decirnos Ortega y Gasset [1], «la duda, la verdadera, la que no es simplemente metódica ni intelectual, es un modo de creencia y pertenece al mismo estrato que ésta en la arquitectura de la vida. También en la duda *se está*. Sólo que en este caso el estar tiene un carácter terrible. En la duda se está como se está en un abismo, es decir, cayendo... Viene a ser como la muerte dentro de la vida, como asistir a la anulación de nuestra propia existencia». «Se duda —añade Ortega, y sus palabras recuerdan las de Unamuno que acabo de citar— porque se está en dos creencias antagónicas, que entrechocan y nos lanzan la una a la otra dejándonos sin suelo bajo la planta». El que duda vive, digámoslo en una sola frase, en situación de crisis.

Pelean en la intimidad de Unamuno dos impulsos que se oponen; bien lo conoció él mismo, espectador al mismo tiempo que actor de tal suceso, y a relatárnoslo dedicó buena parte de su obra escrita; era ésta pelea fratricida que siempre gustó simbolizar con la narración bíblica de la guerra que ató los destinos de Abel y Caín (*Gen.*; *4*, 1-16). De sí mismo dijo Unamuno [2]:

> *Dentro, en mi corazón, luchan dos bandos,*
> *y dentro de él me roe la congoja.*

[1] J. Ortega y Gasset: *Ideas y creencias*; *Obras Completas*; V, 388 y 390; Madrid, 1947.
[2] «En la basílica del Señor Santiago de Bilbao»; *Poesías*; *Antología poética*; 43; Madrid, 1942.

Unamuno prefirió siempre esta lucha a la muerte de la paz interior; deseando creer y no lográndolo, para rehuir la negación total de aquel anhelo, sin el cual la vida nada significaba para él, tuvo que aceptar la existencia dudosa, polémica, hecha de contradicciones, en un reiterado afirmar con la voluntad y el corazón lo que su razón negaba. Dirigiéndose a un imaginario interlocutor, pregunta Unamuno: «¿No conoces acaso las horas de íntima soledad, cuando nos abrazamos a la desesperación resignada? ¿No conoces esas horas en que se siente uno solo, enteramente solo, en que conoce no más que aparencial y fantástico cuanto le rodea y en que esa aparencialidad le ciñe y le estruja como un enorme lago de hielo trillándole el corazón?» He aquí su propia respuesta: «La lucha es fragor y estruendo —¡benditos sean!—, y ese fragor y estruendo apagan el incesante rumor de las aguas eternas y profundas, las de debajo de todo, que van diciendo que todo es nada. Y a estas aguas se las oye en el silencio de la paz, y por eso es la paz terrible. La lucha es el tiempo, es el mar encrespado y embravecido por los vientos, que nos manda sus olas a morir en la playa; la paz es la eternidad, es la infinita sábana de las aguas quietas. Y la eternidad ¿no te aterra? ¿Qué vas a hacer en toda ella tú, pobre ola del mar de las almas?» [1]. Aquel vivir agónico, en constante querella consigo mismo, fué un auténtico vivir pasional. Se preguntaba una vez Unamuno por el sentido del término «pasión», y no quiso o no supo contestarse, pues se dijo entonces, «temo que si llego a definirla dejaré de sentirla y tenerla» [2]. Trataré de contestar yo a lo que él calla. Es la pasión

---

[1] «De la correspondencia de un luchador»; *Mi religión y otros ensayos*; III, 832-33.
[2] *Del sentimiento trágico de la vida*; IV, 689.

una tensión del ánimo bajo la cual no cabe sino someterse; la pasión domina y sojuzga; no la «vivimos», se vive *en* ella; mejor, ella vive en nosotros. El hombre en estado de pasión muestra una parálisis de la voluntad que le impide desligarse, a veces incluso intentarlo, de los tentáculos con que aquella le aprisiona. Kant define la pasión de «cáncer de la razón» y añade que su incurabilidad no radica tanto en el efectivo poder de su dominio cuanto en la desmedrada voluntad de quien la vive. La pasión no supone goce; el que llamamos «goce pasional» es sólo la liberación, momentánea, del hombre de su pasión; lo crea la anulación, siempre fugaz, de su poder; la pasión, en sí, es siempre vivida como tensión compulsiva, en ocasiones con sufrimiento y angustia. La pasión es, ante todo, pasividad. Y propenden a caer en ella quienes por temperamento o empujados por el ambiente son llevados a la introversión y el autismo, pues esto acrecienta la posibilidad de que queden prendidos en la red de esos problemas que yacen, resueltos o no, acallados, en el mundo inconciente y solo aparecen a la superficie de la conciencia cuando la introyección nos obliga a ahondar en nuestro propio conocimiento. Acertaba Kant al hablar de la pasión cual si fuera «un charco que cava su tumba infiltrándose paulatinamente en el suelo». La pasión domina haciendo converger todas las energías vitales en los estrechos límites del mundo interior; entonces la mirada, desorbitada por la proximidad, ve desmesurados los sucesos del vivir íntimo, los exalta y acaba por dejar que dominen la voluntad con un poder que la propia víctima se ha cuidado de engrandecer empequeñeciéndose. Son los hombres pasionales como aquellas pobres ramas, cantadas por Shakespeare, que presas en el remolino de un torrente, girando vertiginosamente sobre sí mismas, no logran avanzar un solo palmo. Pero cabe también pasión crea-

και γὰρ ἴσως καὶ μάλιστα πρέπει μέλλοντα ἐκεῖσε
ἀποδημεῖν διασκοπεῖν τε καὶ μυθολογεῖν περὶ τῆς ἀποδημίας
τῆς ἐκεῖ, ποίαν τινὰ αὐτὴν οἰόμεθα εἶναι. Fedon

„No seas, y podrás más que todo lo que es"

Fr. Juan de los Ángeles. Diálogos de la conqui-
ta del reino de Dios. Diál. III 8

Una cosa es el amor y otra el conocimiento de Dios, aunque
en realidad no quepa amar sin conocer ni conocer sin amar.
El viejo aforismo de que nada puede quererse sin haberlo antes
conocido debe completarse diciendo que no puede conocerse sin
haberlo (querido antes), antes de conocerlo. Y es que el amor
y el conocimiento se engendran el uno al otro. Hay que
amar para conocer, y hay que conocer para amar.

Y ¿cuál es mejor camino? ¿empezar por el conocimiento para ir al amor ó empezar por el amor para ir al conocimiento? El primer camino, por lo que hace á Dios, ha llevado á
los hombres al endurecimiento de la desesperación.

El primer camino, el camino intelectual, me llevó, Dios mío
á negarte, á renegar de Ti, á ahogar mis inquietudes íntimas en la aceptación del no. Y ya que me ensombreciste
la inteligencia para apartarme de Ti, enciéndeme el corazón
para que á Ti vuelva.

Busqué muchos años á Dios por camino lógico y Dios
se me deshizo en su idea. Con razonamientos y pruebas
teológicas llegué á la idea de Dios, no á Dios mismo. Y
Dios se me veló tras de la idea que de Él logré, y
quedé sin Dios.

Esa idea de Dios no es sino la idea aristotélica de
un Ser Supremo, primer motor de cuanto existe, un
Dios por remoción. Quitando de esa idea de Dios todo
lo humano, todo lo finito, todo lo pasajero, la idea
se iba idealizando al punto que perdía toda realidad.
Ese Dios de cuya existencia se nos da pruebas y
argumentos no es más que una hipótesis, un concepto

**PRIMERA PAGINA DE "EL SENTIMIENTO TRAGICO", CUANDO
LA OBRA SE TITULABA "TRATADO DEL AMOR DE DIOS"**

Las vidas de Don Quijote
y Sancho según Miguel de Cervantes Saavedra,
explicadas y comentadas por

Miguel de Unamuno.

(¿Cide Hamete Benengelí es ó no una ficción de Cervantes?)

Cap. I Del nacimiento de Don Quijote, de sus padres y abolengo nada sabemos, nada de su infancia y juventud, ni de cómo se fraguara el ánimo del Redentor de España, del que con su locura nos hace cuerdos. Nada sabemos de sus padres y linaje y abolengo, ni de cómo fueron asentando en su espíritu las visiones de la grave y yerma páramo manchega en que solía cazar, nada sabemos de la obra que hiciesen en su alma la contemplación de los trigales salpicados de amapolas y clavelinas, nada sabemos de su juventud. (8)

Aparécesenos el hidalgo, hijo de algo — y de bien poco algo, por cierto! — y cuando frisaba en los cincuenta, en un lugar de la Mancha, viviendo pobremente, con una olla de algo más vaca que carnero, salpicón las más noches, duelos y quebrantos los sábados, lantejas los viernes, y algún palomino de añadidura los domingos, lo cual todo consumía "las tres partes de su hacienda", acabando de conchista "sayo de velarte, calzas de velludo para las fiestas con sus pantuflos de lo mismo y los días de entre semana .... vellorí de lo más fino." En un sobrecomer se le iban tres partes de sus rentas, en un modesto vestir la otra cuarta. Era, pues, un hidalgo pobre

dora. Sería entonces —sigo la metáfora del poeta, añadiéndole una imagen muy de Unamuno— cual si esas ramas, hechas, de puro girar, al fin, mantillo depositado en el lecho del torrente, diesen su juego, su vida, a la planta lozana que sobre él brotase. Y pasión creadora era la que consumió a su llama la vida de Unamuno.

Esta pasión fué tema único de sus elucubraciones filosóficas; antes de pasar a conocerlas, advertiré que el término empleado para calificarlas ni lo acepta Unamuno ni tampoco se lo conceden sus más autorizados comentaristas. Para Unamuno, el afán de conocer se halla subordinado al instinto de perduración: «El conocimiento —escribe— [1] está al servicio de la necesidad de vivir, y primariamente al servicio del instinto de conservación personal. Y esta necesidad y este instinto han creado en el hombre los órganos del conocimiento, dándoles el alcance que tienen. El hombre ve, oye, toca, gusta y huele lo que necesita ver, oir, tocar, gustar y oler para conservar su vida [2]. Páginas adelante se pregunta: «¿por qué quiero saber de adónde vengo y adónde voy, adónde viene y adónde va lo que me rodea, y qué significa todo esto? Porque no quiero morirme del todo, y quiero saber si he de morir o no definitivamente. Y si no muero, ¿qué será de mí?; y si muero, ya nada tiene sentido. Y hay tres soluciones: *a*) o sé que me muero del todo, y entonces la desesperación irremediable, o *b*) sé que no me muero del todo, y entonces la resignación, o *c*) no puedo saber ni una ni otra cosa, y entonces la resignación en la

[1] *Del sentimiento trágico de la vida*; IV, 479.
[2] Sobre el precedente a esta manera de explicar Unamuno los orígenes del conocimiento cf. Luis S. Granjel: *Unamuno y Turró. Orígenes de la doctrina unamuniana del conocimiento*; en prensa.

desesperación o ésta en aquélla, una resignación desesperada, o una desesperación resignada, y la lucha»[1]. De aquí que la arbitrariedad, la paradoja, sea su método dialéctico: «La arbitrariedad, la afirmación cortante porque sí, porque lo quiero, porque lo necesito, la creación de nuestra verdad vital —verdad es lo que nos hace vivir—, es el método de la pasión. La pasión afirma, y la prueba de su afirmación estriba en la fuerza con que es afirmada. No necesita otras pruebas»[2]. No es necesario sumar más testimonios a los aducidos para comprender cómo era inevitable que el pensamiento de Unamuno chocara con la mentalidad racionalista que tantos adeptos contaba aún por los años en que lo expuso; por si quedase alguna duda transcribo el siguiente párrafo de una carta suya dirigida a González Trilla[3]: «La fórmula de la civilización europea contemporánea, la fórmula que ahí copian simiescamente, me repugna. Me repugna el cientifismo, me repugna el progresismo. Se trata de ocultar un estado íntimo de desesperación espiritual. Se quiere eludir el único problema esencial, el de la inmortalidad del alma». Si esto significa para Unamuno filosofar, su imagen del filósofo, de él mismo, se contrapone también de modo formal con la estampa que habitualmente se dibuja para darnos su perfil intelectual. El filósofo, para Unamuno, «es un hombre de carne y hueso que se dirige a otros hombres de carne y hueso como él. Y haga lo que quiera, filosofa, no con la razón sólo, sino con la voluntad, con el sentimiento, con la carne y con los huesos, con el alma toda y con todo el cuerpo. Filosofa el hombre»[4]. ¿Y para qué filosofa el filósofo?: para «conciliar

[1] *Del sentimiento trágico de la vida*; IV, 487.
[2] «Sobre la europeización» *Ensayos*; III, 799.
[3] Carta a C. González Trilla; Salamanca, 2 de octubre de 1909.
[4] *Del sentimiento trágico de la vida*; IV, 483.

las necesidades intelectuales con las necesidades afectivas y con las volitivas» [1]; «suelen filosofar los hombres para convencerse a sí mismos, sin lograrlo» [2], a sabiendas de la inutilidad de tal esfuerzo, pero sin cejar por eso en su prosecución. Podrá negarse, claro, validez a esta teoría, pero es bien cierto, sin embargo, que ella recoge fielmente la razón por la cual filosofó Unamuno, si queremos seguir llamando filosofía a sus empeños intelectuales.

¿Cuál fué la filosofía que fraguó Unamuno? Conocemos el motivo que le indujo a filosofar; hablaré ahora de las ideas que le ayudaron en la tarea de dar forma a su meditación. La presiden las famosas proposiciones sexta a octava formuladas por Spinoza en la tercera parte de su *Ética*; su referencia se repite con significativa frecuencia en los escritos de Unamuno desde 1895, y a su comentario dedicó el capítulo primero de su *Sentimiento trágico de la vida*. Preciso es rememorarlas. Dice la proposición sexta: *Unaquoeque res, quatenus in se est, in suo esse perseverare conatur* (cada cosa, en cuanto es en sí, se esfuerza por perseverar en su ser); añade en la séptima: *Conatus, quo unaquoeque re in suo esse perseverare conatur, nihil est praeter ipsius rei actualem essentiam* (el esfuerzo con que cada cosa trata de perseverar en su ser no es sino la esencia actual de la cosa misma); concluye en la octava: *Conatus, quo unaquoeque res in suo esse perseverare conatur, nullum tempus finitum, sed indefinitum involvit* (el esfuerzo con que cada cosa se esfuerza por perseverar en su ser no implica tiempo finito, sino indefinido); «es decir —apostilla Unamuno— [3], que tú, yo y

---

[1] *Del sentimiento trágico de la vida*; IV, 472.
[2] *Ibíd.*; IV, 486.
[3] *Ibíd.*; IV, 466.

Spinoza queremos no morirnos nunca y que este nuestro anhelo de nunca morirnos es nuestra esencia actual». Ya en ocasión anterior había enjuiciado así las proposiciones spinozianas: «No cabe expresar con más precisión el ansia de inmortalidad que consume al alma» [1]. La exposición mejor meditada que de su pensamiento filosófico nos da Unamuno se encuentra en las páginas de su *Sentimiento trágico de la vida*, la obra que tantas veces ha citado ya en este capítulo, y a la cual me veo obligado a seguir recurriendo en la necesidad de proporcionarle al lector una versión comprendida de la filosofía unamunesca. Su tema, resulta casi impertinente el repetirlo, es único y puede formularse con esta pregunta: ¿Es el hombre inmortal? Encarándolo, dejará Unamuno, primero, que hable su razón; ésta le dice: «así como antes de nacer no fuimos ni tenemos recuerdo alguno personal de entonces, así después de morir no seremos» [2]; «todas las lucubraciones pretendidas racionales o lógicas, en apoyo de nuestra hambre de inmortalidad, no son sino abogacía y sofistería [3]. Ante tal respuesta, vuelve a preguntarse Unamuno: ¿Puede el hombre vivir, sin desesperar, preso en esta convicción?; más aún, ¿podrá aceptarla quien un día, como a él le sucedió, vivió creyendo firmemente en la existencia de una vida sin término tras esta perecedera que vivimos?; responde: «el que alguna vez en su vida o en sus mocedades o temporalmente ha llegado a abrigar la fe en la inmortalidad del alma, no puede persuadirme a creer que se aquiete sin ella» [4]. Ya tenemos delimitada la postura desde la cual dialoga, filosofando,

---

[1] «El individualismo español»; *Ensayos*; III, 395.
[2] *Del sentimiento trágico de la vida*; IV, 524.
[3] *Ibíd.*; IV, 534.
[4] *Ibíd.*; IV, 542.

polemizando, Unamuno; aparecen en ella, enfrentadas, la razón
que niega y el afán, voluntarista, cordial, que clama por cuanto
a la razón repugna. El capítulo de la obra que vengo citando,
y en el cual su autor nos describe la lucha que ambos conten-
dientes trabaron en su propia intimidad, lo rotula, muy significativamente, con este título: «En el fondo del abismo»;
es éste la sima abierta bajo sus pies cuando la creencia religiosa
infantil, perdida en su descreimiento juvenil, dejó de prestar
apoyo a su vida; arrojado en ella, asiste Unamuno a la pelea
trabada entre su deseo de volver a creer y la razón que le impide recuperar tal creencia: «en el fondo del abismo —escribe— [1] se encuentran la desesperación sentimental y volitiva y
el escepticismo racional frente a frente, y se abrazan como hermanos. Y va a ser de este abrazo, un abrazo trágico, es decir,
entrañadamente amoroso, de donde va a brotar manantial de
vida, de una vida seria y terrible». Forma el nudo de esta duda
unamunesca, duda agónica, el anhelo de inmortalidad; de ella
nace, como se verá, su fe y todas sus elucubraciones religiosas.
Aquella duda le inspiró su «Oración del ateo», escrita en Salamanca a comienzos del otoño de 1910, y que resume, en la
cerrada forma de un soneto, la tensión dramática que puso en
el ánimo de Unamuno su agónico polemizar, por una fe no
creída, con una razón en la que tampoco podría hallar refugio.
Estos son sus versos [2]:

> *Oye mi ruego tú, Dios que no existes,*
> *y en tu nada recoje estas mis quejas,*

---

[1] *Del sentimiento trágico de la vida*; IV, 546.
[2] «La oración del ateo»; *Rosario de sonetos líricos*; 88-9; Madrid, 1911.

tú que a los pobres hombres nunca dejas
sin consuelo de engaño. No resistes

　a nuestro ruego y nuestro anhelo vistes.
Cuando tú de mi mente más te alejas
más recuerdo las plácidas consejas
con que mi ama endulzóme noches tristes.

　¡Qué grande eres, mi Dios! Eres tan grande
que no eres sino Idea; es muy angosta
la realidad por mucho que se espande

　para abarcarte. Sufro yo a tu costa,
Dios no existente, pues si tú existieras
existiría yo también de veras.

En la formulación doctrinal de la que venimos denominando, no sin cierta impropiedad, filosofía unamuniana, se advierten bien los influjos ideológicos que la inspiraron. Dejaron huella en el pensamiento de Unamuno Kant y Hegel, Nietzsche, Schopenhauer y Spencer; posteriormente, y de modo mucho más decisivo, Sören Kierkegaard, William James y Henri Bergson, sin olvidar los teólogos protestantes de más predicamento en los primeros decenios del siglo y con ellos los fautores del «modernismo» católico. El credo filosófico de Unamuno quedó formulado en los años que median entre 1905, cuando publica la *Vida de Don Quijote y Sancho*, y 1912, al dar a conocer su *Sentimiento trágico de la vida*; tiene en esta segunda fecha cuarenta y ocho años, y en aquel libro, nos dice Julián Marías [1]

---

[1] J. Marías: *Miguel de Unamuno*; 26; Madrid, 1943.

«estaba ya definido su pensamiento; de este estadio no pudo pasar en lo sustancial. La obra filosófica de Scheler, de Heidegger o de Ortega, en la medida en que pudo conocerla —en sus escritos no es fácil encontrar alusiones a ella—, hubo de quedar para él inoperante, fuera de su pensamiento vivo».

La filosofía de Unamuno ha merecido de sus críticos más calificados un juicio bastante unánime. Cruz Hernández [1] coloca a Unamuno en el grupo de pensadores que preludian, en la Historia de la filosofía europea, la remoción que a la misma habían de imprimir tras ellos un Heidegger, un Jaspers y los restantes santones del existencialismo. Más detenido es el análisis que a esta faceta de la obra unamuniana han dedicado en sus libros el Padre Oromí y Julián Marías. En opinión del primero de los citados, «toda la filosofía de Unamuno gira alrededor de este valor absoluto: el vivir, pero el vivir personal y eterno... Creemos que este punto de la eternidad de la existencia del hombre concreto, al par que fundamental, es el más original que caracteriza la filosofía de Unamuno y por el que se distingue de los otros filósofos existenciales, incluso de los que tienden a la trascendencia [2]. Para Unamuno, expone, por su parte, Julián Marías, «la filosofía es una reacción al misterio de la realidad, concretamente al de la vida humana misma y su destino... La filosofía es el saber de la muerte... Unamuno interpreta la filosofía como una función vital, necesaria, porque el hombre necesita justificarse a sí mismo, saber a qué atenerse, qué ha de ser él, consolarse o desesperarse de haber na-

---

[1] M. Cruz Hernández: «La misión socrática de don Miguel de Unamuno»; *Cuadernos de la Cátedra Miguel de Unamuno*; III, 41-53; Salamanca, 1952.
[2] M. Oromí: *El pensamiento filosófico de Miguel de Unamuno*; 96-7; Madrid, 1943.

cido» [1]. Y añade: Unamuno «escribe libros literarios, dramas, novelas, poemas. Pero conserva de la filosofía su mismo *propósito*, es decir, el afán de poner en claro el problema de la inmortalidad; e intenta realizarlo, justamente, no por una vía *filosófica* en sentido riguroso, racional, que le parece impracticable, sino por vía *imaginativa*, mediante la única facultad que considera capaz de penetrar en la realidad íntima y sustancial de las cosas y de la vida» [2]. Los comentaristas que firman los textos citados se resisten a calificar a Unamuno de filósofo. Su obra guarda, sí, una relación, «íntima y esencial» con la filosofía, pero «*no es filosofía* en sentido estricto», sentencia Julián Marías [3], y continúa, buscando apoyar con razones esta terminante conclusión: «Unamuno es un ejemplo característico del pensador que tiene el sentido vivo de una realidad recién descubierta, pero carece de instrumentos intelectuales necesarios para penetrar en ella con la madurez de la filosofía. Sus intuiciones, movidas por su angustia ante el problema, vivido con rara plenitud, son de honda perspicacia, pero se quedan en intuiciones. Unamuno nos muestra el espectáculo dramático y profundamente instructivo del hombre que aborda de un modo extrafilosófico, o, si se quiere, prefilosófico, el problema *mismo* de la filosofía». Se ha comparado la actitud intelectual de Unamuno a la de Sócrates; suscriben esta apreciación el Padre Oromí y Julián Marías; Cruz Hernández, que la recoge, añade que su fondo de certeza radica en el hecho de que Unamuno fué un «engendrador de filosofía»; en él se dió, había dicho ya Julián Marías, plenamente, el «problematismo filosófico».

---

[1] J. Marías: *Miguel de Unamuno*; 167-68; Madrid, 1943.
[2] J. Marías: *Ibíd.*; 171.
[3] J. Marías: *Ibíd.*; 219-20.

TERCERA PARTE

LA PASIÓN

LIBRO SEXTO

HAMBRE DE INMORTALIDAD

CAPITULO XVI

LA FE DUDOSA

Colocado en una situación vital menesterosa, agónica, por la aporía que partía su ánimo y de la cual se ha hablado, con suficiente detalle, en los capítulos precedentes, Unamuno terminó forjándose un sistema ideológico, más que filosófico, religioso, y porque con él no solventaba la necesidad que se lo inspiró, el anhelo de creer en su propia pervivencia tras la muerte, continuó la búsqueda de la fama mundana, del renombre. Los capítulos que compondrán la Tercera Parte de esta obra han de llevarnos a conocer esta faceta de la personalidad de Unamuno, su pasión por no morir, y también, como colofón de ella, el desenlace que a tan denodado esfuerzo impuso el destierro que lo alejó de España, de su Salamanca, del hogar, y lo devolvió, después de tantos años de ausencia, a la tierra nativa de Vasconia.

Cuanto llevamos escrito nos autoriza a afirmar que pocos hombres de nuestro tiempo han logrado vivir tan plenamente como Unamuno los problemas vitales que la pérdida de la fe religiosa puede desvelar. Auténtico «homo religiosus», tronó siempre Unamuno contra quienes quisieron convertir las conquistas de la ciencia o los frutos de la razón en sucedáneos de la creencia religiosa; al intelectualismo, formalmente denostado por él, opone una actitud «que llamaría —nos dice— [1] *espiritualismo*, si no tuviese este vocablo una significación profundamente distinta de la que ahora quiero darle. *Cordialismo* parecería algo violento. En el fondo, se reduce a oponer a los que sólo se atienen a su pensamiento racional y lógico, a los que apenas piensan más que con el cerebro, los que se atienen a su conciencia total y vital, los que piensan con todo el cuerpo y aun con todo el circuncuerpo». De Unamuno, ha escrito José María Cirarda, un sacerdote [2], «sin temor ninguno a ser exagerado, se puede afirmar que... por encima de todo, es un escritor esencialmente religioso», y el Padre González Caminero, jesuíta, opina que «Unamuno fué realmente un hombre preocupado del problema cristiano, y lo vivió hondamente como pocos de sus contemporáneos, en cuanto que efectivamente empleó en su resolución, mejor, en su meditación intelectual, el mayor número de horas de su vida pensante y escudriñadora» [3]. La religiosidad de Unamuno, como la de varios de sus compañeros de generación, se caracteriza, según Laín Entralgo, por «un visible apartamiento de la ortodoxia católica» [4]; la vida religiosa de Unamuno, sigue diciéndonos el mismo autor, «muestra al biógrafo cuatro etapas sucesivas: sincera y devota fe católica cuando muchacho; en la adolescencia, crisis hondamente vivida; un fugaz optimismo cientifista en años de mocedad..., y, por último, una religiosidad íntima, agnóstica, más idónea

---

[1] «La educación»; *Ensayos*; III, 294.
[2] J. M.ª Cirarda: *El modernismo en el pensamiento religioso de Miguel de Unamuno*; 5; Vitoria, 1948.
[3] N. González Caminero: *Unamuno, I. Trayectoria de su ideología y de su crisis religiosa*; 329; Comillas, 1948.
[4] P. Laín Entralgo: *La generación del Noventa y Ocho*; 121; Madrid, 1945.

al canto que a la expresión teológica, y la agonía dubitante» [1]. Varios rasgos de pura raigambre romántica descubre esta postura creencial, al decir de otro perspicaz comentarista de Unamuno; se cuentan entre éstos, puntualiza, lo vagoroso de sus anhelos y la desesperanza que los matiza; el proclamar una fe sin dogmas, al margen de toda confirmación racional, y, asimismo, «ese hacer orgullo de la tristeza, y de la exhibición del dolor un antídoto contra éste» [2]; el romanticismo unamuniano, añade, «tenía mucho de chateaubrianesco, aunque tuviera al mismo tiempo no poco de la gravedad, del drama verdadero propio de un Sénancour».

En muchos de sus gestos más habituales, como en aquel de llevar bajo la ropa un crucifijo de hierro, hizo pública Unamuno su preocupación religiosa, de qué modo perduraban en él, casi obsesivos, los problemas que sólo el hombre religioso se plantea y busca resolver. Algunos textos, pertenecientes a distintos períodos de su vida, confirmarán lo que digo. Escribía Unamuno en 1899: «No hay en realidad más que un gran problema, y es éste: ¿cuál es el fin del universo entero? Tal es el enigma de la Esfinge; el que de un modo o de otro no lo resuelve, es devorado... Danos lo económico el resorte y móvil de la vida y nos da lo religioso el motivo de vivir. Motivo de vivir; he aquí todo» [3]. Un día de Diciembre de 1906 le confiesa, desde Salamanca, a Maragall [4]: «haciendo poesía me consuelo. Y así me paso la vida al pie del sauce, viendo correr

---

[1] P. Laín Entralgo: *Ibíd.*; 126.
[2] A. Sánchez Barbudo: «Los últimos años de Unamuno. *San Manuel Bueno* y el vicario saboyano de Rousseau»; *Hispanic Review*; XIX, 281-322; Philadelphia, 1951.
[3] *Nicodemo el fariseo*; IV, 15.
[4] Carta a J. Maragall; Salamanca, 13 de diciembre de 1906.

las aguas, mientras en la otra orilla los pobres pescan su cena, y a la espera yo de que pase una cuna y en ella un niño dormido y este niño sea el Moisés que nos saque de las ollas de Egipto y nos lleve al desierto, donde nos aguarda Dios, y luego a dar vista a la tierra de promisión». En 1918, en un interesante artículo rescatado del olvido por el diligente cuidado del profesor García Blanco, buscaba definir su fe dudosa, agónica, haciéndola entrever, por contraste, tras la burlesca silueta de la actitud que adoptan quienes Unamuno califica como «hombres del colchón»; la cita, aunque larga, merece su reproducción: «El hombre del colchón —cuenta allí— [1] es el que pasa la vida buscando un colchón, católico, protestante, budista, racionalista, materialista, ateo, agnóstico o lo que sea, en que poder echar sus siestas lo más largas posibles. El hombre del colchón quiere tener dónde dormir... El hombre del colchón no concibe que busquéis un lecho duro y pedregoso, acaso con pinchos, sea católico, protestante, budista, racionalista, materialista, ateo o agnóstico, en que descansar un momento en vuestra marcha, pero sin dormiros, porque teméis, en caso de que os coja el sueño, no volver a despertar de él. El hombre del colchón no comprende que viváis de inseguridades y de incertidumbres, y que el eterno más allá sea la meta de vuestro eterno viaje». Un último testimonio; lo escribió Unamuno, en Hendaya, en 1928 [2] y nos dice en él: «fuí educado por mi madre viuda en la más íntima y profunda piedad cristiana y católica; yo... he refrescado mis labios toda mi vida y a diario, para mantener en mi

---

[1] «El hombre de la mosca y del colchón»; *De esto y de aquello*; V, 793.

[2] «Mi pleito personal»; *Dos artículos y dos discursos*; 16; Madrid, 1930.

Toda una vida.

Una mañana del florido mayo
abrió sus alas húmedas de sueño
y del naciente sol al tibio rayo
al aire se entregó. Sobre el risueño
haz del natal arroyo hizo el ensayo
primero de sus alas. Del empeño
segura ya, voló. Breve desmayo
posar le hizo en el pétalo sedeño
de un agavanzo. Y empezó el derroche
de su efímera vida en loco brillo
de vueltos faltos de intención alguna,
para morir, sin conocer la noche,
abatida por piedra de un chiquillo,
de las nativas aguas en la cuna.

18 I 99

SONETO "TODA UNA VIDA"

EJEMPLARES DE SU MUNDO "COCOTOLOGICO"

DOS CURIOSOS AUTO-RETRATOS

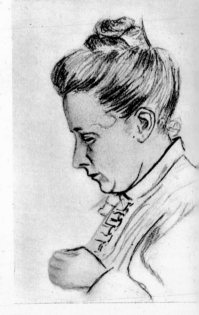

PALACIO DE MONTERREY Y SU ESPOSA.-DIBUJOS DE UNAMUNO

vida mi santa niñez, con el Ave María». Muy significativa es también la frecuencia con que Unamuno, en su diaria labor de publicista, se ocupa de temas religiosos; en realidad, toda su obra escrita, novela, teatro o poesía, ensayo filosófico o artículo periodístico, gira en torno a esta preocupación religiosa que nunca dejó de acuciarle. Citaré entre los títulos de su bibliografía que se pueden aducir para confirmarlo, los de sus dos más importantes libros: *Del sentimiento trágico de la vida* (1913) y *La agonía del cristianismo* (1925); de sus ensayos *Nicodemo el fariseo* (1899), primero de una serie de *Meditaciones evangélicas* que no llegó a terminar, y *Mi religión* (1907); su novela *San Manuel Bueno*, mártir (1930), muchas de sus poesías y su obra *El Cristo de Velázquez* (1920). Mención especial merecen sus estudios de paisajes donde con singular frecuencia destaca la nota religiosa; hubo ocasión de apuntarlo ya cuando hablé de las vivencias que en Unamuno despertaba ascender a las cimas de la altiplanicie castellana, por lo demás también ella cumbre. En sus correrías por las tierras peninsulares, la meta de sus viajes fué, no pocas veces, alguno de tantos santuarios o monasterios como todavía perduran, vivos o medio ruinosos y abandonados, recogidos al abrigo de un repliegue del terreno o encaramados en cualquier cabezo. La emoción, desde luego religiosa, que su visita le deparaba, queda patente en esta reflexión que le inspiró una de sus estancias en el monasterio de Guadalupe, en tierra extremeña [1]: «sentí una vez más la tentación que en parecidos sitios me asalta: la de abandonar estas luchas y trabajos en que estoy metido y darme a ver pasar la vida en meditación y sosiego».

---

[1] «Guadalupe»; *Por tierras de Portugal y España*; I, 406.

16

Confirmadas con estas observaciones la conclusión a que ya nos llevó el análisis de la personalidad de Unamuno realizado en los capítulos precedentes, es momento de exponer el modo como trató de satisfacer aquel anhelo de no morir, el cual, muchas veces lo he repetido, fué en él la más entrañada y verdadera razón de su existir. Analizaré en este capítulo y en los dos que a él seguirán, por el orden con que los nombro, los temas de la fe, la religión y la Divinidad, tal como Unamuno quiso explicárselos a sí mismo, formando parte fundamental, por no decir única, de su personal sistema filosófico. Algo se dijo en un capítulo anterior del modo de concebir Unamuno la fe; para él, se expuso allí, la fe se nutre de deudas, de ellas vive; la fe de Unamuno es la misma que confesó Antonio Machado [1] al decirnos que él creía

> *en una fe que nace*
> *cuando se busca a Dios y no se alcanza*

Es una fe, puro acto de voluntad, que quiere afirmarse contra las negaciones de la razón; Unamuno nos la define, líricamente, en estos versos de un soneto suyo [2]:

> *Mientras mi terco anhelo no se agote*
> *defenderé aun la absurda, la ilusoria*
> *creencia que da vida...*

---

[1] A. Machado: *Poesías Completas*; 234; Madrid, 1946. Esto lo demuestra bellamente Laín Entralgo en los dos últimos capítulos, consagrados a Antonio Machado y Miguel de Unamuno, de su *Discurso* de ingreso en la Real Academia Española (*La memoria y la esperanza*; 75-161; Madrid, 1954).

[2] «Irresignación»; *Rosario de sonetos líricos*; 208; Madrid, 1911.

En las páginas de su más meditada obra razona su fe diciéndonos que ella «no es la mera adhesión del intelecto a un principio abstracto, no es el reconocimiento de una verdad teórica
en que la voluntad no hace sino movernos a entender; la fe
es cosa de la voluntad, es movimiento del ánimo hacia una persona, hacia algo que nos hace vivir y no tan sólo comprender
la vida»; fe «es la voluntad misma, la voluntad de no morir»;
la fe es creadora, añade: «La fe crea, en cierto modo, su
objeto» [1]. La fe se halla ligada a la esperanza: «La esperanza
es el premio a la fe», pues «la fe es nuestro anhelo a lo eterno,
a Dios, y la esperanza es el anhelo de Dios, de lo eterno, de
nuestra divinidad, que viene al encuentro de aquélla y nos eleva» [2]. La fe es duda, así nos la define Unamuno, titulándola
«fe pascaliana», en un capítulo de su *Agonía del Cristianismo*;
desde bastantes años antes venía sosteniendo tal afirmación:
«La verdadera fe —escribió ya en 1905— [3] se mantiene de la
duda; de dudas, que son su pábulo, se nutre y se conquista
instante a instante, lo mismo que la verdadera vida se mantiene
de la muerte y se renueva segundo a segundo, siendo una creación continua»; años después, estamos ahora en 1913, le escribe Unamuno a Jiménez Ilundain [4]: «No le angustie demasiado vivir en ese estado de contradicción íntima, ahora creyendo y ahora no; o más bien queriendo creer sin lograrlo.
Es mejor eso que la estúpida paz de una fe muerta o de una
incredulidad muerta. No cambiaría yo esta situación tormen-
tosa de mi espíritu ni por las inepcias del catolicismo ortodoxo

[1] *Del sentimiento trágico de la vida*; IV, 613-14.
[2] *Ibíd.*; IV, 620.
[3] *Vida de Don Quijote y Sancho*; IV, 255.
[4] Carta a P. Jiménez Ilundain; Salamanca, 11 de febrero de 1913.

rutinario ni por las inepcias de la libre pensaduría racionalista».
Llegó Unamuno a esta concepción de la fe al intentar justificar
la contradicción en que le colocó la lucha íntima entablada
entre su anhelo de creer y la incapacidad racional de conseguirlo. Su fe, dice de ella el Padre Oromí, «es una facultad
real del espíritu, de origen sentimental-volitivo, que radica últimamente en uno de los dos instintos que manifiestan la esencia
del hombre concreto: el instinto de perpetuación» [1]; la fe para
Unamuno, añade el mismo comentarista [2], «más que adhesión
de la razón a un principio teorético o a una verdad, es confianza en una persona. En la fe esta persona es el mismo Dios...
en la fe unamuniana, esta persona, a pesar de que el autor diga
algunas veces que es Dios, no obstante, como Dios no es más
que una creación personal nuestra, aquella confianza se apoya
en nuestra propia personalidad o en nuestro sentimiento; de
aquí el carácter esencialmente dubitativo de la fe, porque el
hombre siempre puede engañarse». La heterodoxia de esta manera de concebir la fe queda explícita en los textos de Unamuno aducidos y en el comentario del Padre Oromí reproducido aquí en dos de sus conclusiones.

Un curioso testimonio de lo que fué la fe unamuniana se
nos ofrece en su drama *La Venda*, dado a conocer en 1913,
si bien su tema preocupó a Unamuno con bastante anterioridad, pues de él hay una primera versión en el relato del mismo
título que publicó en «Los Lunes» de *El Imparcial*, de Madrid, el 20 de Enero de 1900 [3]; sobre él le escribió a Luis Ruiz

[1] M. Oromí: *El pensamiento filosófico de Miguel de Unamuno*;
122-23; Madrid, 1943.

[2] M. Oromí: *Ibíd.*; 124.

[3] *De esto y de aquello*; V, 999-1.004

Contreras a los tres días de publicarse [1]: «Voy a hacer el drama tal como usted me aconseja; he recogido ya multitud de detalles porque quiero que, hasta éstos, sean significativos». El nudo argumental del drama es el siguiente: Lo protagoniza una mujer, ciega de nacimiento, a quien un día la ciencia consigue dar vista. Cuando, a poco de ello, le comunican que una grave enfermedad postra a su padre en el lecho, la antigua ciega, al pretender correr a su lado, se encuentra desorientada; sus ojos son incapaces de encontrar el viejo camino antes tan familiar. Entonces pide una venda para cegar aquellos ojos que de nada le sirven, y ahora, de nuevo ciega, es ya capaz de recorrer, segura, la senda que la vista no le supo enseñar. Es fácil descubrir en la sencilla factura de este argumento la experiencia personal que debió inspirárselo a Unamuno. También a él la ciencia a la que se entregó su juventud ávida de saber, dió vista a su razón, pero fué para cegarle a un más íntimo y sustancial conocimiento. Por esto, cuando las vicisitudes de su vida le hacen anhelar de nuevo la fe infantil y quiere enderezar hacia ella su espíritu, los ojos de la razón sólo hacen que ocultarle la senda salvadora; como la heroína de su drama precisaría vendárselos para lograr ver. Y su fe siempre fué esto: el gesto afanoso, inconcluso, de cegar los ojos de la inteligencia y abrir a la verdadera luz los de la *ciega* creencia. Gesto inconcluso, digo, pues no pasó de ser fe dudosa, nunca poseída, la de Unamuno; su perfil se dibuja tras este brevísimo diálogo cruzado entre dos personajes de la obra que vengo aludiendo [2]:

---

[1] Carta a L. Ruiz Contreras; Salamanca, 23 de enero de 1900.
[2] *La Venda;* Cuadro 1.º; Madrid, 1913.

«*D. Pedro.*—Para qué se nos dió la razón, ¿dime?

D. Juan.—Tal vez para luchar contra ella y así merece la vida...»

CAPITULO XVII

CONCEPTO DE RELIGION

La fe, en Unamuno, podría ser comparada a uno de esos tenues hilos, flotantes al viento, sobre los cuales ciertas arañas se lanzan al aire libre y hasta a la tempestad; estas arañas han hilado de sus propias entrañas los hilillos que han de servirles de único asidero sobre el espacio: «¡terrible símbolo de la fe!», exclama el propio Unamuno rehaciendo para sus lectores el relato que él leyó en Hesiodo [1]. Pues igual, en su vida, su fe, que, hilada en lo más íntimo de su ser, fué sostén, también único y bien liviano, con que contó para aventurarse por el misterio abierto ante sí por su descreimiento. De esta fe hizo Unamuno su religión. Religión que hará arrancar del culto a la muerte, a cuya consideración apasionada le condujo la angustia de su instinto insatisfecho, de aquel no querer morir que embebía sus pensamientos; «toda religión —escribe Unamuno— [2] arranca históricamente del culto a los muertos, es decir, a la inmortalidad». Semejante a ésta son muchas las afirmaciones hechas por Unamuno sobre esta tesis, que no fué, desde luego,

[1] *La agonía del Cristianismo*; IV, 863-64.
[2] *Del sentimiento trágico de la vida*; IV, 493.

el único en sostener; en muy parecidos términos la corrobora uno de los más significados psicólogos de nuestra época, quien afirma que las religiones, cualquiera que sea su credo, constituyen «complicados sistemas para prepararse para la muerte, hasta el punto de que la vida, en verdad, tan sólo significa... una preparación para el objetivo final: la muerte» [1]. Es muy de nuestro tiempo esta actitud equívoca, ambigua, ante la religión; no se la admite como creencia, pero se reconoce en ella un valor pragmático, puramente psicológico, de defensa de la paz espiritual, incluso de la salud mental, ante los insoslayables problemas que la consideración de su finitud alza en el ánimo de los hombres; expresión de este hecho es la psicología junguiana [2], la orientación acaso más característica del pensamiento psicológico contemporáneo; su influjo se acusa en todas las parcelas de la vida intelectual e incluso en la preocupación, que quiere ser profesional, de algunos médicos; en España contamos con el ejemplo, altamente demostrativo, del profesor Nóvoa Santos, cuya especulación en torno a la muerte [3] muestra puntos de indudable semejanza con la que urdió sobre el mismo tema Unamuno.

¿Cómo entendía Unamuno la religión?; ¿qué quiso que fuera para él? En varias ocasiones pretendió Unamuno formular, ordenadas, sus ideas sobre cuestión que tanto le importó siempre. Acabo de indicar cómo en la base del sentimiento

[1] C. G. Jung: «Alma y muerte»; *Realidad del alma*; 203; edic. esp.; Buenos Aires, 1946.

[2] Cf. Luis S. Granjel: «La psicología de C. G. Jung en la Historia de las relaciones entre Medicina y Religión»; *Archivos Iberoamericanos de Historia de la Medicina*; I, 189-297; Madrid, 1949.

[3] Cf. Luis S. Granjel: «El tema de la muerte en el pensamiento de Nóvoa Santos»; *Imprenta Médica*; XVII, 377-402.

religioso descubre Unamuno un confesado o inconciente anhelo de no morir; sobre ello repitió en una de las muchas ocasiones en que de esto nos habla: «El anhelo de la inmortalidad del alma, de la permanencia, de una u otra forma de nuestra conciencia personal e individual, es tan de la esencia de la religión como el anhelo de que haya Dios. No se da el uno sin el otro, y es porque, en el fondo, las dos son una sola y misma cosa» [1]. Decía ya Unamuno en un ensayo fechado en 1904 [2]: «Si la religión no se funda en el íntimo sentimiento de la propia sustancialidad y de la perpetuación de la propia sustancia, entonces no es tal religión. Será una filosofía de una religión; pero religión, no». Tres años más tarde escribe su fundamental ensayo «Mi religión»; he aquí algunas de las afirmaciones que en él sostuvo: «Mi religión es buscar la verdad en la vida y la vida en la verdad, aun a sabiendas de que no he de encontrarla mientras viva; mi religión es luchar con Dios desde el romper del alba hasta el caer de la noche, como dicen que con Él luchó Jacob...; yo quiero pelear mi pelea, sin cuidarme de la victoria» [3]. Su religión, o, por mejor decir, su anhelo de conseguirla, rechaza toda formulación racional y dogmática: «En el orden religioso apenas hay cosa alguna que tenga racionalmente resuelta, y como no la tengo, no puedo comunicarla lógicamente, porque sólo es lógico y transmisible lo racional. Tengo, sí, con el afecto, con el corazón, con el sentimiento, una fuerte tendencia al cristianismo, sin atenerme a dogmas especiales de esta o de aquella confesión religiosa» [4]. Niega validez tanto a

---

[1] *Del sentimiento trágico de la vida*; IV, 636.
[2] «¡Plenitud de plenitudes y todo plenitud!»; *Ensayos*; III, 509.
[3] «Mi religión»; *Mi religión y otros ensayos*; III, 820.
[4] *Ibíd.*; III, 821.

las pruebas racionales sobre la existencia de Dios, soporte de la religión, como a las que esgrimen quienes apoyándose en ellas pretenden negar su existencia; en otras palabras, la religión de Unamuno es desnudo acto de la voluntad, que precisa sostener de continuo; viva polémica consigo mismo. Le mantenía en esta pelea agónica una auténtica necesidad que le era imposible desoír, la cual no era otra que la tantas veces nombrada ya: el anhelo de recobrar la fe infantil, de volver a hacer suya la esperanzada paz en que se apoyaron, seguros, aquellos años de su vida que nunca dejó de rememorar.

Unamuno no ocultó la opinión que le merecían las confesiones religiosas vigentes en su mundo cultural; conocer su juicio sobre el catolicismo, en cuyo seno se educó, y también sobre las iglesias desgajadas de Roma, que tanto influyeron en él [1], nos ayudará a conocer mejor la religión, tan personal, en que Unamuno pretendió creer. Le escribía a *Clarín*, desde Bilbao, en 1895 [2]: «Mi fe en el catolicismo íntimo, orgánico, hecho masa y fuente de actos reflejos, es lo que más me hace volverme contra el concretado en fórmulas y conceptos»; reprocha al catolicismo, sobre todo, lo que él llama su racionalismo: «Se ha empeñado [el catolicismo] en racionalizar la fe y en hacer creer no los misterios, sino la explicación que de ellos da, y ha sustituído a la religión con la teología. No basta creer en Dios; es menester admitir que se puede probar filosóficamente la existencia de Dios» [3]. Tampoco es favorable su

---

[1] Cf. José Luis L. Aranguren: «Sobre el talante religioso de Miguel de Unamuno»; *Catolicismo y Protestantismo como formas de existencia*; 191-209; Madrid, 1952.

[2] Carta a *Clarín*; Bilbao, 26 de junio de 1895.

[3] «La Quimera»; *De esto y de aquello*; V, 221.

juicio sobre el protestantismo: «Yo no sé por qué el Protestantismo histórico no acaba de satisfacerme y me parece poco adecuado para los pueblos que llamamos latinos. Tiene cierta estrechez de criterio»[1]; convendría recordar ésta y parecidas expresiones, de hallazgo no raro en los escritos de Unamuno, ante las afirmaciones de quienes se empeñan en ver en Unamuno un simple secuaz, dentro del ámbito español, del luteranismo más o menos kierkegaardiano; esta cautela, a mi juicio muy necesaria, no debe hacernos caer en el extremo opuesto, y también erróneo, en que se agrupan cuantos a toda costa buscan armonizar las opiniones religiosas de Unamuno y el dogma católico. Ante católicos y protestantes; enfrentándose con todos, Unamuno sostuvo una manera muy peculiar de entender la religión, de creer, o querer creer, en ella; no hace otra cosa sino enunciarla cuando le escribe a Nin Frías, en la carta que acabo de citar: «se prepara un cristianismo a secas, un cristianismo amplio y universal, igualmente elevado sobre catolicismo y protestantismo, sin dogma católico ni protesta protestante». En ocasiones llegó a definir esta convicción suya de catolicismo popular y español. Le confiesa Unamuno a su antiguo discípulo González Trilla[2]: «Yo, nada católico en el sentido ortodoxo, me siento profundamente católico en el sentido intra-popular»; «Yo, que odio el catolicismo oficial, dogmático, eclesiástico, estoy muy conforme en el sentimiento con el catolicismo popular español»[3]. ¿Pretendió Unamuno, con su personal versión del catolicismo, emular, en España, la hazaña llevada a cabo por Lutero en el mundo germánico? Hay mo-

[1] Carta a Nin Frías; 13 de diciembre de 1906.
[2] Carta a C. González Trilla; Salamanca, 2 de octubre de 1909.
[3] Carta a C. González Trilla; Salamanca, 12 de diciembre de 1909.

mentos en que, por fantástica que pueda parecernos la idea, la lectura de Unamuno hace pensar en tal posibilidad; esto ocurre, por ejemplo, cuando escuchamos su defensa del «catolicismo popular español», creación enteramente suya, y también al leer sus elogios a los grandes místicos españoles, en los que quiso ver un intento de reforma protestante «a la española»: «Yo creo —escribió en un artículo— [1] que nuestros místicos españoles del siglo XVI preludiaron una verdadera Reforma española, indígena y propia, que fué ahogada en germen luego por la Inquisición». Muy significativa, a este respecto, es la siguiente noticia que nos da alguien que trató mucho a Unamuno, en Salamanca, en los primeros años del siglo; se refiere a una tertulia a la que asistió, y añade: «Unamuno ha llevado la voz cantante, pero yo he pretendido tirarle de los hilos, viniendo a sacarle su secreto, su programa, la clave de sus rarezas e inconsecuencias que se precia de manifestar; ¡pretende ser nada menos que el Lutero español!» [2] Esta figurada «reforma» constituiría una orientación religiosa totalmente nueva, y de ella vuelve a hablarnos Unamuno en estos términos [3]: «Siempre en el seno del catolicismo ha habido dos tendencias. Una, genuinamente religiosa, la cristiana, la mística, si se quiere; la no pervertida por el moralismo mundano; la que floreció en los jansenistas, en Francia —en aquellos nobles, profundos y santos jansenistas—; la que muestra el lado por donde el catolicismo puede entenderse y concordarse con las demás confesiones cris-

---

[1] «Rousseau, Voltaire, Nietzsche»; *Contra esto y aquello*; III, 1.208.

[2] «El Unamuno de 1901 a 1903 visto por M.»; *Cuadernos de la Cátedra Miguel de Unamuno*; II, 13-31; Salamanca, 1951.

[3] «El Rousseau de Lemaître»; *Contra esto y aquello*; III, 1.203.

tianas, y de otra parte, la tendencia política, la específicamente católica, la escéptica».

La crítica se ocupa largamente de este capítulo del pensamiento de Unamuno; las opiniones que ha inspirado son, entre sí, muy diversas. Trataré de recoger las más significativas. Legendre descubre en la heterodoxia de Unamuno una raíz nutrida tanto como por el protestantismo por la tradición jansenista, de origen vasco recuérdese, y por el pensamiento pascaliano [1]. Opiniones muy semejantes a ésta son las que sostienen Azaola [2] y Aranguren [3]; escribe el último de los citados: «El propio Unamuno tenía clara conciencia de su protestantismo, aunque por prudencia no llegase a pregonarle abiertamente. De su ensayo *La Fe*, dijo privadamente que era en el fondo una tesis luterana» [4]. El Padre Iturrioz [5] nos presenta también a Unamuno como un auténtico seguidor de Lutero. No faltan autores que pretenden desdibujar este perfil heterodoxo de la religiosidad de Unamuno; entre los que esto han intentado, ninguno lo persigue con tanta voluntad como Hernán Benítez, quien llega a suscribir la siguiente exculpación: «En la heterodoxia de Unamuno expía, a mi parecer, no él, sino España, o, hablando con más propiedad, el catolicismo español del XIX, sus pecados contra la luz; algo así como en su tragedia expiaba Edipo el pecado

---

[1] M. Legendre: «La religión de Miguel de Unamuno»; *Spes Nostra*; I, 8-24; Madrid, 1944.

[2] J. M. de Azaola: «Las cinco batallas de Unamuno contra la muerte»; *Cuadernos de la Cátedra Miguel de Unamuno*; II, 33-109.

[3] José Luis L. Aranguren: «Sobre el talante religioso de Miguel de Unamuno»; *Catolicismo y Protestantismo como formas de existencia*; 191-209; Madrid, 1952.

[4] José Luis L. Aranguren: *Ibid.*; 194.

[5] J. Iturrioz, S. J.: «Crisis religiosa de Unamuno joven. Algunos datos curiosos»; *Razón y Fe*; XXXII, 103-14; Madrid, 1944.

de incredulidad de sus padres»[1]; en opinión suya, fueron las preocupaciones terrenas, políticas, a las que se dejó arrastrar desde los años de la primera Gran Guerra mundial, quienes impidieron retornar a Unamuno al seno del catolicismo: «Le envolvieron —escribe—...[2] la vorágine política, causa de todos sus desastres, cuando volvía bridas a la Iglesia Católica, retomando, al parecer, definitivamente, la fe de su infancia curado ya de veleidades y despabilado del sueño protestante». Cuanto llevamos expuesto ofrece datos sobrados, creo, para descubrir la endeblez de este argumento, más piadoso que acertado. Forman grupo independiente de los dos ya señalados aquellos comentaristas que ven en Unamuno no un adepto al luteranismo ni tampoco un católico más o menos descarriado, sino, más radicalmente, un hombre que no quiso o no pudo creer; «lo más hondo de su tragedia —afirma Jacinto Grau—[3], que todavía no ha advertido nadie, fué la incapacidad para la fe»; «Unamuno, en el fondo, no creía», sostiene Sánchez Barbudo[4], quien repite en otro de sus ensayos[5]: «Unamuno, en verdad, fué un ateo, pero tan anheloso de Dios, de eternidad, por un lado, y tan farsante y ansioso de fama, por otro; tan desesperado a veces y tan retórico otras muchas; y, sobre todo, tan cuidadoso de ocultar su verdadero problema, esto es, su verdadera

[1] H. Benítez: «Nuevo palique unamuniano (Introducción a doce cartas de Unamuno a González Trilla)»; *Revista de la Universidad de Buenos Aires*; VII, 479-551; Buenos Aires, 1950.
[2] H. Benítez: *El drama religioso de Unamuno*; 140; Buenos Aires, 1949.
[3] J. Grau: *Unamuno. Su tiempo y su España*; 28; Buenos Aires, 1946.
[4] A. Sánchez Barbudo: «La formación del pensamiento de Unamuno. Una experiencia decisiva: la crisis de 1897»; *Hispanic Review*; XVIII, 217-43; Philadelphia, 1950.
[5] A. Sánchez Barbudo: «Los últimos años de Unamuno. *San Manuel Bueno* y el vicario saboyano de Rousseau»; *Hispanic Review*; XIX, 281-322; Philadelphia, 1951.

alta de fe, que encubriendo ésta en un mar de palabras, y con oda su confusión, estuvo a punto de volver loco a medio mundo. Quizás lo más noble en él, lo que más le engrandece, aparte us momentos de verdadera angustia religiosa, sea el arrepentimiento que frente al Unamuno de la «leyenda» sintió en sus últimos años; aunque le faltara valor para juzgarse durante mucho tiempo con severidad excesiva».

El precedente «modernista» de la ideología religiosa que defendió Unamuno ha sido analizado por el Padre Oromí, por el también sacerdote don José María Cirarda y por el jesuíta Padre Roig Gironella [1]. Escribe el primero de los nombrados: «La posición de Unamuno se mueve completamente dentro del terreno modernista condenado por la Iglesia» [2]; por su parte, don José María Cirarda, tras enumerar con pormenor los rasgos «modernistas» de la religiosidad de Unamuno, concluye afirmando que su hallazgo proporciona argumentos más que suficientes «para hablar del modernismo de su pensamiento religioso y hasta para tacharle sencillamente de modernista» [3]. En opinión de Julián Marías, «si Unamuno puede permanecer, con cierta delectación, en la duda agónica acerca de Dios y acerca de sí propio, de si habrá de morir del todo o no, esto quiere decir dos cosas: primero, que hay en ella un elemento de ficción, de penultimidad y falta de última urgencia; y, en segundo lugar, que hay, por debajo de esa duda, una creencia más honda, en la que está y de la cual vive, que le permite vacar a sus ejercicios dialécticos —por lo demás entrañables y llenos

---

[1] J. Roig Gironella, S. J.: «Dos cartas inéditas entre Unamuno y el doctor Torras Bages»; *Pensamiento;* VII, 355-65; Madrid, 1951.
[2] M. Oromí: *El pensamiento filosófico de Miguel de Unamuno;* 212; Madrid, 1943.
[3] J. M.ª Cirarda: *El modernismo en el pensamiento religioso de Miguel de Unamuno;* 34; Vitoria, 1948.

de emoción—, asentando los pies sobre su cimiento... Unamuno se encuentra inserto en una tradición vital cristiana, católica, mantenida y enriquecida a lo largo de su vida entera por sus constantes lecturas, sobre todo por la asidua frecuentación del Nuevo Testamento, cuyo original griego no lo abandonaba. Y esto, unido a su religiosidad profunda, a su actitud vuelta hacia Dios, le hace sentir, por debajo de todas sus ideas y todas sus dudas, la presencia en su vida de Dios, y de un Dios que es el cristiano, uno y trino, con sus tres personas, con la maternidad virginal de María, con todo el contenido de la liturgia católica. Pese a su problemática adhesión _intelectual_, Unamuno vive de hecho en el ámbito espiritual del catolicismo» [1]. No obstante, tampoco Julián Marías pone en duda la heterodoxia que nutre el pensamiento religioso de Unamuno; su cristianismo, escribe [2], «es siempre vacilante, y desde luego heterodoxo»; páginas más adelante, dice [3]: «Unamuno no está dispuesto —desde el principio, y esto es lo grave— a aceptar ninguna ortodoxia, y concretamente la católica, única en verdad posible para él; la causa de ello es un frívolo afán de unidad, de discrepancia. Y llamo frívola a su heterodoxia porque es inicial, porque no es un resultado, porque Unamuno... buscaba ante todo, al elegir, la opinión _otra_, aparte y señera, más que la opinión recta o verdadera; Unamuno es deliberadamente heterodoxo, _a priori_, sin razones últimas, y a esto es menester llamar, con sentimiento y rigor, frivolidad»; Unamuno no dice «_no puedo_ ser ortodoxo, sino _no quiero_, y aspira a ser, como los ángeles según Santo Tomás, especie única, agotada en él mismo». Creo que el valor de este

---

[1] J. Marías: _Miguel de Unamuno_; 158-59; Madrid, 1943.
[2] J. Marías: _Ibid._; 157.
[3] J. Marías: _Ibid._; 159.

juicio, el más certero a mi modo de ver de cuantos se han escrito sobre la actitud religiosa de Unamuno, justifica la transcripción de los dilatados textos que acaba de leer el lector. La actitud que el católico, como creyente, debe hacer suya, puesto a enjuiciar la postura religiosa de Unamuno, ha quedado bien definida en las siguientes palabras que firma Laín Entralgo [1]: «Ningún católico puede justificar la disidencia religiosa de un hombre, y menos aceptar los juicios que acerca de cuestiones religiosas emita ese hombre *desde* su situación de disidente. Esta aserción tan categórica tiene, sin embargo, un exigente reverso: ningún católico debe juzgar ligera y despiadadamente los problemas religiosos de un hombre, cuando esos problemas parecen —basta con que parezcan— sinceramente vividos. Una disidencia religiosa es, desde luego, absolutamente *injustificable*, pero en modo alguno tiene que ser siempre absolutamente *ininteligible*».

[1] P. Laín Entralgo: *La generación del Noventa y Ocho*; 122; Madrid, 1945.

17

CAPITULO XVIII

SU DIOS HEREJE

La religiosidad de Unamuno, inspirada por su fe agónica, en aquel deseo suyo de no ser anonadado un día en brazos de su muerte, se apoya en una imagen de la Divinidad, laboriosamente forjada, defendida con denuedo contra los ataques de su propia razón, y que en cierta ocasión llamó Unamuno «mi Dios hereje» [1]. ¿Cuál es su origen? Tal es la primera pregunta que nos plantea su consideración. «La fe en Dios —escribe— [2] arranca de la fe en nuestra propia existencia sustancial», aunque mejor sería decir en su deseo de creer en tal perdurabilidad de su existencia. De cualquier modo no fué su razón, esto es bien cierto, quien le condujo a tal convencimiento; «si creo en Dios —nos dice Unamuno—, o, por lo menos, creo creer en Él, es, todo, porque quiero que Dios exista, y después, porque se me revela, por vía cordial, en el Evangelio y a través de Cristo y de la Historia. Es cosa de corazón». Se analizará en este capítulo, primero, la imagen de Dios creada por Unamuno, y

---

[1] Con esta expresión rotula Unamuno el soneto xlvii de su *Rosario de sonetos líricos,* escrito en Salamanca el 29 de septiembre de 1910.

[2] «¡Plenitud de plenitudes y todo plenitud!»; *Ensayos;* III, 509.

luego su adhesión a la figura histórica de Cristo y lo que en tal filiación buscó alcanzar.

El propio Unamuno puntualiza los pasos que hubo de dar su pensamiento hasta llegar a su idea de Dios: «Hace ya muchos años —nos cuenta— [1], cuando, por culpa de esa condenada filosofía chapoteaba yo en el ateísmo teórico, cayó en mis manos cierto libro de Carlos Vogt, en que leí un pasaje que decía, sobre poco más o menos: "Dios es una equis sobre una gran barrera situada en los últimos límites del conocimiento humano; a medida que la ciencia avanza, la barrera se retira". Y recuerdo que escribía al margen estas palabras: De la barrera acá, todo se explica sin Él; de la barrera allá, ni con el Él ni sin Él; Dios, por tanto, sobra». Hoy, añade Unamuno a la rememoración de aquel recuerdo, «me parece eso que escribí entonces una completa barbaridad», y es que en esa fecha, estamos en 1904, ha superado Unamuno su juvenil credulidad en el intelectualismo, y piensa ahora, nos sigue diciendo, «que la fe es obra de la voluntad y que la fe crea su objeto»; dicho con otras palabras, que la imagen de Dios la crea el hombre que en Él quiere creer.

> ...*Dios es el deseo*
> *que tenemos de serlo...*,

canta un soneto fechado en 1910 [2]. En esta imagen de Dios se busca Unamuno [3]:

---

[1] «Sobre la filosofía española»; *Ensayos*; III, 489.

[2] «Ateísmo»; *Rosario de sonetos líricos*; 135; Madrid, 1911.

[3] «Recuerdo de la granja de Moreruela»; *Andanzas y visiones españolas*; I, 527.

sólo perdido en Ti es como me encuentro;
no me poseo sino aquí, en tu abismo,
que envolviéndome todo, eres mi centro,
pues eres Tú más yo que soy yo mismo,

y añade: «en Él y por Él soy, vivo y me muevo. Mejor que
buscarse a sí es buscar a Dios en sí mismo». A este Dios pide
eternidad para su vida [1]:

dame, ¡oh, Dios!, a beber en la fuente
de tu eternidad.

Sumisa y rebelde es, a un tiempo, la actitud de Unamuno ante
este Dios suyo; en cierto momento querrá anonadarse en Él,
pero a tal sentimiento sucede presto la rebeldía de su ariscado
individualismo, y entre ambas inclinaciones batalla de continuo
su ánimo. De esta contradicción íntima nos habla en este hermoso soneto, escrito en 1911 [2]:

Querría, Dios, querer lo que no quiero;
fundirme en Ti, perdiendo mi persona,
este terrible yo por el que muero
y que mi mundo en derredor encona.

Si tu mano derecha me abandona
¿qué será de mi suerte? Prisionero
quedaré de mí mismo; no perdona
la nada al hombre, su hijo, y nada espero.

---

[1] «Salmo tercero»; *Poesías*; *Antología poética*; 52; Madrid, 1942.
[2] «La unión con Dios»; *Rosario de sonetos líricos*; 256-57; Madrid, 1911.

«Se haga tu voluntad, Padre!» repito
al levantar y al acostarse el día,
buscando conformarme a tu mandato,

pero dentro de mí resuena el grito
del eterno Luzbel, del que quería
ser, ser de veras, fiero desacato!

Quiso siempre mirar cara a cara a la imagen que se forjó de Dios; «cierta vez —es Hernán Benítez quien nos relata la anécdota [1]—, sin duda en una hora de crisis, replicó a los frailes de San Esteban [2], cuando éstos le aconsejaban no cavilar sobre los misterios del más allá: '¡No, señor! No. Yo he de mirar de hito en hito a los ojos de la Esfinge (entendía decir de Dios). Y si no soy capaz de desentrañar su misterio, ¡que me devore!» Creador de su Dios y a un tiempo criatura suya, tal es, reducida a fórmula, la idea que de la Divinidad hizo suya Unamuno. Cree en Dios, le confiesa a su amigo Jiménez Ilundain, «porque tengo de Él *experiencia* personal, porque lo siento obrar y vivir en mí» [3]; generaliza: «creer en Dios es querer que Dios exista, anhelarlo con toda el alma» [4]. A su vez, y aquí asoma la menesterosidad humana, «es Él para nosotros, ante todo y sobre todo, el eterno productor de inmortalidad» [5]; repite este pensamiento en otra de sus obras [6]: «la fe en Dios no estriba... sino en la necesidad vital de dar finalidad a la existencia, de hacer que

[1] H. Benítez: «Nuevo palique unamuniano (Introducción a doce cartas de Unamuno a González Trilla)»; *Revista de la Universidad de Buenos Aires*, VII, 479-551; Buenos Aires, 1950.
[2] El convento dominicano de Salamanca.
[3] Carta a P. Jiménez Ilundain; 9 de mayo de 1905.
[4] «¿Qué es verdad?»; *Ensayos*; III, 697.
[5] *Vida de Don Quijote y Sancho*; IV, 117.
[6] *Del sentimiento trágico de la vida*; IV, 583.

responda a un propósito. No para comprender el *porqué*, sino para sentir y sustentar el *para qué* último, necesitamos a Dios». Esta imagen de la Divinidad viene a ser, con muy leves variantes, la misma que postula la psicología junguiana, con la cual, como vengo señalando en el curso de esta obra, muestra el pensamiento de Unamuno singulares coincidencias. A juicio de Jung, el proceso de interiorización de la líbido que origina en la vida humana su madurez, haría que se reactivase uno de los «arquetipos» que subyacen, herencia ancestral, arrumbados en los más recónditos senos del inconciente colectivo; a tal imagen primordial da Jung el nombre de «sí-mismo». Su semejanza con la imagen de Dios que nos dibuja Unamuno es completa. «Intelectualmente —escribe Jung— [1], el «sí-mismo» no es más que un concepto psicológico; es una construcción destinada a expresar una esencia no recognoscible, a la que nosotros no logramos comprender como tal, pues sale de los límites de nuestra capacidad comprensiva». La identidad entre esta concepción junguiana y la unamunesca se confirma al tomar nota de que para Jung «el concepto de Dios es una función psicológica, absolutamente necesaria, de naturaleza irracional, que no tiene nada que ver con la existencia de Dios» [2]. En Jung como en Unamuno la Divinidad queda despojada de sus atributos más esenciales; para el primero se reduce a función psíquica inconciente, y en opinión del segundo al fruto de una apetencia humana, y en ambos, en una palabra, a mera creación antropo-

[1] C. G. Jung: *El yo y lo inconsciente*; 224; edic. esp.; Barcelona, 1936.
[2] C. G. Jung: *Lo inconsciente*; 131-32; edic. esp.; Madrid, 1927; cf. del mismo autor: *Psychology and Religion*; Yale, 1946. Un resumen de este aspecto de la psicología junguiana lo hallará el lector en la primera parte de mi trabajo «La psicología de C. G. Jung en la Historia de las relaciones entre Medicina y Religión»; *Archivos Iberoamericanos de Historia de la Medicina*; I, 189-297; Madrid, 1949.

mórfica, sin realidad cierta fuera de las fronteras del intelecto humano.Mucho influyó en el forjamiento de estas ideas, igual que en Unamuno en Jung, las enseñanzas que uno y otro cosecharon leyendo a William James.

La exposición mejor trabada de la concepción unamuniana de la Divinidad se encuentra, igual que para los restantes capítulos de su doctrina religiosa como vimos, en el *Sentimiento trágico de la vida;* aquí, en su capítulo VII, titulado «De Dios a Dios», se explaya Unamuno describiéndonos los rasgos que perfilan su imagen del Ser Supremo. Es, nos dice, «un Dios vivo, subjetivo —pues que no es sino la subjetividad objetivada o la personalidad universalizada—, que es más que mera idea, y antes que razón es voluntad»; se llega a Él por el camino del amor, o, mejor, del anhelo: «hay que empezar por amarle, por anhelarle, por tener hambre de Él, antes de conocerle», pues, añade, «creer en Dios es, en primera instancia..., querer que haya Dios, no poder vivir sin Él» [1]. Llegó Unamuno a descubrir este Dios suyo recorriendo el camino de la interiorización, en la última etapa de su ensimismamiento: «Mientras peregriné por los campos de la razón en busca de Dios —nos cuenta— [2], no pude encontrarle; porque la idea de Dios no me engañaba ni pude tomar por Dios a una idea, y fué entonces, cuando erraba por los páramos del racionalismo, cuando me dije que no debemos buscar más consuelo que la verdad, llamando así a la razón, sin que por eso me consolara. Pero al ir hundiéndome en el escepticismo racional de una parte, y en la desesperación sentimental, de otra, se me encendió el hambre de Dios, y el ahogo de espíritu me hizo sentir con su falta su realidad. Y quise que haya Dios, que exista Dios. Y Dios no existe,

[1] *Del sentimiento trágico de la vida;* IV, 594-95.
[2] *Ibíd.;* IV, 595-96.

sino que más bien sobre-existe, y está sustentando nuestra existencia, existiéndonos». El hombre, Unamuno por tanto, espera de Dios su eternización: «Es a nosotros mismos, es nuestra eternidad lo que buscamos en Dios, es que nos divinice»; «No es, pues, necesidad racional, sino angustia vital lo que nos lleva a creer en Dios» [1].

Y para concluir, una pregunta fundamental: ¿Existe, para Unamuno, Dios?; su respuesta es tan indecisa como lo era, según vimos, la que dió a igual pregunta el psicólogo Jung: «He aquí algo insoluble —contesta Unamuno— [2], y vale más que así sea. Bástele a la razón el no poder probar la imposibilidad de su existencia». La crítica ha juzgado como merece este juego dialéctico urdido por Unamuno sobre su anhelo, nunca satisfecho, de creer en Dios. Según Ferrater Mora [3], Dios es para Unamuno «verdadera creación, ente de ficción que tiene la más segura y suprema realidad entre todos los entes ficticios, conciencia que nos sueña y de cuyos sueños dependemos nosotros». Para Julián Marías, en Unamuno, «no es Dios el fundamento inmediato de la religiosidad, sino el hombre mismo; es éste el que nos lleva a postular a Dios» [4]; el Dios unamuniano está no obstante «sustentando nuestra existencia, además de haberla creado; no sólo nos hace existir, sino que *nos existe*. Esto es lo más hondo y radical que Unamuno ve, o al menos adivina, en su insegura indagación en torno a Dios» [5]. Por lo demás, sigue apuntando Julián Marías, Dios es concebido por Unamuno sólo

[1] *Ibíd*; IV, 605 y 607.
[2] *Ibíd.*; IV, 608.
[3] J. Ferrater Mora: *Unamuno. Bosquejo de una filosofía*; 75; Buenos Aires, 1944.
[4] J. Marías: *Miguel de Unamuno*; 146; Madrid, 1943.
[5] J. Marías: *Ibíd.*; 218.

como eternizador; «ningún otro atributo divino le interesa de momento, ninguna otra relación entre el hombre y la Divinidad. No aparece el tema de la creación, ni el de la justificación o el de la santificación, ni tampoco el deseo vivo de la visión de Dios por Dios mismo, no como simple garantía de la propia pervivencia» [1]. A conclusiones muy semejantes llega el Padre Oromí: «el Dios real, sustancial y viviente para Unamuno —escribe— [2] sólo puede concebirse antropomórfico y finalista: nuestro inmortalizador»; no fué Dios, por tanto, añade el comentarista que cito [3], según la interpretación unamuniana de su existencia, «quien se reveló primero a la conciencia humana, sino que con el sentimiento de inmortalidad apareció como sentimiento confuso el de la divinidad. Lo divino no es un concepto derivado de Dios, como podría creerse, sino todo lo contrario: Dios se deriva en su origen de lo divino, y lo divino no es más que el sentimiento de la divinidad, que es el sentimiento de la propia personalidad proyectado al exterior».

Mención especial merece la exposición del modo como Unamuno trató el tema de Cristo. Ya indiqué antes de qué manera quiso anclar su vacilante, dudosa fe a la realidad humana, histórica del Redentor. Reiteradamente surge esta cuestión en el cuerpo de su obra escrita; recordemos la prosa poética que dedicó al Cristo yacente de la Iglesia de Santa Clara de Palencia [4], su artículo «El Cristo Español» [5] y sobre todo su obra *El Cristo de Velázquez*. Veamos, recogiendo el testimonio que

[1] J. Marías: *Ibíd.*; 153.
[2] M. Oromí: *El pensamiento filosófico de Miguel de Unamuno*; 148; Madrid, 1943.
[3] M. Oromí: *Ibíd.*; 165.
[4] *Andanzas y visiones españolas*; I, 766-68.
[5] *Mi religión y otros ensayos*; III, 837-41.

nos ofrecen los versos unamunianos, lo que su autor quiso que
para él fuese Cristo, en quien nunca dejó de ver la Divinidad
corporeizada, hecha hombre como él mismo era. Cristo es Dios,
afirma Unamuno [1]:

> *Este es el Dios a que se ve; es el Hombre,*
> *este es el Dios a cuyo cuerpo prenden*
> *nuestros ojos, las manos del espíritu.*

Es Cristo, añade [2]:

> *... la Verdad que con su muerte,*
> *resurrección, al fin, nos vivifica.*

Para el hombre es Cristo «de nuestros huesos, hueso» [3]. ¿In-
mortaliza Cristo al hombre?; a esta pregunta, fundamental dentro de su idea de la religión, responde Unamuno, dubitativo,
preguntándose a su vez [4]:

> *¿Vendrás, Señor, en carne y hueso al cabo*
> *de los días mortales, y al conjuro*
> *de tu voz, como ejército, a la Tierra*
> *la matriz retemblándole, los huesos*
> *de los que duermen en su fuerte polvo*
> *despertarán cantando? Y el rocío*

[1] *El Cristo de Velázquez*; 14; Madrid, 1920.
[2] *Ibíd.*; 154.
[3] *Ibíd.*; 126.
[4] *Ibíd.*; 129.

> *de tu sangre a esos huesos levantados*
> *¿los hará florecer en viva carne*
> *donde vuelva el recuerdo?...*

Que así quiso creerlo, viene a decírnoslo él mismo en los siguientes versos [1]:

> *Sin Ti, Jesús, nacemos solamente*
> *para morir; contigo nos morimos*
> *para nacer...,*

y más adelante [2]:

> *... tu muerte,*
> *perenne sacrificio, nos es vida*
> *perenne; sin cesar por Ti morimos,*
> *resucitando sin cesar. Remedio*
> *para la enfermedad de nuestra vida*
> *la salud de tu muerte.*

Porque esperó encontrar en Cristo lo que más ansiaba, por eso quiso siempre amarle [3]:

> *...Mientras dure*
> *nuestra vida en la tierra, sea el ansia*
> *de amarte nuestra vida.*

---

[1] *El Cristo de Velázquez*; 141; Madrid, 1920.
[2] *Ibíd.*; 151.
[3] *Ibíd.*; 157.

Y en la «Oración final» del poema, le pedirá que sus brazos amparen y den cobijo a su dudosa fe [1]:

> *Déjanos*
> *nuestra sudada fe, que es frágil nido*
> *de aladas esperanzas que gorjean*
> *cantos de vida eterna, entre tus brazos,*
> *las alas del Espíritu que flota*
> *sobre el haz de las aguas tenebrosas,*
> *guarecer a la sombra de tu frente.*

No ha quedado sin comentario crítico esta faceta de la religiosidad de Unamuno. Desde el flanco doctrinal, teológico, lo hizo el dominico Padre Luis de Fátima Luque, quien escribe al comienzo de su trabajo, anticipando su conclusión: «*El Cristo de Velázquez* de Unamuno, no es el Cristo de la Iglesia, sino un Cristo mitológico. Más en concreto: en el famoso poema se nos da una interpretación hegeliana de Cristo» [2]. Para Azaola *El Cristo de Velázquez* es «un canto de triunfal esperanza», si bien, añade cauteloso, no es posible aducir su testimonio como prueba de un retorno, ni siquiera esporádico, a la fe que perdió en su mocedad, «y no lo es —va a decirnos— [3], porque falta en el poema la única prueba inequívoca de conversión verdadera: la sumisión a la autoridad de la Iglesia. Unamuno acepta el dogma de la Redención porque necesita de él para salvar su inmortalidad».

[1] *El Cristo de Velázquez*; 161; Madrid, 1920.
[2] Luis de Fátima Luque, O. P.: «¿Es ortodoxo el «Cristo» de Unamuno? (Comentario a un poema)»; *Ciencia Tomista*; 64; 65-83; Salamanca, 1943.
[3] J. M. de Azaola: «Las cinco batallas de Unamuno contra la muerte»; *Cuadernos de la Cátedra Miguel de Unamuno*; II, 33-109; Salamanca, 1951.

El estudio de la religión de Unamuno, realizado en este capítulo y los dos precedentes, llevado a cabo exponiendo en ellos, sucesivamente, su concepto de fe, su idea de la religión y la imagen de Dios en que buscó creer, descubren la postura inicial de que partió Unamuno en sus apasionadas meditaciones religiosas, la cual no era otra, recuérdelo el lector, que aquel anhelo suyo de no morir, de salvar la conciencia de su personalidad del anonadamiento que pensaba sería la muerte para el hombre. Volvámoselo a oír [1]: «No, no es negarme en el gran Todo, en la materia o en la Fuerza infinitas y eternas de Dios lo que anhelo; no es ser poseído por Dios, sino poseerle, hacerme yo Dios sin dejar de ser el yo que ahora os digo esto. No nos sirven engañifas de monismo: ¡queremos bulto y no sombra de inmortalidad!... Tiemblo ante la idea de tener que desgarrarme de mi carne; tiemblo más aún ante la idea de tener que desgarrarme de todo lo sensible y material, de toda sustancia...; si a Dios me agarro con mis potencias y mis sentidos todos, es para que Él me lleve en sus brazos allende la muerte, mirándome con su cielo a los ojos cuando se me vayan éstos a apagar para siempre. ¿Que me engaño? ¡No me habléis de engaño y dejarme vivir!... ¿Que sueño?... Dejadme soñar; si ese sueño es mi vida, no me despertéis de él. Creo en el inmortal origen de este anhelo de inmortalidad, que es la sustancia misma de mi alma». Quería Unamuno que la vida eterna fuese para él no una nueva existencia, sino la misma que vivía y seguiría viviendo hasta que ella misma lo arrojara en el portal de la muerte; así la cantó [2]:

[1] *Del sentimiento trágico de la vida*; IV, 498-99.
[2] «Mi cielo»; *Rosario de sonetos líricos*; 127; Madrid, 1911.

Es revivir lo que viví mi anhelo,
y no vivir de nuevo nueva vida,
hacia un eterno ayer haz que mi vuelo

emprenda sin llegar a la partida,
porque, Señor, no tienes otro cielo
que de mi dicha llene la medida.

LIBRO SEPTIMO

EROSTRATISMO

CAPITULO XIX

BUSQUEDA DE LA FAMA

Recuerde el lector cómo en el deseo de perduración que dominó la vida de Unamuno se integraban dos inclinaciones contrapuestas: el anhelo de una vida personal tras su muerte física y el afán de dejar, cuando aquélla sobreviniese, un nombre imperecedero en el mundo. Su incapacidad de creer en la inmortalidad hizo que Unamuno peleara con mayor tesón por conquistar renombre, fama mundana. Escribe en su más importante obra [1]: «Cuando las dudas nos invaden y nublan la fe en la inmortalidad del alma, cobra brío y doloroso empuje el ansia de perpetuar el nombre y la fama, de alcanzar una sombra de inmortalidad siquiera. Y de aquí esa tremenda lucha por singularizarse, por sobrevivir de algún modo en la memoria de los otros y los venideros, esa lucha mil veces más terrible que la lucha por la vida».

Es el *erostratismo*, la «amencia quijotesca»; búsqueda de eterno nombre y fama. Hacer el nombre inmortal, salvarlo y salvarse en él de la muerte. Por conseguirlo se corre tras la

---

[1] *Del sentimiento trágico de la vida*; IV, 502.

sombra huidiza de la celebridad; puede pretenderse su logro por rutas muy diversas: en el poder y la riqueza; en una obra artística, científica o literaria; en la originalidad llevada al diario vivir, incluso con la mera extravagancia. Bajo tan vario ropaje siempre hallamos esa necesidad, ¡tan humana!, de acallar por cualquier medio la angustia que la previsión de nuestra muerte nos depara; y con mayor agudeza, claro, en quienes, como Unamuno, viven ansiando creer, no lográndolo, en la realidad de una existencia infinita tras la finitud de su existir terreno. Cité antes la «amencia quijotesca» para dar nombre a este humano afán por no morir, y lo recordé pensando en Unamuno, pues a él debemos precisamente tal interpretación del quijotismo. «El ansia de gloria y renombre —escribe Unamuno— [1] es el espíritu íntimo del quijotismo, su esencia y su corazón de ser, y si no se puede cobrarlos venciendo gigantes y vestiglos y enderezando entuertos, cobrárselos endechando a la luna y haciendo de pastor. El toque está en dejar nombre por los siglos, en vivir en la memoria de las gentes. ¡El toque está en no morir! ¡En no morir! ¡No morir! Esta es la raíz última, la raíz de las raíces de la locura quijotesca». Veinte años más tarde, viviendo Unamuno la más quijotesca de sus aventuras terrenas, desde su destierro de París, vuelve a decirnos, sin evitar que un adarme de desilusión desazone su pensamiento: «La historia es leyenda, ya lo consabemos —es consabido—, y esta leyenda, esta historia me devora y cuando ella acabe me acabaré yo con ella» [2]. Tanto persigue el hombre el renombre que un día, ya conseguido, puede despertar en él la amarga convicción de que pagó su conquista perdiendo la rea-

---

[1] *Vida de Don Quijote y Sancho*; IV, 357.
[2] *Cómo se hace una novela*; IV, 942.

lidad humana que aparentemente aquella celebridad vocea y agiganta. Hombre de letras; intelectual a pesar suyo, Unamuno buscó el renombre en la fama literaria. Veamos como luchó por ella. El modo unamunesco de alcanzarla consistió en poner su más íntimo vivir, al desnudo, en todos sus escritos. Unamuno, escritor, es tan sólo el cronista de lo que en su mundo interior vive y le es dado contemplar. Tuvo que hacerlo así porque pervivir en la memoria de los hombres obliga siempre a entregarse, y cuando se desea eternizar no sólo un nombre, sino con él al ser humano que sufre, goza y vive, se ha de dar, en espectáculo, la propia vida sin ocultar nada, hacer de nuestras obras diario íntimo. Confirmaré con el auxilio de algunos textos la intensidad y la persistencia con que en Unamuno alentó el deseo de perennizar su nombre; tan intenso llegó a ser que en cierta ocasión, ocultando la seriedad del hecho bajo la mueca de una broma, Unamuno se calificó a sí mismo de «nominalista» [1]. Le dominó el afán de conquistar celebridad desde los años de la mocedad, cuando, así lo rememora en estos versos [2]:

> *...aun sin apuntarme el bozo*
> *era mi pena ya conquistar fama.*

La situación creencial en que le sumió su descreimiento había de exaltar más tarde, se comprenden bien las razones, este deseo suyo. La fama vino a cobrar por estos pasos, en la existencia de Unamuno, el rango de instinto primordial, rector de su vida entera. En boca de uno de sus entes de ficción, el doctor Montarco, víctima como su creador del erostratismo, puso Unamuno

---

[1] «La selección de los Fulánez»; *Ensayos*; III, 434.
[2] «Mi vieja cuna»; *Rosario de sonetos líricos*; 36; Madrid, 1911.

estas palabras: «No es instinto de conservación lo que nos mueve a obrar, sino instinto de invasión; no tiramos a mantenernos, sino a ser más, a serlo todo. Es, sirviéndome de una fuerte expresión del padre Alonso Rodríguez, el gran clásico, "apetito de divinidad". Sí; apetito de divinidad: "¡Seréis como dioses!" Así tentó, dicen, el demonio a nuestros primeros padres. El que no sienta ansias de ser más, llegará a no ser nada. ¡O todo o nada!» [1]. La fama es preciso conquistarla, no es ella quien nos conquista; como añade el personaje a quien acabamos de escuchar, la lucha por la sobrevida es ofensiva, y en ella sólo vence el audaz, el que pelea con el corazón y todas sus fuerzas trabadas en el empeño.

¿Cuál fué la fama por la que peleó Unamuno? Desde luego, ya lo dije, aquella que permitiera perdurar, bajo la piel de su nombre, su entera personalidad, el ser que él era. Para lograrlo, he de añadir ahora, desdeñó el renombre que puede conceder la masa anónima de la colectividad, buscando, por el contrario, el diálogo con los hombres cogidos uno a uno, casi en confesión con ellos: «Nunca he sentido —nos dice Unamuno— [2] el deseo de conmover a una muchedumbre y de influir sobre una masa de personas —que pierden su personalidad al amasarse—, y he sentido, en cambio, siempre furioso anhelo de inquietar el corazón de cada hombre y de influir sobre cada uno de mis hermanos en humanidad». Tomando en consideración esta manera suya de pensar, comprendemos por qué, en ocasiones, llegó Unamuno a esperar más de su labor profesoral, universitaria; del diálogo, con mucho de socrático, de sus clases, que no de la resonancia, día a día mayor, de su obra escrita; he aquí un

[1] «La locura del doctor Montarco»; *Ensayos*; III, 448.
[2] «Soledad»; *Ensayos*; III, 606.

testimonio que nos lo confirma: «He escrito mucho en los años que llevo de vida —tal vez demasiado—; pero puede ser que, si bien mi nombre se salve, si es que se salva, del olvido, merced a mis escritos, mi espíritu, o, mejor dicho, aquella parte del espíritu común que se me confirió en depósito, perdure vivo después de yo muerto, gracias a esa labor oscura y paciente, de pecho a pecho, gracias a mis discípulos por España y fuera de ella derramados», y añade: «Cuando hayan pasado algunos años después de haber dejado los bancos de mi clase —suelo decir—, los más de mis discípulos habrán olvidado casi todas las doctrinas que les transmití; pero de mí no se habrán olvidado» [1]. No le faltaban razones a Unamuno para pensar así; entre muchos, para la mayoría de sus coetáneos, tanto en España como fuera de su frontera cultural, idiomática, el renombre de Unamuno lo hizo más que el hombre vivo, entero, presente en todos sus escritos, la orla polémica, de escándalo, que circundó la publicación de varias de sus obras, sus escritos menores, y aún más los actos menos personales de su donquijotesca vida pública. Muy pronto, el texto en que nos lo confiesa data de 1904 [2], escribe Unamuno dándose cuenta, no sin amargura, de ello: «he podido notar que era mi nombre, y no mis trabajos, lo que generalmente se conocía, y que, respecto a mí y a mi obra, tenían, los más de los que decían conocerme, los más disparatados prejuicios. Siete volúmenes, entre chicos y grandes, llevo publicados, y he podido percatarme de que los que más me habían seguido en la Prensa no conocían ninguno de ellos».

---

[1] «Sobre la carta de un maestro»; *Contra esto y aquello*; III, 1.269 y 1.271.
[2] «A lo que salga»; *Ensayos*; III, 527-28.

La fama para Unamuno; perdóneseme la reiteración, pero su importancia la justifica, quiso ser sucedáneo de una inmortalidad en la que no pudo creer con fe firme, sin dudas, a salvo de la agónica vacilación que siempre mantuvo en actitud de naufragio su anhelo de eternidad. «La vanagloria —escribe Unamuno en su meditación sobre el Libro cervantino— [1] es, en el fondo, terror a la nada, mil veces más terrible que el infierno mismo. Porque al fin en un infierno se es, se vive, y nunca, diga lo que dijere el Dante, puede, mientras se es, perderse la esperanza, esencia misma del ser». Quiso creer que la fama podía salvarle del anonadamiento en la muerte: «Pudiera muy bien suceder que se reconstruya nuestra personalidad con las memorias que de ella queden» [2], y pone, para ilustrar esta opinión, el ejemplo de Shakespeare: «Hubo un Shakespeare existencia, o quienquiera que fuese el autor de los dramas que llevan su nombre, y se derramó en ellos y en ellos perdura. Cada uno de los que los leen en el curso de los siglos y en la amplitud toda de la Tierra, recibe en sí el alma de Shakespeare, siquiera en embrión u oscura simiente; y si todos los hombres que la han recibido y todos los que hoy la reciben se fundieran en uno y de las almas de todos se hiciese un alma sola, el alma de la humanidad, resurgiría en ella, completado y transfigurado, el Shakespeare que fué. Y este nuevo Shakespeare, este Shakespeare que ha vivido por sus obras en las mentes y en los corazones de cadenas de hombres de los más varios países, iría a animar y llenar la sustancia del Shakespeare que fué y es». Leyendo estas palabras se nos muestra el profundo sentido con que pre-

---

[1] _Vida de Don Quijote y Sancho_; IV, 307.
[2] «¡Plenitud de plenitudes y todo plenitud!»; _Ensayos_; III, 502.

tendió Unamuno dar vida a su obra de escritor, el impulso que le movió a realizarla.

Ahora que hemos hecho pie en ese suelo donde toma apoyo la literatura unamuniana y es a la vez como nervio que pone vida en todos sus miembros, es momento propicio para adentrarnos en una consideración algo detenida de este envés de su labor como escritor. Empezaré reconstruyendo, con ayuda de textos tomados de su epistolario, la preocupación que embargaba a Unamuno al perseguir la fama con sus escritos. Le decía, en 1899, a Jiménez Ilundain: «De mi carrera literaria estoy satisfecho. Empieza para mí la época de la siega y la cosecha...; me complace el que mi voz se oiga con atención por mayor número de personas; porque así podré verter mi espíritu en más espíritus y unir mejor mi voz, "que aunque pobre es mía", al coro universal»[1]. En 1900 le dice a Luis Ruiz Contreras[2]: «No quiero ser hipócrita... Cuando escribo pongo mi mira muy alta: pienso en el público universal, y no en el español tan sólo». Años después le cuenta a Ilundain: «Ya aquí se me teme, y apenas se me discute (lo cual no es bueno); y fuera de España —que es lo que hoy me importa más— gano terreno de día en día. En América soy acaso el español de más autoridad. En Italia crecen mis corresponsales; y así en otras partes»[3]; dirigiéndose también a Jiménez Ilundain, vuelve a escribir Unamuno cinco años más tarde: «Lo de España y los países de lengua española no me interesa apenas. Ahora mi interés está en ser traducido. Porque, a usted se lo puedo decir, creo ser yo el más español de los escritores españoles, y el más europeo;

---

[1] Carta a P. Jiménez Ilundain; Salamanca, 24 de marzo de 1899.
[2] Carta a L. Ruiz Contreras; Salamanca, 23 de enero de 1900.
[3] Carta a P. Jiménez Ilundain; Salamanca, 16 de enero de 1908.

y por lo mismo tengo fe en mi buen éxito en Europa, así que se me traduzca. Y ello refluirá y se reflejará aquí. Mi petulancia es tal que creo tener algo que decirle a Europa, poniéndome frente a ella, algo que no le han dicho otros o no se lo han dicho como se lo diré yo. No me creo un escritor para andar por casa, como son aquí casi todos»[1]. El afán, tan unamunesco, tan quijotesco, de ganar con las batallas peleadas por su pluma, con su constante decirse en lo que escribía, eterno renombre y fama queda patente en los textos epistolares transcritos, los que demuestran también que el ámbito por donde buscó expandir el eco de su nombre sobrepujaba las fronteras del idioma en que vertió su espíritu. Eludo dictaminar sobre el hecho de si logró o no dar realidad a este empeño; para la finalidad que guía esta obra basta consignar que tal era el deseo de Unamuno. Muchas veces lo expuso en sus escritos, y una de ellas, cuando más hervía en su sangre la pasión por su nombre, que identifica en esta ocasión con el nombre de España; fué durante su destierro en Hendaya, y dijo entonces[2]: «Yo... estoy llevando lo más íntimo del alma de nuestro pueblo, su esencia eterna, su divina sobrerrazón de ser, el jugo de su cristiandad quijotesca, al conocimiento y al entendimiento de los pueblos de lenguas latinas, anglosajónicas, germánicas, eslavas..., a la humanidad civilizada».

Conseguir inmortalizar la propia personalidad, el que uno es, en nuestros escritos obliga, antes lo anticipé, a darse en ellos, a convertir en espectáculo la propia intimidad; bien lo supo entender Unamuno, y nunca tuvo reparos en llevarlo a cabo.

---

[1] Carta a P. Jiménez Ilundain; Salamanca, 6 de noviembre de 1913.
[2] «Mi pleito personal»; *Dos artículos y dos discursos*; 31; Madrid, 1930.

Todos sus libros son autobiográficos, confesión sincera muchas veces, deformada premeditadamente en ocasiones, de cuanto en su mundo interior acontecía al escribirlos; si en algún pecado recae Unamuno es, posiblemente, en el de exceso de verismo, así como en el de reiteración monocorde que llegaría a abrumar al lector si no consiguiera mantener siempre alerta su interés lo extraordinario del ejemplar humano que allí se le da en espectáculo, desnudo y entero, sin rebozo ni vergüenzas. Esta sinceridad que no admite traba alguna constituye el más importante capítulo del credo estético o literario al que se mantuvo fiel Unamuno. Le decía a *Clarín* en una carta fechada en 1896 [1]: «Sólo ansío mayor autoridad y más asiento para poder dejar correr libres las *monodias* que tramo en las horas de silencio; para que, sin aparecer como no soy, pueda desnudar el alma; para abandonarme, sin repugnar como petulante, a mis instintos de predicador»; de predicador que buscaba hacer conversos con el ejemplo de su propia vida. Pronto le fué posible convertir todos sus escritos, novela o ensayo filosófico, teatro, efusión lírica o artículo periodístico en piezas de un gigantesco «Diario» íntimo, uno de los más sinceros, acaso, entre los escritos por hombres de nuestro tiempo. «Nuestro diario —decía Unamuno en 1904— [2] deben ser nuestras palabras, nuestros escritos, nuestras cartas, lanzadas a todos los vientos con ráfagas de nuestra alma»; del mismo año es el siguiente texto donde define lo que denomina «ley de la sinceridad», que se cumple, puntualiza, al hacer «que correspondan a nuestras entrañas nuestras *extrañas*, que sea nuestro proceder hijo de nuestro sentir,

[1] Carta a *Clarín*; Bilbao, 28 de septiembre de 1896.
[2] «A lo que salga»; *Ensayos*; III, 536.

y nuestras palabras, revelación de nuestros pensamientos»[1]. Muchas veces repitió Unamuno este principio que tanto predicamento tuvo siempre sobre su conducta: «yo no doy ideas, no doy conocimientos; doy pedazos del alma», escribió en una ocasión[2]; «dice cuanto decir cabe quien se dice a sí mismo, quien acierta a expresar su persona, quien logra ponerse desnudo de espíritu..., quien se dice queda para siempre también. No te importe, alma mía, lo que digas si te dices»[3]. Sólo quien cumpla con fidelidad esta norma puede llamarse escritor: «el escritor que merece nombre de tal no hace más que decirse a sí mismo»[4]. Unamuno quiso decirse, y ciertamente acertó a poner en sus obras lo más íntimo de su vida; expresión de aquel deseo son los versos de esta hermosa invocación suya[5]:

> *Canta, alma mía,*
> *canta a tu modo...*
> *pero no cantes, grita,*
> *grita tus ansias,*

y el texto que paso a transcribir, pues no quiero que el lector lo ignore: «Hay veces en que he deseado —así Dios no me castigue por ello— quedar de pronto sordo y ciego y dotado de una voz dominadora como el trueno, resonante por sobre la gritería de las más encrespadas muchedumbres, y hablar,

---

[1] «Sobre la soberbia»; *Ensayos*; III, 546.

[2] «A mis lectores»; *Soliloquios y conversaciones*; III, 986.

[3] «La torre de Monterrey a la luz de la helada»; *Andanzas y visiones españolas*; I, 698-99.

[4] «Decirse a sí mismo»; *De esto y de aquello*; V, 929.

[5] *Rimas de dentro*; *Antología poética*; 285; Madrid, 1942.

ablar y hablar, reposada y fuertemente, palabra a palabra, con cento señorial, y que vayan cayendo mis dichos, mientras en nedio del chillar de las gentes me envuelve y protege el santo ilencio» [1].

Lo escrito en el párrafo precedente, los textos de Unamuno llí transcritos, pretendían mostrar al lector los motivos que le ndujeron a considerar como suya propia, como su auténtica xistencia, la que iba haciendo vivir en las páginas de sus libros. En un soneto escrito en 1910 se lee este verso revelador: «de us obras podrás un día recogerte» [2]. Al iniciar la primera ver- ión, escrita en París, de su obra *Cómo se hace una novela*, 10s dice Unamuno: «Héteme aquí ante estas páginas blancas, ni porvenir, tratando de derramar mi vida a fin de continuar iviendo, de darme la vida, de arrancarme a la muerte a cada nstante» [3], busco con ello, «eternizarme e inmortalizarme»; dos iños más tarde, al rehacer este libro en Hendaya, nos repite [4]: Nuestra obra es nuestro espíritu y mi obra soy yo mismo que stoy haciendo, día a día y siglo a siglo, como tu obra eres tú nismo, lector que te estás haciendo momento a momento, ahora oyéndome como yo hablándote... Somos nuestra propia obra. Cada uno es hijo de sus obras». Esta firme convicción de Una- nuno vuelve a ofrecérsenos, vestida con el lírico ropaje de sus nejores versos, en dos poesías del *Cancionero*. Es la primera una afirmación rotunda, sin vacilaciones [5]:

> *Me destierro a la memoria,*
> *voy a vivir del recuerdo.*

[1] «¡Ramplonería!»; *Ensayos*; III, 589.
[2] «¡Siémbrate!»; *Rosario de sonetos líricos*; 141; Madrid, 1911.
[3] *Cómo se hace una novela*; IV, 937.
[4] *Ibíd.*; IV, 975.
[5] *Cancionero*; 250; Buenos Aires, 1953.

Buscadme, si me os pierdo,
en el yermo de la historia,
que es enfermedad la vida
y muero viviendo enfermo.
Me voy, pues, me voy al yermo
donde la muerte me olvida.
Y os llevo conmigo, hermanos,
para poblar mi desierto.
Cuando me creáis más muerto
retemblaré en vuestras manos.
Aquí os dejo mi alma —libro,
hombre—, mundo verdadero.
Cuando vibres todo entero
soy yo, lector, que en ti vibro.

En la segunda, la duda logra colarse sutil en su ánimo enve-
nenando esta última esperanza de Unamuno [1]:

Se queda en las que queda, las ficciones,
las flores de la pluma,
las obras, las humanas creaciones,
el poso de la espuma.
Leer, leer, leer; ¿seré lectura
mañana también yo?

Porque también dudó Unamuno, en ocasiones, de la realidad
de este deseo suyo; en aquellos momentos, que debieron saberle
muy amargos, no podía creer en la ilusión que le empujó a darse

---

[1] *Cancionero*; 330; Buenos Aires, 1953.

en sus libros. Contemplándolos, siendo espectador de su fortuna, escribió la última poesía de sus *Rimas de dentro* [1]; aquella
en que se dice:

> *Pobre Miguel, tus hijos de silencio,*
> *aquellos en que diste tus entrañas,*
> *van en silencio y solos*
> *pasando por delante de las casas,*
> *mas sin entrar en ellas,*
> *pues los miran pasar como si fuesen*
> *mendigos que molestan, no los llaman.*

Idéntico sentimiento le había inspirado ya, bastantes años
antes, estos otros sentidos versos [2]:

> *Oh, mis obras, mis obras,*
> *hijas del alma,*
> *¿por qué no habéis de darme vuestra vida?*
> *¿Por qué a vuestros pechos*
> *perpetuidad no ha de beber mi boca?*

[1] *Rimas de dentro*; *Antología poética*; 313-14; Madrid, 1942.
[2] «Para después de mi muerte»; *Poesías*; *Antología poética*; 10;
Madrid, 1942.

CAPITULO XX

UNAMUNO, ESCRITOR

Ahora que sabemos cuanto nos importa conocer sobre el sentido que da vida a los obras de Unamuno, y la intención que le indujo a escribirlas, trataré de ofrecerle al lector, en visión panorámica, sin descender a detalles de crítica, un esbozo de la literatura unamuniana mostrando su unidad temática; hablaré también del juicio que sus libros merecieron de Unamuno y el formulado por sus más destacados críticos.

Sin tomar cuenta de su actividad como articulista en la que se inició, muy joven aún, con colaboraciones en la prensa de su ciudad natal, encabeza la bibliografía de Unamuno su libro *En torno al casticismo* (1895); siguen a esta obra los siguientes títulos, que comprenden los más diversos géneros literarios, ensayos y estudios breves, artículos periodísticos, novelas, piezas teatrales y obras poéticas: *Paz en la guerra* (1897); *Tres ensayos* (1900); *Amor y pedagogía* (1902); *Paisajes* (1902); *De mi país* (1903); *Vida de Don Quijote y Sancho* (1905); *Poesías* (1907); *Recuerdos de niñez y mocedad* (1908); *La Esfinge* (1909) y *La difunta* (1909); *Mi religión y otros ensayos* (1910); *Rosario de sonetos líricos* (1911); *Por tierras de Portugal y España* (1911); *Soliloquios y conversaciones* (1911);

Contra esto y aquello (1912); *Del sentimiento trágico de la vida en los hombres y en los pueblos* (1913); *El espejo de la muerte* (1913); *La venda* (1913) y *La princesa doña Lambra* (1913); *Niebla* (1914); entre 1916 y 1918, la Residencia de Estudiantes de Madrid le edita a Unamuno siete volúmenes de *Ensayos*; *Abel Sánchez* (1917); *El Cristo de Velázquez* (1920); *Tres novelas ejemplares y un prólogo* (1920); *La tía Tula* (1921); *Fedra* (1921), *Soledad* (1921) y *Raquel* (1921); *Andanzas y visiones españolas* (1922); *Rimas de dentro* (1923); *Teresa* (1923); *De Fuerteventura a París* (1925); *La agonía del Cristianismo* (1925); *Cómo se hace una novela* (1925); *Tulio Montalbán y Julio Macedo* (1927); *Romancero del destierro* (1928); *Dos artículos y dos discursos* (1930); *El otro* (1932); *San Manuel Bueno, mártir, y tres historias más* (1933); *Medea* (1933); *El hermano Juan o El mundo es teatro* (1934), y el *Discurso* leído por Unamuno en la solemne apertura del curso académico 1934-35 en la Universidad de Salamanca. Esta simple enumeración de títulos, que el lector puede releer, más detallada, en el primer Apéndice de esta obra, nos indica cómo sostuvo Unamuno, con regularidad de auténtico escritor, el ritmo de su producción libresca. Para ser completa su bibliografía haría falta aludir a su copiosísima labor de articulista; varios de los volúmenes nombrados los formó Unamuno reuniendo en ellos trabajos dados a conocer en la prensa periódica; desde su muerte, otra parte de aquella obra desperdigada en Revistas y periódicos de España y América ha sido recogida ya en nuevos volúmenes: *La ciudad de Henoc* (1941); *Cuenca Ibérica* (1943); *Visiones y comentarios* (1949), y los que debemos a la importantísima labor unamuniana del profesor García Blanco: *Paisajes del alma* (1944), y los seis volúmenes encabezados por este título común: *De esto v de aquello*, en curso de publicación. Queda por añadir el *Cancionero* (1953), que suma más de millar y medio de poesías fechadas entre 1928 y 1936; permanecen asimismo sin coleccionar algunas piezas dramáticas, bastantes prólogos, todavía no desgajados de los libros en que sirven de encabezamiento, y cierto número, no bajo, de artículos y ensayos sueltos. Mencionaré, por último, su rico *Epistolario*, dado ya a conocer en parte; pieza fundamental para reconstruir la personalidad de quien lo redactó. La edición de las *Obras Completas*, emprendida, en Madrid, hace unos años, y hoy en vías de realización, permitirá disponer, cuando esté conclusa, de la totalidad de sus escritos, algunos de ellos aún hoy de obtención difícil.

Tiene su interés perseguir en las cartas de Unamuno los juicios que la redacción de sus más importantes obras iba inspirando a su autor; este conocimiento nos ayudará eficazmente a descifrar la intención que le movió a escribirlas. Le cuenta a Clarín, mientras prepara la edición de *Paz en la guerra*: «deseo... dar remate a una especie de novela en que sobre el fondo de la última guerra civil carlista, que he estudiado con cariño y de que fuí en parte testigo infantil, me he esforzado por dar vida al espíritu de esta mi casta vascongada» [1], y al anunciarle, al siguiente año, su próximo envío, añade: «He puesto en ella mucho de mi alma y he procurado poner la de mi casta vascongada» [2]. Sobre la *Vida de Don Quijote y Sancho*, ahora es Jiménez Ilundain su corresponsal, escribe Unamuno cuando estaba todavía trabajando en su redacción [3]: «me encuentro absorbido por completo en una obra que he de dar a luz a

---

[1] Carta a *Clarín*; Bilbao, 26 de junio de 1895.
[2] Carta a *Clarín*; Salamanca, 31 de diciembre de 1896.
[3] Carta a P. Jiménez Ilundain; Salamanca, 11 de diciembre de 1904.

principios del año que viene. Jamás me ha embargado tan por entero trabajo alguno, ni creo haber puesto en nada de lo mío tanta pasión, tanta vehemencia y tanto de mis entrañas». De su *Sentimiento trágico de la vida*, que por entonces pensaba titular «Tratado del Amor de Dios», le escribe a Maragall, en 1910: «Estoy engolfado en el *Tratado del Amor de Dios* y en estudios teológicos» [1]; antes de que pase un año, dirigiéndose a Ilundain, vuelve a hablar Unamuno de esta obra: «He enviado a *La España moderna* —le cuenta— [2] el primero de mis ensayos, bajo el título común de *Del sentimiento trágico de la vida en los hombres y en los pueblos*. Serán siete u ocho ensayos que luego constituirán un libro. En ellos he refundido mi *Tratado del Amor de Dios* que, en la forma que lo planeé primero, me iba resultando irrealizable»; no se olvide que en las últimas páginas del libro confiesa Unamuno su carácter autobiográfico: «no ha de pasar por alto el lector —escribe allí— [3] que he estado operando sobre mí mismo; que ha sido éste un trabajo de autocirugía y sin más anestésico que el trabajo mismo». También iba a ser autobiográfica su *Agonía del Cristianismo*, y así se lo anticipa a quienes van a leerla: «Lo que voy a exponer aquí —escribe en la Introducción— [4], lector, es mi agonía, mi lucha por el cristianismo, la agonía del cristianismo en mí, su muerte y su resurrección en cada momento de mi vida íntima». Asimismo son sincera confesión otros dos de los más importantes títulos de su bibliografía: *Cómo se hace una novela* y el relato *San Manuel Bueno, mártir*; nos dice Unamuno del primero:

---

[1] Carta a J. Maragall; Salamanca, 2 de junio de 1910.
[2] Carta a P. Jiménez Ilundain; Salamanca, 4 de febrero de 1911.
[3] *Del sentimiento trágico de la vida*; IV, 712.
[4] *La agonía del Cristianismo*; IV, 829.

«el más entrañado y dolorido relato que me haya brotado del hondón del alma»[1], y sobre el segundo escribe[2]: «tengo la conciencia de haber puesto en él todo mi sentimiento trágico de la vida cotidiana». Esta corta selección de opiniones, que podría ampliar desde luego, es, por sí, suficientemente demostrativa de la intención que me movió a transcribirla; con toda razón podría Unamuno hacer suya aquella afirmación hecha por Don Quijote cuando en diálogo con Don Diego de Miranda (2.ª; XVI) dijo: «la pluma es lengua del alma».

Abarcando el conjunto de su obra literaria, emitió Unamuno sobre ella unos cuantos juicios que precisamos conocer, pues, como los ya expuestos, son documento del más alto valor para esclarecer el sentido que anima su producción libresca. Primer rasgo: Alude a la unidad temática evidente en todos sus escritos, cualquiera que sea el género literario donde se inscriban. Hablándose a sí mismo se dijo Unamuno en el curso de uno de sus soliloquios: «Sí; tus obras mismas, a pesar de su aparente variedad, y que unas sean novelas, otras comentarios, otras ensayos sueltos, otras poesías, no son, si bien te fijas, más que un solo y mismo pensamiento fundamental que va desarrollándose en múltiples formas»[3]; en las palabras con que encabezó la edición en volumen de sus *Ensayos* se lee[4]: «creo que habrá en España pocos publicistas que en lo esencial y más íntimo hayan permanecido más fieles a sí mismo. En rigor, desde que empecé a escribir he venido desarrollando unos pocos y mismos pensamientos cardinales». Segundo rasgo: Unamuno, he alu-

---

[1] *San Manuel Bueno, mártir, y tres historias más;* Suplemento al Prólogo; II, 1.195.
[2] *Ibíd.;* Prólogo; II, 1.182.
[3] «Soliloquio»; *Soliloquios y conversaciones;* III, 993.
[4] *Ensayos;* «Advertencia preliminar»; III, xi.

dido ya a ello en un capítulo anterior, rechaza formalmente el mote de sabio; buscando definir su postura intelectual, le escribía a *Clarín* al comenzar el siglo: «Más me parece pensador que sabio, y más que pensador, filósofo; pero al morir quisiera, ya que tengo alguna ambición, que dijesen de mí: ¡fué todo un poeta!»[1]; muchos textos podrían aducirse para confirmar cómo fué en él constante esta preferencia hacia su producción poética; en vísperas de dar a conocer los primeros frutos de esta faceta de su personalidad literaria (*Poesías*; Bilbao, 1907) le escribía a Jiménez Ilundain: «Hago versos. Es casi lo único que hago desde dentro»[2], y a los pocos meses, ya publicado el libro, le vuelve a escribir: «creo que mis *Poesías* son lo más mío que he hecho»[3]. En este mismo año de 1907, en una fecha intermedia entre las que encabezan los textos epistolares citados, le confesaba Unamuno a *Azorín* su desprecio por el escritor impersonal que se pliega, dócil, al halago del público: «O literatura profesional o popular —le dice—[4]. Odio una y otra, y ni toco para pianistas ni doy al manubrio para que me echen perras desde el balcón las damiselas públicas», y añade: «Le tengo un miedo cerval al público. No quiero que me aprese...; quiero ser yo, frente a él y contra él». En 1924, volviendo a tratar el tema de su encasillamiento literario, repite: «soy por definición —esto es, aforísticamente— un ensayista. Un ensayista que se empeña en ser poeta»[5]. Tercero y último rasgo: Sobre su estilo y el lenguaje que utilizó para vestir su pensamiento; las opiniones de Unamuno sobre este doble tema merecen también

[1] Carta a *Clarín*; Salamanca, 3 de abril de 1900.
[2] Carta a P. Jiménez Ilundain; Salamanca, 4 de enero de 1907.
[3] Carta a P. Jiménez Ilundain; Salamanca, 29 de julio de 1907.
[4] Carta a *Azorín*; Salamanca, 14 de mayo de 1907.
[5] *Alrededor del estilo*; IV, 747.

escucharse. De su estilo le decía a *Clarín* en 1895 [1]: «mi estilo, más gráfico que pintoresco, debe producir al cabo cansancio y aun cierto sopor como una descarga de choques sucesivos, mientras se soporta bien la corriente continua. Me empeño en que el lector colabore conmigo»; en 1902 le escribe a Menéndez Pidal hablándole de su lenguaje: «Esta miserable lucha por la personalidad me está tal vez perjudicando; y luego viene mi batalla con la lengua, mi esfuerzo por hacerme una, que siendo castellana, sea seca, precisa, rápida, sin tejido conjuntivo, sin las lañas y corchetes y hebillas que al castellano estropean, nada oratoria, caliente y de una sintaxis que no rompa el nexo de la espontánea asociación de ideas. Hay quien cree que descuido la forma, siendo una de las cosas que cuido más, sólo que mi cuidado es hacérmela propia de mi fondo» [2]. Cuando su labor literaria le ha dado nombre y el prestigio de que goza le permite mostrarse de un modo que en los comienzos de su vida como escritor reservaba para sus cartas más confidenciales, vuelve Unamuno a definir su manera de entender la lengua como carne del pensamiento, y el estilo cual manera personal de darle forma a aquélla; dice ahora: «Sólo desnuda su pensamiento el que lo encarna y no el que lo viste. Los sastres de la literatura, los estilistas, jamás llegan a desnudarle» [3], y sobre el estilo: «el estilo no se hace. Se nace con él o no se nace. Lo que ocurre, es que a las veces tarda uno en encontrar su estilo. O sea, que tarda en encontrarse a sí mismo, en descubrir su propia perso-

---

[1] Carta a *Clarín*; Salamanca, 31 de mayo de 1895. Sobre este tema puede consultar el lector, con provecho, las obras de Carlos Blanco Aguinaga: *Unamuno, teórico del lenguaje*; México, 1954, y Fernando Huarte Morton: «El ideario lingüístico de Miguel de Unamuno»; *Cuadernos de la Cátedra Miguel de Unamuno*; V, 5-183; Salamanca, 1954.
[2] Carta a R. Menéndez Pidal; Salamanca, 14 de mayo de 1902.
[3] «Palabras de sangre azul»; *De esto y de aquello*; V, 949.

nalidad» [1]. En su estilo, como en su lenguaje literario, encontró Unamuno, igual que Baroja [2], la huella de un influjo racial, aquí lingüístico; en el Prólogo a su novela *Amor y pedagogía*, hablando impersonalmente de sí mismo, nos dice: «En el fondo hay que reconocer que no tiene el sentido de la lengua, efecto sin duda de lo escaso y turbio de su sentido estético» [3]; antiesteticismo que él y otros conspicuos hermanos de raza coinciden en señalar como característica notable en la manera de ser del vasco. Años después, en los *Recuerdos* [4] de su vida infantil, vuelve Unamuno a decirnos: «El castellano no ha sido lengua indígena en mi tierra, y aun los que lo hemos hablado desde la cuna, hémoslo hablado siempre como lengua pegadiza. Ha sido un castellano pobre».

Estas opiniones de Unamuno las confirman los juicios que su literatura ha cosechado entre sus más destacados comentaristas; los que voy a transcribir no pretenden ofrecer al lector una visión completa de la postura, con tantas facetas, muchas contradictorias, que la crítica viene adoptando al encarar la obra literaria de Unamuno. Mi pretensión, más modesta, busca sólo consignar aquellas apreciaciones que pueden ayudarnos a entender mejor los juicios expresados por el propio Unamuno; en otras palabras, me interesa únicamente esclarecer con nuevas luces este esbozo de la personalidad que como escritor quiso y consiguió crearse Unamuno. Todos los críticos coinciden con Unamuno en señalar la unidad temática que preside su labor de literato. Escribe Julián Marías, para no citar más que su testimo-

---

[1] *Alrededor del estilo*; IV, 747.
[2] Cf. Luis S. Granjel: *Retrato de Pío Baroja*; 141-42; Barcelona, 1953.
[3] *Amor y pedagogía*; Prólogo; II, 334.
[4] *Recuerdos de niñez y mocedad*; I, 113.

nio entre tantos como podría aducir: «Se descubre una profunda unidad en toda la obra de Unamuno, tan dispersa. Una unidad que llega a ser... monotonía. El tema de Unamuno es único»[1]; este problema único, resulta casi innecesario especificarlo, es el de su anhelada y no creída inmortalidad; como añade el autor citado[2], el que transparece en todos sus libros es el problema «de la persona humana, y de su perduración. Y quien plantea esta cuestión es la muerte». De tal modo se entregaba Unamuno a su quehacer creador que, nos lo recuerda Fernández Almagro[3], «una charla de Unamuno era casi siempre una preparación de artículo o conferencia, y hasta darles forma definitiva acostumbraba a repetir las mismas cosas». Las obras de Unamuno son autobiográficas. Mucho se ha escrito ya sobre esto en algunos capítulos precedentes para volver a tratarlo; también aquí la unanimidad con que se pronuncian los comentaristas de Unamuno no ofrece discrepancias. Asimismo coincide la crítica al señalar el tema religioso como predominante dentro de la temática en que encuentran su motivo los libros de Unamuno; citaré por todos la opinión de Julián Marías: «La obra entera de Unamuno —nos dice—[4] está inmersa en un ambiente religioso; cualquier tema acaba en él por mostrar sus raíces religiosas o culminar en una última referencia a Dios». Tras la variedad de formas literarias que parecen separar unos de otros los libros de Unamuno, se reconoce en todos ellos, opina Ferrater Mora[5], «esa voz que jamás se cansa

---

[1] J. Marías: *Miguel de Unamuno*; 13; Madrid, 1943.
[2] J. Marías: *Ibíd.*; 20-1.
[3] M. Fernández Almagro: *Vida y literatura de Valle-Inclán*; 119; Madrid, 1948.
[4] J. Marías: *Miguel de Unamuno*; 145; Madrid, 1943.
[5] J. Ferrater Mora: *Unamuno. Bosquejo de una filosofía*; 169-70; Buenos Aires, 1944.

de hablar consigo mismo y que se fija, abundante e incesantemente, en letras y en conceptos, pero en su más importante y esencial dimensión es obra poética, obra creadora. En el fondo, Unamuno ha escrito porque era materialmente imposible hablar con todos si no era por el vehículo a la vez de vida y de muerte que es la letra; de haber sido posible dialogar de viva voz con cada uno y con todos al mismo tiempo y aun consigo mismo, de haber posibilidad de un diálogo auténticamente creador, no habría Unamuno, como ningún español, escrito nada». Aún siendo muy discutible la generalización de este juicio a todos los componentes de su pueblo, es desde luego cierto aplicado concretamente a Unamuno; con toda razón señala Legendre [1], que tan íntimamente lo trató, cómo era en el recatado marco de una conversación; mejor sería decir «monodiálogo», donde Unamuno revelaba más diáfanamente su personalidad, y también de qué modo su obra entera no es otra cosa que un continuado conversar del autor con cada uno de sus lectores, aislándose en su compañía.

Con intención más limitada, he aquí cómo la crítica enjuicia la labor realizada por Unamuno en los campos literarios que cultivó. El ensayo y los escritos ocasionales son, para Torrente Ballester, «el género que Unamuno señorea, dueño de todos sus secretos y resortes»[2]; en opinión de Julián Marías, sus ensayos son, «antes que nada, *decires*; esto, el decir de un hombre concreto, importa más que lo dicho...; como no interesa primaria-

---

[1] M. Legendre: «Miguel de Unamuno, hombre de carne y hueso»; *Cuadernos de la Cátedra Miguel de Unamuno*; I, 29-55; Salamanca, 1948.

[2] G. Torrente Ballester: *Literatura española contemporánea (1898-1936)*; 209; Madrid, 1949.

mente lo *dicho*, sino el *decir*, lo que más importa es el espectáculo dramático, novelesco, de un protagonista —Miguel de Unamuno—, con un coro histórico de espíritus agónicos semejantes, pugnando con un tema» [1]; el mismo juicio cabe ampliarlo a los artículos que profusamente repartió Unamuno en periódicos y Revistas de España y países hermanos en idioma. La poesía unamuniana ha recabado sobre sí las más encontradas opiniones, desde la laudatoria a la totalmente negativa; desde luego, le son favorables las suscritas por la crítica más inteligente; encabeza los testimonios que me propongo reproducir el de Rubén Darío, quien escribe: «a mi entender, Miguel de Unamuno es, ante todo, un poeta y quizá sólo eso» [2]; en opinión de otro poeta, éste de nuestros días, Luis Felipe Vivanco [3], «toda la poesía de Unamuno es un gigantesco empeñarse en que el fondo sea lo que califique poéticamente a la forma... La profundidad lírica de su voz es religiosidad, porque para él la creación poética es siempre la expresión de un espíritu personal —en este caso el suyo, esencialmente religioso— que se realiza en ella». Para Julián Marías [4], «la poesía de Unamuno... es el intento de comunicar mediante contagio espiritual la sustancia más honda e inefable de su saber o de su afán de saber», y para Fernández Almagro Unamuno es, escuetamente, «uno de los grandes poe-

---

[1] J. Marías: «Genio y figura de Miguel de Unamuno»; *La filosofía española actual*; 47 y 49; Buenos Aires, 1948.

[2] R. Darío: «Unamuno, poeta»; incluído en Miguel de Unamuno: *Teresa*; Prólogo; 5; Madrid, 1923.

[3] L. F. Vivanco: «La poesía de Unamuno»; *Antología poética de Miguel de Unamuno*; Prólogo; viii-ix; Madrid, 1942.

[4] J. Marías: *Miguel de Unamuno*; 137; Madrid, 1943.

tas de cualquier tiempo y país» [1]. Acerca de su teatro Julián Marías va a decirnos que se asemeja mucho, tanto por los temas como en su desarrollo, a su novelística [2]. Torrente Ballester nos expone así su juicio, no muy laudatorio por cierto: «El teatro de Unamuno, representado, da la impresión de un conjunto alucinante de figuras que hablan, obran y se mueven porque sí. Pero leído, pudiendo volver atrás en la lectura, repetirla, el ingenuo artificio se desmorona, quedando sólo la melancolía de grandes temas desperdiciados» [3]. Eludo transcribir aquí los comentarios que han suscitado las novelas de Unamuno, pues este tema, por su importancia, exige dedicarle todo un capítulo.

[1] M. Fernández Almagro: «Unamuno, poeta»; *En torno al 98. Política y Literatura*; 99; Madrid, 1948. Cf. sobre este tema la fundamental obra de M. García Blanco: *Don Miguel de Unamuno y sus poesías*; Salamanca, 1954.

[2] J. Marías: «Genio y figura de Miguel de Unamuno»; *La filosofía española actual*; 66; Buenos Aires, 1948.

[3] G. Torrente Ballester: *Literatura española contemporánea (1898-1936)*; 215; Madrid, 1949. Cf., asimismo, M. García Blanco: «Prólogo» a M. de Unamuno: *Teatro*; 7-35; Barcelona, 1954.

CAPITULO XXI

EL PERSONAJE

Las novelas de Unamuno nos proporcionan el testimonio que confirma uno de los rasgos más originales de su literatura, entre todos, precisamente, el que nos importa más conocer ahora, empeñados en reconstruir la personalidad de Unamuno, tal como él la entendió y buscaba perennizarla vertiéndola en sus escritos; me refiero a los personajes que cobran vida en el mundo novelesco por él creado y a las particularísimas relaciones que con ellos mantuvo. La exposición del tema obliga, aún a riesgo de repetir conclusiones ya expuestas en el capítulo anterior, a aludir de nuevo al carácter autobiográfico que preside las obras de Unamuno; carácter, conviene señalar, que en sus novelas adquiere un sentido y hondura no apreciable en sus restantes libros.

Bien avanzada su vida, escritas ya sus más importantes obras, advierte Unamuno cómo sus novelas encierran algo que no es habitual encontrar en este género literario; en la génesis de tal conocimiento jugó un papel importante su preocupación, creciente con los años, hacia el problema de la personalidad, del cual se hablará más adelante con la atención que merece. Refiriéndose a aquel hallazgo escribe Unamuno en el Prólogo-

Epílogo (1934) a la segunda edición de *Amor y pedagogía*, que sus novelas, descontadas *Paz en la guerra* y la que ahora prologa, son «relatos dramáticos acezantes, de realidades íntimas, entrañadas, sin bambalinas ni realismos en que suele faltar la verdadera, la eterna realidad, la realidad de la personalidad» [1]. Cuatro años antes, en el Epílogo a *La novela de don Sandalio*, nos había dicho ya cómo, en opinión suya, «toda biografía, histórica o novelesca —que para el caso es igual—, es siempre autobiográfica; que todo autor que supone hablar de otro, no habla en realidad sino de sí mismo y, por muy diferente que este sí mismo sea de él propio, de él tal cual se cree ser. Los más grandes historiadores son los novelistas, los que más se meten a sí mismos en sus historias, en la historias que inventan» [2]. Todavía más temprano es el siguiente testimonio, que ratifica lo que el precedente señala; se pregunta en él Unamuno: «¿no son acaso autobiográficas todas las novelas que se eternizan y duran eternizando y haciendo durar a sus autores y a sus antagonistas?»; su respuesta es afirmativa porque, sigue diciéndonos, «todo ser de ficción, todo personaje poético que crea un autor hace parte del autor mismo» [3]. Si por este flanco el autor al novelar, creando nuevas vidas que sólo gozan de la existencia que él les concede, se hace uno con tales personajes, o, en otros términos, revive en ellos, por el otro flanco de su quehacer literario busca el novelista identificarse con el lector en quien sus criaturas, al ser leídas, prolongarán su fictiva existencia: «¿Por qué, o sea para qué se hace una novela —se pre-

---

[1] *Amor y pedagogía*; Prólogo-Epílogo; II, 340.
[2] *La novela de don Sandalio, jugador de Ajedrez*; *San Manuel Bueno, mártir, y tres historias más*; II, 1.266.
[3] *Cómo se hace una novela*; IV, 939-40.

gunta Unamuno— [1]. Para hacerse el novelista. ¿Y para qué se hace el novelista? Para hacer al lector, para hacerse uno con el lector», y de este modo, concluye, «no morirme en ti, lector que me lees». Estamos ya, traídos por estos textos, encarando la entraña del problema que ha de ocuparnos en este capítulo, el cual no es otro que exponer el papel que sus ficciones novelescas representaron en aquel afán único, absorbente, del que tanto se ha dicho ya en esta obra: el de no morir, el de conseguir salvar algo de sí mismo del anonadamiento que siempre quiso ver Unamuno en la muerte humana. En todas sus novelas se puso a sí mismo haciendo papel de personaje, y, sin embargo, aquéllas no son en modo alguno monólogos; pronto en la réplica, el propio Unamuno se encarga de refutar tal aserto: «¿Monólogos? Así han dado en decir mis..., los llamaré críticos, que no escribo sino monólogos. Acaso podría llamarlos monodiálogos; pero sería mejor autodiálogos, o sea diálogos conmigo mismo. Y un autodiálogo no es un monólogo. El que dialoga, el que conversa consigo mismo, no monologa» [2] Para su diálogo interior halló Unamuno este exacto calificativo: autodiálogo. Dialogan en sus relatos novelescos unos personajes, pero esto no supone contradicción con el título de autobiográficas conferido a sus novelas, y es que sus personajes, aunque lleven nombre propio y gocen de individualidad sobrado acusada para dialogar con su creador y hasta polemizar con él, son parte integrante de la personalidad real de quien les dió vida, son como reencarnaciones del autor, y por ser así tenía razón Unamuno en llamar a sus novelas autodiálogos. En sus per-

---

[1] *Cómo se hace una novela*; IV, 985.
[2] *La agonía del Cristianismo*; IV, 822.

sonajes, hemos de confirmarlo ahora, buscó Unamuno una perpetuación que por otros caminos no le fué dado alcanzar.

Antes de trabar conocimiento con el personaje unamuniano, creo conveniente consignar algunos de los juicios que la crítica ha formulado de las novelas de Unamuno y cuya transcripción fué diferida en el capítulo anterior. Recogeré primero los firmados por algunos de nuestros más destacados críticos y tras ellos expondré, con el detalle que merece, la sugeridora indagación hecha por Julián Marías en la personalidad de Unamuno utilizando de vía de acceso a su intimidad el mundo novelesco por él creado. En opinión de *Andrenio* [1], la única novela de Unamuno digna de este título es *Paz en la guerra*; las que luego escribió, las más «unamunianas» advirtámoslo, «son novelas desencarnadas, escuetos ejemplos morales, a los que el autor, con una especie de ascetismo literario, priva del accidente en que está el encanto sensual de estas fábulas... Son novelas de espíritu, novelas intelectuales». Torrente Ballester opina que Unamuno es «un magnífico venteador de soberbios temas novelescos, pero no acierta a contarlos» [2], y Melchor Fernández Almagro, por su parte, considera que «las novelas de Unamuno son, ante todo, pensamiento, incluso la primera, *Paz en la guerra*, más normal en su traza que *Niebla* o *Abel Sánchez*» [3]. Julián Marías, como anticipé, recurre al rico venero de la novelística unamuniana para ofrecernos, fruto de su indagación, una de las más logradas estampas de la humana personalidad de

---

[1] *Andrenio* (E. Gómez de Baquero): «*Paz en la guerra* y los novelistas de las guerras civiles»; *De Gallardo a Unamuno*; 244; Madrid, 1926.

[2] G. Torrente Ballester: *Literatura española contemporánea (1898-1936)*; 214; Madrid, 1949.

[3] M. Fernández Almagro: «Esquema de la novela española contemporánea»; *Clavileño*; I, 15-28; Madrid, 1950.

UNAMUNO EN BRA-
ZOS DE LA MUERTE

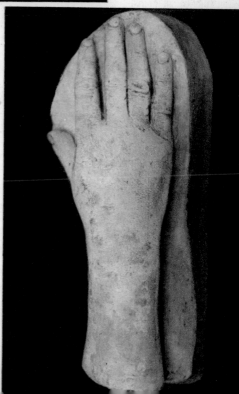

VACIADO DE LA
MANO DE UNAMUNO

SALOME DE UNAMUNO DE QUIROGA
† SALAMANCA · 12 · JULIO 1933
D. E. P.

MIGUEL DE UNAMUNO
✻ BILBAO · 29 · SETIEMBRE · 1864   † SALAMANCA · 31 · DICIEMBRE

Méteme, Padre Eterno, en tu pech
misterioso hogar.
dormiré allí, pues vengo deshecho
del duro bregar

DON ALFONSO XIII
Por la gracia de Dios y la Constitución
REY DE ESPAÑA.

Por cuanto queriendo dar una prueba de mi Real aprecio á Vos Don Miguel de Unamuno y Jugo he tenido á bien nombraros por mi Decreto de treinta de Junio último Caballero Gran Cruz de la orden civil de Alfonso XII

Por tanto os concedo los honores distinciones y uso de las insignias que os corresponden con arreglo á lo establecido en el Reglamento para la aplicación del Real decreto de 23 de Mayo de 1902, confiando por las cualidades que os distinguen, en que os esmeraréis en contribuir al mayor lustre de la Orden.

Dado en Palacio á tres de Julio de mil novecientos once

Yo el Rey

El Ministro de Instrucción pública y Bellas Artes.
Andrés Mellado

Título de Caballero Gran Cruz de la Orden de Alfonso XII á favor de Don Miguel de Unamuno y Jugo.

**SE LE CONCEDE LA GRAN CRUZ
DE LA ORDEN DE ALFONSO XII**

su creador. La novela en Unamuno es, nos dice, «novela personal», «la expresión de una vida, y esta vida es de una persona, de un personaje o ente de ficción que finge el modo de ser del hombre concreto» [1], y es también, añade, existencial y no psicológica, «porque se atiene al relato temporal de una vida, no a la descripción de sus mecanismos» [2]. Otro de sus rasgos singularizadores lo constituye la reiterada intervención de la muerte en la trama de los relatos; a tal extremo que, sigue diciéndonos este comentarista, «cada novela es para Unamuno un intento de vivir la muerte, de pasar a través de ella, de dejarla llegar, entrar en su ámbito helado y *quedar*, a pesar de ello, para verla ya desde el otro lado, es decir, consumada, para mirar ansiosamente *detrás*» [3]. En resumen, cada una de las novelas de Unamuno «aborda el tema de la existencia y la persona humana desde distintos supuestos y en diversos sentidos» [4]; a juicio de Julián Marías, éste es el sentido que entrañan los principales relatos novelescos de Unamuno: *Paz en la guerra* (1897): «la vida cotidiana»; *Amor y pedagogía* (1902): «el tránsito hacia la vida individual»; *Niebla* (1914): «la ficción y la realidad»; *Abel Sánchez* (1917): «el fondo del alma»; *La tía Tula* (1920): «la convivencia»; *San Manuel Bueno, mártir* (1930): «la vida personal», y *La novela de don Sandalio* (1930): «el hueco de la personalidad». Todo un capítulo de su obra, el quinto, titulado «Los relatos de Unamuno» [5] dedica Julián Marías a la tarea de exponer el significado por él conferido a cada uno de estos calificativos, con lo cual descu-

[1] J. Marías: *Miguel de Unamuno*; 51; Madrid, 1943.
[2] J. Marías: *Ibíd.*; 55.
[3] J. Marías: *Ibíd.*; 57.
[4] J. Marías: *Ibíd.*; 86.
[5] J. Marías: *Ibíd.*; 77-127.

20

bre, y acierta en el hallazgo, lo que Unamuno pretendía decir en ellos, pues todos sus relatos son, nos advierte el comentarista, fundamentalmente sólo eso: desnuda narración; «no descripción de cosas —añade— [1], ni siquiera de caracteres o costumbres, ni aun de estados de ánimo, sino narración, drama. Lo que le pasa en verdad al personaje, lo que éste se va haciendo, lo que *es*. Y adviértase que lo que el personaje es no nos lo puede decir el novelista desde el principio, como quien está en el secreto, sino que lo que el personaje es, mejor dicho, llega a ser, va siendo, eso es la novela» [2].

Las opiniones de Unamuno sobre sus novelas, y con ellas las que firman sus más destacados críticos, ya conocidas, anticipan algo del significado que, queriéndolo quien los creó, encarna en los personajes de Unamuno. Fueron para él sus personajes algo tan suyo como su propio yo conciente; reiteradamente confirma Unamuno esta identidad de su personalidad y la de aquéllos. «Todas las criaturas son su creador...; nosotros, los autores, los poetas, nos ponemos en todos los personajes poéticos que creamos» [3]; «Todo poeta, todo creador, todo novelador —novelar es crear—, al crear personajes se está creando a sí mismo» [4]. El atrabiliario filósofo don Fulgencio Entrambosmares nos define así su calidad de personaje [5]: «Representamos cada uno nuestro papel; nos tiran de los hilos cuando creemos

---

[1] J. Marías: *Miguel de Unamuno*; 40; Madrid, 1943.

[2] Vuelve a tratar J. Marías el tema de la novelística unamuniana en «Genio y figura de Miguel de Unamuno»; *La filosofía española actual*; 59-66; Buenos Aires, 1948.

[3] *Cómo se hace una novela*; IV, 940-41.

[4] «La novela de don Sandalio, jugador de ajedrez»; *San Manuel Bueno, mártir, y tres historias más*; II, 1.267.

[5] *Amor y pedagogía*; II, 380.

obrar, no siendo este obrar más que un accionar; recitamos el papel aprendido allá, en las tinieblas de la inconciencia, en nuestra tenebrosa preexistencia; el Apuntador nos guía; el gran tramoyista maquina todo esto». Sobre el tablado de sus novelas Unamuno, arrogándose el papel de Maese Pedro, hace que sus personajes se muevan en tanto él nos habla por sus bocas; son ellos, los personajes, su sueño; él, su soñador, puede dejar de soñarlos, así por lo menos quiere creerlo, y si tal hiciera aquellos entes de ficción volverían a ser nada, hundiéndose en la niebla de que fueron hechos; más con ello, él, Unamuno, el hombre, perdería la dimensión intemporal de su existencia, pues sólo seguirá viviendo cuando muera en los frutos de este soñar. Entendiéndose así, comprendemos por qué Unamuno se veía a sí mismo cual un personaje semejante a tantos como su imaginación dió vida: «¿Quién es el que se firma Miguel de Unamuno? —se preguntó un día— [1]. Pues... uno de mis personajes, una de mis criaturas, uno de mis agonistas». Todo novelista, se lee en un escrito de 1924 [2], «es un autobiógrafo, se descubre, se expresa a sí mismo. Y lo mejor de sí, lo que quiso haber sido. Don Quijote es el que quiso haber sido Cervantes, y Shakespeare quiso ser el pueblo, la selva de hombres que describió». Mejor que antes entendemos ahora las razones que indujeron a Unamuno a calificar sus relatos novelescos de autodiálogos, conversación íntima donde todos sus interlocutores eran el propio creador del diálogo y su cronista.

La crítica ha sabido destacar este carácter de los personajes creados por Unamuno. Cada uno de ellos, escribe Ferrater

---

[1] *Tres novelas ejemplares y un prólogo*; Prólogo; II, 985.
[2] *Alrededor del estilo*; IV, 765.

Mora[1], «no es otro que el propio Unamuno, que se desdobla y multiplica para serlo todo en todos». El análisis a que Julián Marías sometió, como antes se dijo, las novelas de Unamuno, le ha permitido alcanzar una imagen certera de lo que representan en ellas sus personajes; los creó Unamuno, nos dice, porque «necesitaba unas existencias respecto a las que fuese superior, de modo que de él recibiesen vida y muerte, lo que equivalía a ponerse él, siquiera figurativamente, por encima de éstas, a salvo, pues, de su angustia. En el fondo, de lo que se trataba era de representar, respecto a sus criaturas, el papel de Dios para con él mismo, Unamuno»[2]. Analizando cuantas cuestiones encubre el famoso diálogo entre el personaje Augusto Pérez y su creador, del que en seguida se ha de hablar, añade Julián Marías[3]: «el ente de ficción, en cuanto *fictum*, en cuanto sueño o relato, es real, es una vida o existencia temporal, del modo de ser de la humana; pero en cuanto resultado de un *fingere*, de un sueño del autor, no tiene sustantividad y aparece como un ente desfundamentado, que no se sostiene por sí en la existencia y cae en el vacío, en la nada. Por otra parte, si nos trasladamos a la esfera de realidad del hombre real, encontramos una situación análoga: visto desde Dios, el hombre carece también de sustantividad y depende de su Creador... La realidad humana aparece también como un sueño de la Divinidad, como una ficción de orden superior, capaz de producir ficciones secundarias o de segundo orden, que son los llamados entes ficticios. Hay, pues, una clara jerarquía ontológica: Dios, el hombre,

---

[1] J. Ferrater Mora: *Unamuno. Bosquejo de una filosofía*; 177; Buenos Aires, 1944.

[2] J. Marías: *Miguel de Unamuno*; 36; Madrid, 1943.

[3] J. Marías: *Ibíd.*; 101-02.

el personaje ficticio... La ficción y la realidad quedan vinculadas en una relación de subordinación: lo real del personaje es ficticio visto desde el hombre, pero éste lo es visto desde Dios». En este importante texto se nos descubre la recóndita entraña del personaje unamuniano, cuanto quiso su creador que fuera y la singular actitud que ante él mantuvo.

Con lo expuesto no concluye todavía, sin embargo, el análisis de los personajes creados por Unamuno. Dije antes que su autor buscó perdurar en ellos; le movió a darles vida aquel anhelo suyo, tantas veces nombrado en esta obra, de no morir, de seguir siendo de alguna forma cuando se viera privado del cuerpo que sustentaba su existir; deseo vivido con sincera angustia como sabemos, y que se nos permite convivir en esos versos suyos [1]:

> ¡*Cuántos he sido!*
> *y habiendo sido tantos,*
> *¿acabaré por fin en ser ninguno?*
> *De este pobre Unamuno*
> *¿quedará sólo el nombre?*

Para lograr que a su muerte quedase de él algo más que el nombre y su fama dió vida Unamuno a unos personajes y los hizo existir en el fingido mundo de sus novelas. Esta menesterosidad del propio creador ante sus criaturas hace que ellas sean superiores al autor que les dió el ser. Julio Macedo, el personaje unamunesco que abandonó su nombre, el de Tulio Montalbán, para vivir nueva existencia, es llevado por su destino a com-

---

[1] *Rimas de dentro*; *Antología poética*; 296; Madrid, 1942.

prender un día cómo aquel nombre, aun privado de veste carnal, sostenido por sólo su renombre, seguía poseyendo una realidad que superaba a la suya propia, no obstante poseer ésta soporte físico, vida biológica; Julio Macedo, repito, ante esta lección que quiso hacerle vivir Unamuno, exclama [1]: «Los que parecemos de carne y hueso no somos sino entes de ficción, sombras, fantasmas, y esos que andan por los cuadros y los libros y los que andamos por los escenarios del teatro de la historia somos los de verdad, los duraderos...». En este texto, y en ello radica su importancia, queda proclamada la superioridad del personaje sobre la individual existencia de quien le creó; y no es aquél, conviene advertirlo, el único testimonio que se puede citar, pues sobre tal cuestión ya escribió Unamuno en 1905: «sólo existe lo que obra, y existir es obrar, y si Don Quijote obra, en cuantos le conocen, obras de vida, es Don Quijote mucho más histórico y real que tantos hombres, puros nombres... Sólo existe lo que obra. Este investigar si un sujeto existió o no existió proviene de que nos empeñamos en cerrar los ojos al misterio del tiempo. Lo que fué y ya no es, no es más que lo que no es, pero será algún día; el pasado no existe más que el porvenir ni obra más que él sobre el presente» [2]. El hermano Juan dirá de sí mismo y de quienes como él fueron creados por el ingenio humano: «¡somos nada menos que todo un teatro! Literatura hecha carne. No son tanto los demás, los que nos critican...» [3], y el propio Unamuno, casi al final de su existencia histórica, vuelta la mirada a la comu-

---

[1] *Tulio Montalbán y Julio Macedo*; Acto 4.º, Esc. III; San Sebastián, 1927.

[2] *Vida de Don Quijote y Sancho*; IV, 208.

[3] *El hermano Juan*; Acto 3.º, Esc. VIII; Madrid, 1934.

nidad de personajes a los que dió vida, acabará por confesar [1]:
«Todo este mundo de Pedro Antonio y Josefa Ignacia, de don
Avito Carrascal y Marina, de Augusto Pérez, Eugenio Domingo
y Rosarito, de Alejandro Gómez, "nada menos que todo un
hombre", y Julia, de Joaquín Monegro, Abel Sánchez y Elena,
de la tía Tula, su hermana y su cuñado y sus sobrinos, de San
Manuel Bueno y Ángela Carballino —una ángela—, y de don
Sandalio, y de Emeterio Alfonso y Celedonio Ibáñez, y de
Ricardo y Liduvina, todo este mundo me es más real que el de
Cánovas y Sagasta, de Alfonso XIII, de Primo de Rivera, de
Galdós, Pereda, Menéndez Pelayo y todos aquellos a quienes
conocí o conozco vivos, y a algunos de ellos los traté o los
trato. En aquel mundo me realizaré, si es que me realizo, aún
más que en este otro».

La superioridad del personaje sobre su creador, el significado de la misma, que es lo que ahora importa desentrañar, se
evidencia en la famosa entrevista mantenida por Unamuno con
la más original de sus criaturas, Augusto Pérez, protagonista de
Niebla; tuvo aquélla lugar en el despacho-librería de la casa
de la calle de Bordadores, habitada por el primero de los nombrados. Acudió Augusto Pérez a visitar en su retiro de Salamanca a quien le dió vida para defender ante él su derecho a
la existencia. Dispuesto a hacerle morir, Unamuno responde con
estas palabras a los alegatos, apasionados, del personaje: «No,
no existes más que como ente de ficción; no eres, pobre Augusto, más que un producto de mi fantasía y de las de aquellos
de mis lectores que lean el relato que de tus fingidas aventuras
y malandanzas he escrito yo» [2]. Cobrando fuerzas en la misma

---

[1] «Historia de Niebla»; *Niebla*; II, 692-93.
[2] *Niebla*; II, 847.

polémica, la actitud de Augusto Pérez se torna de suplicante en amenazadora; he aquí, transcrita literalmente, la segunda parte del diálogo:

«—Mire usted bien, don Miguel..., no sea que esté usted equivocado y ocurra precisamente todo lo contrario de lo que usted se cree y me dice.

—¿Y qué es lo contrario? —le pregunté, alarmado de verle cobrar vida propia.

—No sea, mi querido don Miguel —añadió—, que sea usted, y no yo, el ente de ficción, el que no existe en realidad, ni vivo, ni muerto... No sea que usted no pase de ser un pretexto para que mi historia llegue al mundo» [1].

Augusto Pérez le argumentó a Unamuno con sus propias opiniones: la superioridad de Don Quijote y Sancho sobre la personalidad de Cervantes, la del personaje shakespeariano ante la de su creador. Pero no le valieron estas y otras razones, que el lector puede leer en la novela, para salvarle de la anulación, y cuando así lo comprendió, perdida ya la causa que vino a defender a Salamanca, volviéndose de nuevo contra su creador le augura: «No quiere usted dejarme ser yo, salir de la niebla, vivir, vivir, vivir, verme, oirme, tocarme, sentirme, dolerme, serme; ¿con que no quiere?, ¿con que he de morir ente de ficción? Pues bien, mi señor creador don Miguel, también usted se morirá, también usted, y se volverá a la nada de que salió... ¡Dios dejará de soñarle! Se morirá usted, sí, se morirá, aunque no lo quiera; se morirá usted y se morirán todos los que lean mi historia, todos, todos, todos, sin quedar uno! ¡Entes de ficción como yo; lo mismo que yo! Se morirán todos, todos, todos. Os

[1] *Niebla*; II, 848

lo digo yo, Augustó Pérez, ente ficticio como vosotros, *nivolesco* lo mismo que vosotros. Porque usted, mi creador, mi don Miguel, no es usted más que otro ente *nivolesco*, y entes nivolescos son sus lectores, lo mismo que yo, Augusto Pérez» [1] De retorno en su hogar, con la sentencia, inaplazable, de muerte angustiándole, monologa así nuestro personaje: «Supongamos que es verdad que ese hombre [Unamuno] me ha fingido, me ha soñado, me ha producido en su imaginación; pero ¿no vivo ya en las de otros, en las de aquellos que lean el relato de mi vida? Y si vivo así en las fantasías de varios, ¿no es acaso real lo que es de varios y no de uno solo? Y por qué surgiendo de las páginas del libro en que se deposite el relato de mi ficticia vida, o más bien de las mentes de aquellos que la lean —de vosotros, los que ahora la leéis—, ¿por qué no he de existir como un alma eterna y eternamente dolorosa?, ¿por qué?»[2]. En el curso de estas y parecidas reflexiones, acuciándole el desesperado anhelo de no morir, va a encontrar Augusto Pérez la razón de su cierta inmortalidad, la que confirma su superioridad ante el ser que le dió vida; hela aquí [3]: «...¡yo no puedo morirme; sólo se muere el que está vivo, el que existe, y yo, como no existo, no puedo morirme..., soy inmortal! No hay inmortalidad como la de aquello que, cual yo, no ha nacido y no existe. Un ente de ficción es una idea, y una idea es siempre inmortal». La sentencia de muerte dictada por Unamuno contra su criatura, aunque cumplida, no fué real; Augusto Pérez seguía viviendo, volviendo a ser cada vez que su existencia se rehacía en la mente de los lectores de su historia.

[1] *Niebla*; II, 853.
[2] *Ibíd.*; II, 855.
[3] *Ibíd.*; II, 856.

¿Qué quiso enseñarnos Unamuno con esta manera de comportarse su personaje?; ¿cuál es el significado que ofrece la trama argumental del relato donde vive su novelesca existencia Augusto Pérez? Simplemente que el personaje novelesco es poseedor de una personalidad capaz de soslayar lo que es inexcusable para el hombre: perder un día su vida en brazos de la muerte. El personaje no muere, y como él es sólo, en opinión de Unamuno, una reencarnación de quien lo creó, tal conclusión supone afirmar que tampoco su creador, al morir, muere del todo, pues algo de sí mismo seguirá existiendo reencarnado en sus personajes, volviendo a vivir, a ser, cada vez que ellos tornen a cobrar vida en la de sus lectores, de cuantos rememoren la historia de sus figuradas existencias. Unamuno creyó haber dado muerte a Augusto Pérez, más éste no podía morir, y ya en posesión de esta inmortalidad volvió a Salamanca para decirle a su creador, apareciéndosele en sueños: «ahora que está usted dormido y soñando y que reconoce estarlo y que yo soy un sueño y reconozco serlo, ahora vuelvo a decirle a usted lo que tanto le excitó cuando la otra vez se lo dije: mire usted, mi querido don Miguel, no vaya a ser que sea usted el ente de ficción, el que no existe en realidad, ni vivo ni muerto; no vaya a ser que no pase usted de un pretexto para que mi historia, y otras historias como la mía, corran por el mundo. Y luego, cuando usted se muera del todo, llevemos su alma nosotros» [1]. Por este camino, ayudándose de argumentos tan especiosos, quiso Unamuno lograr lo que su razón no le permitía alcanzar por el camino de la fe; no pudo creer en su inmortalidad personal, en una vida propia tras la muerte, y la angustia que esta

---

[1] *Niebla*; II, 864.

incapacidad desveló en su ánimo le empujó a conjurarla entregándose a la conquista de una fama que inmortalizara cuando menos su nombre; pero esto no le podía bastar a quien aspiraba hacer perdurable la singularidad biográfica que el nombre encubría, su propia vida por tanto, y aquel fracaso, este deseo aún no acallado, le llevan a escribir unos originalísimos relatos, que muchos críticos se niegan a calificar de novelas, que él mismo define como «nivolas», cuya mayor novedad estriba en que en ellos cobraban vida unos personajes dotados de existencia propia, independiente de la voluntad de su creador, capaces de rebelarse a su autoridad, y en los cuales, porque en ellos se puso él mismo, soñó Unamuno volver a vivir cuando la muerte lo hubiera arrebatado ya del escenario del mundo, llevada su propia novela, la que vivió haciéndola, al temido anonadamiento final en la muerte.

LIBRO OCTAVO

EL DESENLACE

CAPITULO XXII

TRES PAISAJES

Su actitud ante el Directorio militar que se hizo con el poder político en España el 13 de Septiembre de 1923 le valió a Unamuno un decreto de destierro. Lo que en un principio parecía un suceso más, aunque sí el más sonado, de su donquijotesca vida pública, sin trascendencia, por tanto, en sus íntimos problemas, iba a tener en la evolución ulterior de aquéllos una decisiva importancia. El forzado alejamiento de Salamanca inicia el desenlace de su agónico dudar y con ello la etapa postrera en la historia de su vida interior, pues el hombre que regresó a España en 1930 y vivió en ella los años tormentosos de la segunda República y los primeros meses de la guerra civil, casi ninguna semejanza guarda, bajo la identidad de su nombre y de algunos actos exteriores, con el que abandonó la península, camino de un islote canario, en el invierno de 1924. Y es que entre ambas fechas aprendió Unamuno la profunda, decisiva lección que le depararon muchos meses de destierro, alejado del paisaje castellano que tanto influyó en su vida interior, privado del paisaje vasco y del recogido mundo hogareño, refugios que hasta entonces estuvieron siempre abiertos para varar en ellos su vida y allí recobrar las fuerzas que la pelea de cada día le hacía derrochar. Contar cómo fué la existencia de Unamuno en los años de destierro, el nuevo rumbo que entonces tomó su constante preocupación por el morir, y los pasos finales que hubo de recorrer, entre los hombres y en la intrahistórica vida de sus pensamientos, hasta que la muerte se lo llevó consigo; relatar todo esto, verdadero desenlace de la existencia agónica del hombre que se llamó don Miguel de Unamuno, será tema para éste y los dos restantes capítulos de su *Retrato*.

Empezaré historiando las causas que dieron ocasión al decreto de destierro. La dictadura militar presidida por el general Primo de Rivera provocó en Unamuno una exacerbación de sus fobias políticas y su completa entrega a una tarea demagógica, de activismo político, que ya desde su destitución del Rectorado, en 1914, venía absorbiendo buena parte de su tiempo. Un discurso en Valladolid y otro en la sociedad «El Sitio», de Bilbao, unido a la publicación de una carta suya, escrita, puntualiza Legendre [1], para no ser divulgada, fueron los precedentes inmediatos a la orden de confinamiento en la isla de Fuerteventura; le fué comunicada la resolución tomada contra él, en Salamanca, el 21 de Febrero de 1924; «se me desterró —escribiría al año siguiente— [2] sin que se me hubiera dicho, y sigo ignorándolo, la causa o siquiera el pretexto de mi destierro». Quiso marcharse solo: «pedí a los míos —continúa diciéndonos—, a mi familia, que ninguno de ellos me acompañara, que me dejasen partir solo. Tenía necesidad de soledad»; el dato tiene su valor, pues desde entonces deja de proteger su existencia la figura maternal de la esposa, y ello hizo aún más intensos los

---

[1] M. Legendre: «Miguel de Unamuno, hombre de carne y hueso»; *Cuadernos de la Cátedra Miguel de Unamuno*; I, 29-55; Salamanca, 1948.

[2] *Cómo se hace una novela*; IV, 956.

UNAMUNO.-OLEO DE LOPEZ MEZQUITA

UNAMUNO.-OLEO DE ZULOAGA

efectos que el alejamiento de Castilla, la vida que hubo de vivir en el exilio, provocaron en su mundo interior. Unamuno aceptó, y me atrevo a decir que complacido, el papel de proscrito, ignorando, desde luego, las consecuencias que había de traerle representarlo. Supo la orden de destierro con suficiente antelación para refugiarse, de haberlo querido, en Portugal; «llegado a Cádiz —es el propio Unamuno quien nos lo cuenta— [1] manifesté que tenía trazado mi plan, consistente en no huir, no preguntar las razones o sinrazones de la medida tomada contra mí y no pagar gasto alguno. Y así lo cumplí». Cuando a los pocos meses, apenas se supo su fuga de Fuerteventura, el Gobierno español revocó la orden de destierro, Unamuno hizo voluntario el exilio hasta entonces forzoso. Vuelve a hablarnos Unamuno: «En realidad —hay que decir la verdad— yo no he sido muy perseguido. He sido yo el que he perseguido. Cuando periodistas extranjeros que veían al pobre Primo, me decían en Hendaya:

—Pero si se dice que está usted aquí porque quiere.

—No. Hay un pequeño matiz; yo no estoy aquí porque quiero; estoy aquí porque él no quiere que esté aquí» [2].

El mismo Unamuno calificó de «experiencia quijotesca» los años vividos en expatriación; que fueron mucho más que un episodio en la historia de sus donquijotescas intervenciones públicas va a confirmárnoslo, cumplidamente, cuanto se ha de decir. En esta opinión coinciden varios de los comentaristas de su vida; según Ferrater Mora, «el destierro fué para él algo más que una de aquellas pausas tan comunes entre los desterrados»;

---

[1] «Mi pleito personal»; *Dos artículos y dos discursos*; 12; Madrid, 1930.
[2] De su discurso en el Ateneo de Madrid, el 2 de mayo de 1930; *Dos artículos y dos discursos*; 146-47; Madrid, 1930.

21

las nuevas experiencias que la proscripción le obligó a vivir fueron para Unamuno, añade, «una verdadera resurrección» [1]. En opinión de Sánchez Barbudo, el destierro ayudó decisivamente a que Unamuno se planteara el problema de la personalidad, latente en todas sus obras, pero que sólo en las escritas durante los años finales de su vida cobra preponderancia absoluta, centrando sobre sí la atención entera de Unamuno, quien así se despega de lo transitorio, de la Historia que seguía haciéndose, día a día, en torno suyo, y en la cual tanto había querido hasta entonces influir. Escribe el comentarista últimamente citado: «La más íntima experiencia de su destierro debió ser... la de haberse sorprendido haciendo el papel de desterrado» [2], cuyo relato se nos ofrece en las páginas de su libro *Cómo se hace una novela* (1925). Con este suceso, el más importante de su destierro, quedó entablada, bajo un nuevo signo, la lucha entre su yo histórico, el exterior, y el intrahistórico, el íntimo, el que siempre vivió absorto ante la eterna cuestión de su propia inmortalidad, anhelada y nunca creída.

Antes de exponer estos cambios íntimos que provocó en Unamuno el exilio, relataré, aunque sea de modo somero, las incidencias más notables de su vida de desterrado. Tres paisajes, de fisonomía muy distinta entre sí, tuvieron por escenario sus años de expatriación. Fué el primero de todos el de Fuerteventura, el islote canario. Llegó Unamuno a Canarias el 10 de Marzo de 1924; su evasión tuvo lugar el 9 de Julio del mismo año, a bordo de *L'Aiglon*; prepararon su fuga el director de *Le*

---

[1] J. Ferrater Mora: Unamuno. *Bosquejo de una filosofía*; 36 y 37; Buenos Aires, 1944.
[2] A. Sánchez Barbudo: «El misterio de la personalidad de Unamuno»; *Revista de la Universidad de Buenos Aires*; XV, 201-54; Buenos Aires, 1950.

Quotidien y el hijo mayor de Unamuno; *L'Aiglon* arribó a Las Palmas el día 11, y el 21 embarcaba su huésped en el *Zeelandia* rumbo a Cherburgo. El paisaje de Fuerteventura le recuerda el de la altiplanicie castellana; semeja ser la isla un trozo de su suelo arrojado en la soledad atlántica, pues en él hay que contar, además de la tierra y su cielo, con el poderoso latido de la inmensidad oceánica batiendo su contorno; «es en Fuerteventura —dice Unamuno en la explicación a uno de los sonetos que allí escribió— [1] donde he llegado a conocer a la mar, donde he llegado a una comunión mística con ella, donde he sorbido su alma y su doctrina». He aquí una muestra de su valoración del paisaje isleño: «Desierto es esta solemne y querida tierra aislada de Fuerteventura... Tierra desnuda, esquelética, enjuta, toda ella huesos, tierra que retempla el ánimo» [2]; descubren estas frases una emoción semejante a la que en él desveló la contemplación del paisaje de Castilla. Posee también el paisaje de Fuerteventura, igual que el castellano, una nota religiosa: «es un paisaje bíblico —exclama Unamuno— [3], Evangélico más bien. Este es un clima evangélico»; inspirándole sus apetencias de lector, Unamuno relee aquí, a diario, el *Nuevo Testamento* y la *Divina Comedia*. Retempla el ánimo con la contemplación de esta tierra que tanto debía recordarle la que abandonó; las lecturas van a retemplar su espíritu. Su modo de ser exterior, histórico, sigue siendo quijotesco, jeremíaco casi; como no dejará de hacer en los largos meses de destierro que aún le restan de vivir, mantiene su lucha «personal» con los políticos del Directorio; pero todo ello es sólo una pantalla que oculta mal cuanto sucede

[1] *De Fuerteventura a París*; 60; París, 1925.
[2] «La aulaga majorera»; *Paisajes del alma*; I, 890.
[3] «Este nuestro clima»; *Paisajes del alma*; I, 885.

en su mundo interior, los cambios, decisivos, que preludian el desenlace al cual muy pronto desembocará su pasión de eternidad. Confirmaré este juicio anticipado con una selección de testimonios, fechados todos en los días de su estancia en la isla canaria. El primero que paso a transcribir refleja su personalidad social, la del hombre público en exilio [1]:

> Los que clamáis «¡indulto!» id a la porra,
> que a vuestra triste España no me amoldo;
> arde del Santo Oficio aún el rescoldo
> y de leña la envidia lo atiborra.

El segundo testimonio, reverso del citado, nos muestra su personalidad íntima, la que sigue viviendo angustiada por el problema intemporal de la muerte [2]:

> Este cielo una palma de tu mano,
> Señor, que me protege de la muerte
> del alma, y la otra palma este de Fuerte-
> ventura sosegado y fiel océano.

En Fuerteventura, escribe meses después, residiendo ya en París, «pude enriquecer mi íntima experiencia religiosa y hasta mística» [3]. La crisis en que se precipitará su vida íntima al deshacerse el nudo de su lucha agónica con el desenlace que a la misma va a imponerle el destierro, empieza a perfilarse en los días vividos en aquel rincón canario; allí, opina Sánchez Bar-

---

[1] *De Fuerteventura a París*; 17; París, 1925.
[2] *Ibíd.*; 41.
[3] *La agonía del Cristianismo*; Introducción; IV, 827.

budo [1], debió experimentar ya «hastío de sí mismo, del Unamuno que representaba el papel de Unamuno», aunque necesitará vivir experiencias que todavía desconoce, para que aquella idea se inmiscuya, obsesiva, en todos sus pensamientos.

La llegada de Unamuno a Cherburgo, uno de los últimos días de Agosto, fué acogida con la algazara que premeditaron organizaciones políticas interesadas en obtener el mayor fruto posible del «caso Unamuno». Ya en París va a recogerse en el ambiente tranquilo de una pensión de la rue Perouge, cerca del Arco de la Estrella; recibe muchas visitas; políticos españoles, personalidades francesas, periodistas de todos los países. Acude a diario a una tertulia de españoles en el café de la Rotonde, donde charla mientras sus manos, hábiles, fabrican pajaritas de papel; a media tarde, acompañándole algunos amigos, atraviesa el Luxemburgo de regreso a su improvisado hogar. De esta segunda etapa de su destierro nos cuenta Unamuno: vivo «en una especie de celda cerca del Arco de la Estrella. Aquí, en este París, atiborrado todo él de historia, de vida social y civil, y donde es casi imposible refugiarse en algún rincón anterior a la Historia y que, por tanto, haya de sobrevivirla» [2]. Añade en otro de los libros escritos durante su estancia en la capital francesa [3]: «paso la mayor parte de mis mañanas, solo, en esta jaula cerca a la Plaza de los Estados Unidos»; habla luego de las tertulias en el café de la Rotonda: «Después del almuerzo me voy a la Rotonda de Montparnasse, esquina del bulevar Raspail, donde tenemos una pequeña reunión de españoles, jóvenes estu-

---

[1] A. Sánchez Barbudo: «El misterio de la personalidad de Unamuno»; *Revista de la Universidad de Buenos Aires*; XV, 201-54; Buenos Aires, 1950.

[2] *La agonía del Cristianismo*; Introducción; IV, 827.

[3] *Cómo se hace una novela*; IV, 937-38.

diantes la mayoría, y comentamos las raras noticias que nos llegan de España, de la nuestra y de la de los otros, y recomenzamos cada día a repetir las mismas cosas, levantando, como aquí se dice, castillos en España», y concluye este breve relato de su vida parisiense, dejándonos entrever la nueva angustia que ahora hace presa en su ánimo: «¡Qué horrible vivir en la expectativa, imaginando cada día lo que puede ocurrir al siguiente! ¡Y lo que puede no ocurrir! Me paso horas enteras, solo, tendido sobre el lecho solitario de mi pequeño hotel —*family house*—, contemplando el techo de mi cuarto y no el cielo, y soñando en el porvenir de España y en el mío. O deshaciéndolos». Soledad desoladora ésta con que envuelve su vida la gran ciudad cosmopolita; soledad bien distinta de la que siempre buscó; «mi soledad de París —escribe—... [1], no pienso volver a pasar por experiencia íntima más trágica». La imaginación se le evade a los recuerdos del hogar lejano, nunca tan añorado; hacia la imagen del páramo castellano, compañero de la plenitud de sus soledades. En el minúsculo parque de la Plaza de los Estados Unidos, será Salamanca, Castilla, el constante motivo de sus remembranzas; «allí —dice Unamuno— [2], sin tener que cerrar los ojos, sueño y reveo aquel campo de San Francisco, de mi Salamanca, donde tantos ensueños he brizado, donde tantos porvenires he soñado»; recuerda también los paseos que, apenas empezaba a caer la tarde, le permitían gozar, en Salamanca, de la visión de Castilla; canta ahora, nostálgico [3]:

¡*Oh, clara carretera de Zamora,*
soñadero feliz de mi costumbre!

[1]   *Cómo se hace una novela*; IV, 911.
[2]   «Salamanca en París»; *Paisajes del alma*; I, 902.
[3]   «Soñadero feliz de mi costumbre»; *Paisajes del alma*; I, 911.

Tampoco falta en este cortejo de añoranzas el regusto de las vivencias experimentadas cuantas veces ascendió a las altas cumbres de Castilla y las que le deparó el paisaje desértico de Fuerteventura y su mar; añoranza, en suma, de cuanto en París no posee: «Gredos, la montaña; el páramo palentino, el desierto; ¡la mar! ¡Pero desde aquí, desde París, desde este París que está reventando historia, lo que pasa y mete ruido, ni se ve montaña, ni se ve desierto, ni se ve mar! Los pobres hombres que estamos enjaulados aquí, en la ciudad, en la gran ciudad, en el Arca de Noé de la civilización y de la historia, no podemos a diario limpiar nuestra vista, y con ella nuestra alma, en la visión de la eternidad de la montaña, del desierto, de la mar» [1]

Los ecos con que esta vida suya en París resuena en el ánimo de Unamuno, y que no pueden ser más desoladores, se los desveló la soledad del alma; una experiencia, y bien terrible, que desconocía. «París —escribe Ferrater Mora— [2] fué para Unamuno el verdadero destierro, porque sólo pudo ver la gran ciudad como una pantalla que se interponía entre él y la visión de Gredos». Pero nada mejor para comprenderlo que escuchar algo, prosa o verso, de cuanto, viviéndolo, escribió Unamuno: «este destierro al que quiero llamar mi des-cielo... ¡El destierro!, ¡la proscripción! ¡Y qué de experiencias íntimas, hasta religiosas, le debo!» [3]. En el Prólogo, escrito ya en Salamanca en el otoño de 1930, a la edición española de su *Agonía del Cristianismo*, recuerda cómo vivió en París «presa de una ver-

---

[1] «¡Montaña, desierto, mar!»; *Paisajes del alma*; I, 906.
[2] J. Ferrater Mora: *Unamuno. Bosquejo de una filosofía;* 36; Buenos Aires, 1944.
[3] *Cómo se hace una novela*; IV, 937.

dadera fiebre espiritual» [1], ella le inspiró su relato *Cómo se hace una novela*, del que tanto tendremos que decir, y el libro cuya edición española prologa; la misma que se perfila tras estos versos de un soneto escrito en París, el 16 de Septiembre de 1924 [2]:

> *Caído desde el cielo aquí me aburro*
> *—y cielo era el mar, junto al desierto—*
> *con este marco el cielo es cielo muerto,*
> *no oigo de Dios el inmortal susurro.*

La soledad social que le dió Castilla, y siguió viviendo en Fuerteventura, lo ensimismó ayudándole a vivir con mayor plenitud su pasión, la razón de su existencia. La soledad del alma —París— lo arranca del ensimismamiento, rompe el círculo que en torno a él forjó su pasión y termina por devolverle los sentimientos filiales que le harán retornar a la tierra vasca. Un día Unamuno abandona París para refugiarse en Hendaya; aquí está más cerca de España, cierto, y ello fué uno de los motivos que le impulsaron a tal mudanza, pero también va a encontrarse desde ahora inmerso en el paisaje que conoció en su infancia, en compañía de hombres de su misma raza, y esto conviene no olvidarlo. Pero antes de relatar lo que fué su vida en este tercer escenario de su destierro se ha de narrar la experiencia más decisiva vivida en París; fué una vivencia de muerte semejante a las que en él despertó la crisis religiosa de 1897. De tal experiencia nació el libro *Cómo se hace una novela* y su protagonista: U. Jugo de la Raza, trasunto literario del Unamuno que

---

[1] *La agonía del Cristianismo*; Prólogo a la edic. esp.; IV, 821.
[2] *De Fuerteventura a París*; 113; París, 1925.

vive en la capital francesa las horas verdaderamente amargas del exilio. No voy a contar ahora la historia de este personaje; me limitaré a consignar otros dos testimonios de la situación anímica que inspiró el relato novelesco citado. El primero, el más importante, nos lo ofrece su famosa poesía *Vendrá de noche,* escrita por Unamuno, en París, en el tránsito del sábado al domingo de Pentecostés de 1925; es una agorera vivencia de muerte que únicamente puede relacionarse, en la obra poética unamuniana, con la poesía *Es de noche, en mi estudio,* escrita diecinueve años antes. La que escribió en París termina con estos versos [1]:

> *Vendrá de noche, sí, vendrá de noche,*
> *su negro sello servirá de broche*
> *que cierra al alma;*
> *vendrá de noche sin hacer ruido,*
> *se apagará a lo lejos el ladrido,*
> *vendrá la calma...,*
> *vendrá la noche...*

El segundo testimonio lo constituye la primera poesía de su *Romancero del destierro,* fechada en París; en ella se versifica también la vivencia de una muerte que el poeta cree próxima y le hace pedir que cuando ésta lo lleve sea su cuerpo enterrado en Castilla, la tierra lejana, pero muy próxima en sus recuerdos [2]:

> *llevad mi cuerpo al maternal y adusto*
> *páramo que se hermana con el cielo.*

....

[1] *Romancero del destierro;* 17; Buenos Aires, 1928.
[2] *Ibíd.;* 11-2.

Raíz mi corazón, polvo de roca,
se haga del santo páramo ermitaño,
del páramo que al otro, al cielo, toca
para juntos parir feliz engaño.

....

Si caigo aquí, sobre esta baja tierra,
subid mi carne al páramo aterido.

La vida de Unamuno en Hendaya se monotoniza pronto;
también tiene aquí su tertulia que se apiña a diario en torno a
una mesa del Grand Café. La proximidad de España intensifica
su actividad política; en colaboración con Eduardo Ortega y
Gasset edita las *Hojas Libres*, introducidas, clandestinamente,
por Guipúzcoa y en las cuales Unamuno ataca con saña a los
gobernantes del Directorio. Menudean los intentos de alejarle
de estos lugares; aludiendo a ellos escribe Unamuno[1]: «por
debajo de esos incidentes de policía, la política, la santa política,
he llevado y sigo llevando aquí, en mi destierro de Hendaya, en
este fronterizo rincón de mi nativa tierra vasca, una vida íntima
de política hecha religión y de religión hecha política, una novela de eternidad histórica». Ante los demás, Unamuno extrema
la postura que quiso adoptar desde su confinamiento en Fuerteventura: «hago el papel de proscrito —dice— [2]. Hasta el des-
cuidado desaliño de mi persona, hasta mi terquedad en no cam-
biar de traje, de no hacérmelo nuevo, dependen en parte —con
ayuda de cierta inclinación a la avaricia que me ha acompañado
siempre y que cuando estoy solo, lejos de mi familia, no halla

---

[1] *Cómo se hace una novela*; IV, 971.
[2] *Ibíd.*; IV, 956.

contrapeso—, dependen del papel que represento». Del recrudecido fervor con que se entregó a su pelea política, histórica, nos hablan muchos de sus escritos de aquellos meses; el lector que desee confirmarlo puede leer los artículos «Mi pleito personal» y «Cuatro años de Dictadura» publicados en las *Hojas Libres* y que luego pasaron a integrar la primera parte del volumen *Dos artículos y dos discursos* (Madrid, 1930). Pero no nos dejemos engañar por lo que sólo es ya mera apariencia. Tras sus desplantes; en las páginas más duras, incluso brutales, que entonces escribió, bajo su actitud de rebelde, transparece, con mayor claridad a medida que los días transcurren, lo que vivía en su intimidad y muy poco tardaría en dominarle totalmente. Legendre, que le visitó en Hendaya, nos cuenta en un artículo [1] la avidez con que Unamuno escuchaba a cuantos le hablaban de España, de qué modo anhelaba volver a sentir bajo sus pies la tierra de la patria. *Azorín* relata un suceso muy significativo [2]: «Como iba muchas veces a Hendaya, veía a Unamuno y con él departía. No podía ocultar la tristeza que le producía el destierro. Había venido a la frontera para estar cerca de España —y tocando su tierra vasca—, y ahora este acercamiento avivaba su dolor... Estando en Hendaya, cayó un día redondo al suelo, perdido el conocimiento. Juzgué que las aflicciones, los males del espíritu, debieron de ser causa de la enfermedad, grave por cierto, que luego de este accidente se siguió». Un texto epistolar de Unamuno, que paso a transcribir, viene a señalarnos cómo ya entonces presentía los cambios que pronto iban a sobrevenir en su mundo interior, y ante tal previsión no puede dominar una sensación de temor; dirigió a Bergamín aquella

[1] M. Legendre: «Miguel de Unamuno, hombre de carne y hueso»; *Cuadernos de la Cátedra Miguel de Unamuno*; I, 29-55; Salamanca, 1948.
[2] *Azorín*; *Madrid*; *Obras Completas*; VI, 206; Madrid, 1948.

carta y le cuenta en ella: «¿Escribir? Poco. Me da miedo escribir. Cuando cojo la pluma paréceme que se apodera de mí un demonio... y tiemblo. Tiemblo de tener que ponerme a pensar en el que pude haber sido, en el ex-futuro Unamuno, que dejé hace años desamparado y sólo, ¡pobrecillo!, en una sendeja del páramo de nuestra historia española» [1].

Su afincamiento en Hendaya supone regresar al paisaje acogedor, maternal, abandonado al dejar que la tierra de Castilla, seca y adusta, pusiera marco a su existencia. Ahora al alcance de su mirada se halla la Vasconia española, su tierra nativa; vive, nos dice, «a la vista tantálica de mi tierra vasca, viendo salir y ponerse el sol por las montañas de mi tierra» [2]; pero el suelo que pisa es también Vasconia, y su paisaje está operando, poderosamente, en su ánimo; «aunque mi pelea se ha exacerbado —escribe desde Hendaya— [3], se me ha serenado en el fondo el espíritu». Un día, viajero en el tren que le llevaba de Hendaya a Biarritz, a una entrevista con el Conde de Keyserling, escribió Unamuno los versos que siguen, versión poética de cuanto en él estaba obrando aquella sumersión suya en el paisaje nativo [4]:

Verdor de mi Vizcayita,
verdura de mi escasez,
mi corazón va a la cita
por si te llega la vez...
Y cuando el mundo me irrita

---

[1] Carta a J. Bergamín; 13 de abril de 1926.
[2] *Cómo se hace una novela*; IV, 938.
[3] *Ibíd.*; IV, 949.
[4] *Romancero del destierro*; 49; Buenos Aires, 1928.

> *con su horrible desnudez*
> *es tu dejo el que me quita*
> *su poso de lobreguez...*
> *Cuna de tierra bendita*
> *donde enterré mi niñez,*
> *en tus entrañas habita*
> *Dios envuelto en su mudez...*

Las emociones que la diaria contemplación de su tierra vasca, francesa o española, despertó en él dieron nueva vida a un recuerdo que ni los azares de la vida ni su agónica pasión lograron nunca aventar por completo; me refiero a las remembranzas de la niñez lejana, de aquel que fué cuando no conocía más mundo que el recogido Bilbao ochocentista y los montes, siempre verdes, que ceñían en apretado lazo el límite ciudadano de la villa. Sus visitas a Bayona le traen a la memoria la imagen de su viejo Bilbao; cualquiera de sus correrías por los pueblos y los caminos fronterizos reaviva impresiones de la infancia y la mocedad; escribe en el Prólogo a la segunda edición de *Abel Sánchez* [1]: «aquí, en esta mi nativa tierra vasca —francesa o española es igual—, a la que he vuelto de largo asiento después de treinta y cuatro años que salí de ella, estoy reviviendo mi niñez. No hace tres meses escribía aquí:

> *Si pudiera recogerme del camino,*
> *y hacerme uno de entre tantos como he sido;*
> *si pudiera al cabo darte, Señor mío,*
> *el que en mí pusiste cuando yo era niño...*

---

[1] *Abel Sánchez;* Prólogo a la 2.ª edic.; II, 874.

Y tales recuerdos le atraen con mayor encanto porque ellos le hablan de una edad en que aún no conocía la cuita que el descreimiento puso en su ánimo ni tampoco le dominaban los afanes que le trajo su deseo de ser alguien en la Historia. Añoranzas del que fué le inspiraron estos versos fechados en Hendaya, en el verano de 1926 [1]:

> *Oh mi vieja niñez, cuando vivía*
> *de cara a lo que fué —se fué y se queda—,*
> *de cara al porvenir...*
> *Pero salté la linde,*
> *me metí en el desierto, el infinito,*
> *donde el alma se rinde*
> *al tocar de su entraña el hondo hueco*
> *y se seca en el aire todo grito*
> *sin eco...*
>
> > *... eñ el tumulto*
> *de un mundo en terremoto y lucha fiera*
> *al pobre niño lo enterró el adulto...*

El deseo de recobrar cuanto su infancia le concedió perdura en estos otros versos, también escritos en Hendaya, cara al mar que bate las costas de Vasconia [2]:

> *derrítete en el sueño...*
> *olvídate... olvídate... el olvido enseña*
> *la última lección...*

---

[1] «Polémica»; *Romancero del destierro*; 51-2; Buenos Aires, 1928.
[2] *Romancero del destierro*; 34.

CAPITULO XXIII

RETORNO A LA INFANCIA

Acabamos de asistir al regreso de Unamuno a la tierra vasca, devuelto a ella por las vicisitudes que le obligó a vivir la expatriación; el exilio le alejó de Castilla y termina por orientar sus pasos al paisaje nativo. Tal suceso hace reverdecer en su memoria, acabo de indicarlo, recuerdos de la niñez lejana, de aquel que fué cuando sus ojos no conocían otra tierra que la que ahora, rondando su ancianidad, es de nuevo escenario de su vivir. Las emociones así suscitadas en Unamuno serán motivo, a su vez, de que en el mundo de sus pensamientos se agigante hasta desmesurarse una cuestión que hasta ahora vivió en él acallada e inoperante; me refiero al problema de la personalidad. Pero no puedo adelantar en este capítulo lo que ha de ser tema del siguiente. Antes de exponerlo es preciso tratar, primero, de cómo los recuerdos de su infancia tuvieron siempre en Unamuno una resonancia muy honda, que hizo posible este rebrotar pujante cuando su vida declina; también habrá que relatar en este capítulo algo de la vida pública de Unamuno desde su regreso a España, en 1930, hasta que la muerte se lo llevó consigo al anochecer el último día del año 1936.

Una corta selección de textos de Unamuno, fechados entre

1899 y 1934, va a demostrarnos cómo nunca se borró en él del todo el recuerdo de su niñez y mocedad: «no en vano fuimos niños —escribe en 1899 [1]—, siendo el niño que llevamos dentro el justo que nos justifica». Vivir aquel recuerdo sirve para renovar en su ánimo el empuje que derrama, a diario, viviendo sus luchas, tanto la exterior, en busca de renombre, como la íntima, la que le obliga a pelear su anhelo de salvarse de la muerte; canta en uno de sus más bellos sonetos [2]:

> *Vuelvo a ti, mi niñez, como volvía*
> *a tierra a recobrar fuerzas Anteo;*
> *cuando en tus brazos yazgo, en mí me veo,*
> *es mi asilo mejor tu compañía.*
>
> *De mi vida en la senda eres la guía*
> *que me apartas de todo devaneo,*
> *purificas en mí todo deseo,*
> *eres el manantial de mi alegría.*
>
> *Siempre que voy en ti a buscarme, nido*
> *de mi niñez, Bilbao, rincón querido*
> *en que ensayé con ansia el primer vuelo,*
>
> *súbeme de alma en flor mi edad primera*
> *cantándome recuerdos, agorera,*
> *preñados de esperanza y de consuelo.*

El pasado, su infancia, es para Unamuno la eternidad, lo que

---

[1] *Nicodemo el fariseo;* IV, 19.
[2] «Niñez»; *Poesías; Antología poética;* 126; Madrid, 1942.

está antes de la Historia; se pregunta: «¡Oh, mi Bilbao, mi Bilbao, mi dulce pasado!, ¿no eres tú acaso toda la eternidad de mi porvenir?»[1] Porque así lo creyó siempre iba Unamuno de Castilla a Vizcaya, de Salamanca a Bilbao; cantó con estos versos uno de aquellos retornos[2]:

> ... *vuelvo*
> *a aquel mañana de mi ayer perdido,*
> *a aquella mi otra suerte*
> *que con vosotras,*
> *nubes de mi niñez y mis montañas,*
> *fué a perderse...*

Entiende Unamuno la niñez, repito, como un «largo día que no tuvo mañana», y de la importancia que le concede son elocuente expresión estas palabras suyas, escritas en 1922[3]: «¡Desgraciado de aquel que no lleva su niñez a flor de alma! Los hombres de más intensa vida íntima y, por lo tanto, de más sólida y eficaz acción pública, de mayor valor histórico, han sido hombres de niñez larga y no niños precoces; han sido hombres cuya inocencia infantil se prolongó por largos años». Cuando el destierro lo extraña de Castilla, esta memoria de su niñez va a cobrar en Unamuno renovado incremento, capaz ya de torcer el rumbo de su vida, provocando así el desenlace de la pasión en que hasta entonces se consumió. Confinado en

---

[1] «El dulce pasado»; *Sensaciones de Bilbao;* I, 776.
[2] «Al Nervión»; *Andanzas y visiones españolas;* I, 752.
[3] «La soledad de la niñez»; *De esto y de aquello;* V, 887.

Fuerteventura, escribió estos versos, preludio de acontecimientos íntimos, decisivos, que no tardarán en sobrevenir [1]:

> *Al frisar los sesenta mi otro sino,*
> *el que dejé al dejar mi natal villa,*
> *brota del fondo del ensueño y brilla*
> *un nuevo porvenir en mi camino.*

> *Vuelve el que pudo ser y que el destino*
> *sofocó eñ una cátedra en Castilla,*
> *me llega por la mar hasta esta orilla*
> *trayendo nueva rueca y nuevo lino.*

Ya de regreso en España, cuando el destierro es también pasado, Unamuno, despegándose cada día más de la vida que rueda en torno suyo, hará del recuerdo de su niñez su más constante compañero: «estoy viviendo —escribe en 1934 [2]— obsesionado, poseído, por mi propia mocedad íntima que por el claustro de la conciencia me ronda». Ante tan repetido testimonio una pregunta se alza insoslayable: ¿Por qué perduró en Unamuno, de aquel modo, el recuerdo de su niñez? ; ¿por qué se hizo más intenso a medida que los años lo alejaban de aquella edad? La respuesta es fácil, y es el mismo Unamuno quien nos la ofrece. La vida del niño es intemporal; en cierto modo eterna, pues ignora que se vive atados a la rueda del tiempo, dándonos sombra la imagen de nuestra muerte; precisamente, el propio Unamuno lo señala, concluye la infancia «cuando el niño des-

---

[1] *De Fuerteventura a París*; 89; París, 1925.
[2] «En la villa de Pedraza de la Sierra»; *Paisajes del alma;* I, 1.012.

cubre la muerte; que uno se muere»[1]; el hermano Juan, un personaje a quien dió vida Unamuno en los días de su destierro, va a decírnoslo también: «en nuestra niñez, al no saber que se muere, fuimos inmortales»[2].

Esta sobrevaloración de la infancia supone, según la postulaba Unamuno, una manera de solventar el problema que más le preocupó siempre: el de saber qué sería de su existencia cuando la muerte lo arrebatara del mundo de la vida. Los testimonios que lo confirman pueden espigarse en escritos pertenecientes a todas las etapas de su vida de escritor. En uno fechado en 1902, nos relata cómo la contemplación de un crepúsculo en la llanada castellana indujo a su fantasía «a vivir hacia atrás, revertiendo el curso del tiempo para recorrer en sentido inverso al transcurrido la senda de mi vida, hasta *desnacerme* tras nueva infancia»[3]. De un soneto titulado «Muerte» son estos dos versos[4]:

> *¿Serás al cabo lo que un día fuiste?*
> *¿Parto de desnacer será tu muerte?*

Augusto Pérez, el protagonista de *Niebla*, monologa así sobre lo mismo: «La eternidad no es porvenir. Cuando morimos nos da la muerte media vuelta en nuestra órbita y emprendemos la marcha hacia atrás, hacia el pasado, hacia lo que fué. Y así, sin término, devanando la madeja de nuestro destino, deshaciendo

---

[1] «El día de la infancia»; *Visiones y comentarios;* 38; Buenos Aires, 1949.
[2] *El hermano Juan;* Acto 2.º; Esc. I; Madrid, 1934.
[3] «Fantasía crepuscular»; *Paisajes;* I, 153.
[4] *Poesías; Antología poética;* 122; Madrid, 1942.

todo el infinito que en una eternidad nos ha hecho, caminando a la nada, sin llegar nunca a ella, pues que ella nunca fué... Por debajo de esta corriente de nuestra existencia, por dentro de ella, hay otra corriente en sentido contrario; aquí vamos del ayer al mañana; allí se va del mañana al ayer. Se teje y se desteje a un tiempo. Y de vez en cuando nos llegan hálitos, vahos y hasta rumores misteriosos de ese otro mundo, de ese interior de nuestro mundo. Las entrañas de la historia son una contrahistoria, es un proceso inverso al que ella sigue. El río subterráneo va del mar a la fuente» [1]. Este volver a lo que fué no es morir; mejor expresado, no supone anonadarse en la muerte, sino todo lo contrario, como lo confirma Unamuno con este corto diálogo sostenido por dos personajes suyos [2]:

«*Julio Macedo.*— ...me gustaría volver al seno materno, a su oscuridad, y su silencio y su quietud...

Elvira.—¡Diga, pues, que a la muerte!

Julio Macedo.—No, a la muerte, no; eso no es la muerte. Me gustaría "des-nacer", no morir...»

Estas nuevas facetas del juego mental, al que se prende el interés de Unamuno, no son, si las analizamos con cuidado, otra cosa que intentos de recuperar una paz interior que su pasión le impide gozar. Tornar a la infancia, hacerse niño, vale tanto en Unamuno como recobrar la fe sin dudas, la firme creencia que le nutrió en aquella edad de su vida. Ahora en su ancianidad piensa mucho Unamuno en algo que expuso ya por escrito bastantes años antes, en el comentario a la vida de Don Quijote;

[1] *Niebla;* II, 724.
[2] *Tulio Montalbán y Julio Macedo;* Acto 2.º; Esc. II; San Sebastián, 1927.

dijo entonces [1]: «Hay que hacerse como niños para entrar en el reino de los cielos», y repitió más tarde por boca del figurado autor de los versos a Teresa [2]:

> *Tú, Señora, que a Dios hiciste niño*
> *hazme niño al morirme.*

Desde Bilbao, «en el cuarto en que viví mi mocedad» —son palabras suyas—, escribe Unamuno estos otros versos [3]:

> *¡Oh mis yos que finaron!*
> *Y mi último yo, el de la muerte,*
> *¿morirá solo?*
> *¡Oh tremendo misterio de la muerte!*
> *Todos esos que he sido,*
> *¿no acudirán en torno de mi lecho*
> *para aliviarme el pecho*
> *de la terrible soledad postrera?*
> *Cuando al fin muera,*
> *¿no vendréis, oh mis almas juveniles,*
> *ángeles de los días de mi infancia*
> *y de aquella mi verde primavera,*
> *con la auroral fragancia*
> *consoláréis el tránsito tremendo?*

[1] *Vida de Don Quijote y Sancho;* IV, 325.
[2] *Teresa;* 150; Madrid, 1923.
[3] *Rimas de dentro; Antología poética;* 295-96; Madrid, 1942.

Y en su *Cancionero* se lee esta tierna poesía que tiene a su pie
la fecha de un día de marzo de 1928 [1]:

> *Agranda la puerta, Padre,*
> *porque no puedo pasar;*
> *la hiciste para los niños,*
> *yo he crecido a mi pesar.*
>
> *Si no me agrandas la puerta*
> *achícame, por piedad;*
> *vuélveme a la edad bendita*
> *en que vivir es soñar.*
>
> *Gracias, Padre, que ya siento*
> *que se va mi pubertad;*
> *vuelvo a los días rosados*
> *en que era hijo no más.*

La etapa de su vida historiada en este capítulo y en el precedente nos la relata Unamuno simbolizándola en la figurada
existencia de un personaje: U. Jugo de la Raza, creado para
protagonizar uno de sus libros más importantes desde el punto
de vista de su valor autobiográfico, el titulado *Cómo se hace
una novela;* este rasgo nos lo confirma Unamuno al contarnos
la «ocurrencia» —el calificativo es suyo— «de ponerme en una
novela que vendría a ser una autobiografía» [2]. La primera
versión del libro que cito la redactó en París durante el in-

---

[1] *Cancionero;* 26; Buenos Aires, 1953.
[2] *Cómo se hace una novela;* IV, 939.

vierno de 1924 al 1925, siendo publicada a los pocos meses traducida al francés; dos años más tarde, residiendo ya en Hendaya, «traduce» la versión francesa de la obra, ampliándola en varios capítulos, para su edición castellana. El libro se compone de elementos muy heterogéneos: ataques a las personalidades dirigentes de la situación política española que le condujo al destierro; noticias de su vida de exilado y de las lecturas realizadas en París y Hendaya, y mezclándose con todo esto que es historia, o mejor anécdota, un relato de la resonancia que aquella vida tuvo en su intimidad y que aquí en la novela la revive su contrafigura literaria, el personaje U. Jugo de la Raza. Este personaje, cuyo nombre es anagrama del nombre y apellidos de su creador, residiendo en París lee cierto día, en un libro que el azar puso en sus manos, la profecía de su muerte para cuando concluya de leer la obra en que tal se escribe. Presa de angustia abandona su lectura y se promete no reanudarla; pero el interés por tornar a ella acrece acosándole; «el pobre Jugo de la Raza no podía vivir sin el libro, sin aquel libro; su vida, su existencia íntima, su realidad, su verdadera realidad estaba ya definitiva e irrevocablemente unida a la del personaje de la novela. Si continuaba leyéndolo, viviéndolo, corría riesgo de morirse cuando se muriese el personaje novelesco, pero si no lo leía ya, si no vivía ya más el libro, ¿viviría?» [1]. Por varias vicisitudes hace pasar Unamuno a los contrarios sentimientos de curiosidad y temor que pelean en la intimidad del personaje. En cierto momento, el deseo de reanudar la lectura interrumpida parece triunfar en el personaje, quien vuelve a ella y la prolonga hasta que de nuevo tropieza con otro augurio de

---

[1] *Cómo se hace una novela*; IV, 945.

muerte para el lector que siga leyendo; «esta vez —copio a Unamuno [1]— el efecto fué espantoso. El trágico lector perdió el conocimiento en su lecho de agonía espiritual, dejó de soñar al otro y dejó de soñarse a sí mismo». Al volver a la vida de su desmayo, al serenarse, decide por segunda vez no volver a tal lectura, y para mejor cumplir su rehecha promesa destruye el ejemplar y más tarde emprende un viaje. Interviene ahora el propio Unamuno en las decisiones, nunca muy firmes, de su criatura, y ya inmerso él también en la novela, le plantea así a su personaje el irresuelto problema que le acucia: «o acabar de leer la novela que se había convertido en su vida, y morir acabándola, o renunciar a leerla y vivir, vivir, y, por consiguiente, morirse también. Una u otra muerte, en la historia o fuera de la historia» [2]. La interpretación de este párrafo, verdadera clave de todo el relato, es fácil: Unamuno encara en él a su personaje con la aporía a la que él mismo vive enfrentado, pues la lección que le obligó a aprender el destierro supuso para Unamuno cobrar conciencia de cómo en él vivían dos individualidades, la histórica y la intrahistórica, que se contraponían y hasta trataban de anularse mutuamente aunque sin conseguirlo; son el Unamuno codicioso de renombre y el Unamuno que anhela creer en una vida perdurable y sólo suya tras la muerte.

Unamuno, en el año que fecha la primera versión del relato (París, 1925), no ha conseguido todavía poner paz en aquella contienda, y algunos de sus comentaristas piensan que se murió sin haber encontrado solución definitiva a tal contradicción íntima; si esto sucedió en su vida, era natural que lo mismo le

---

[1]   *Cómo se hace una novela*; IV, 948.
[2]   *Ibíd.;* IV, 958-59.

aconteciera al personaje U. Jugo de la Raza, reencarnación de la existencia que por aquellos días vivía su creador. La novela queda, por tanto, sin desenlace, llegando incluso a decirnos en ella Unamuno: «Esta novela y por lo demás todas las que se hacen y no que se contenta uno con contarlas, en rigor, no acaban. Lo acabado, lo perfecto, es la muerte, y la vida no puede morirse» [1]. Esto fué, como digo, en 1925. Viviendo Unamuno en Hendaya, dos años más tarde, retorna a la novela dispuesto a darle remate; «ahora quiero acabarla —escribe en 1927— [2], quiero sacar a mi Jugo de la Raza de la tremenda pesadilla de la lectura del libro fatídico, quiero llegar al fin de su novela... Y creo poder llegar a él, creo poder acabar de hacer la novela, gracias a veintidós meses de Hendaya». He aquí el final imaginado por Unamuno [3]: «Mi Jugo se dejaría al cabo del libro, renunciaría al libro fatídico, a concluir de leerlo. En sus correrías por los mundos de Dios para escapar de la fatídica lectura iría a dar a su tierra natal, a la de su niñez, y en ella se encontraría con su niñez misma, con su niñez eterna, con aquella edad en que aún no sabía leer, en que todavía no era hombre de libro. Y en esa niñez encontraría su hombre interior, el *eso anthropos*... Precisamente en estos días ha caído en mis manos, y como por divina, o sea paternal providencia, un librito de Juan Hessen, titulado «Filialidad de Dios» (*Gottes Kindschaft*), y en él he leído: ''Debería por eso quedar bien en claro que es siempre y cada vez el niño quien en nosotros cree. Como el ver es una función de la vista, así el creer es una función del sentido infantil. Hay tanta potencia de creer en

[1] *Cómo se hace una novela*; IV, 965.
[2] *Ibíd.*; IV, 970.
[3] *Ibíd.*; IV, 972-73.

nosotros cuanta infantilidad tengamos". Y no deja Hessen, ¡claro está!, de recordarnos aquello del Evangelio de San Mateo (18, 3) cuando el Cristo, el Hijo del Hombre, el Hijo del Padre, decía: "en verdad os digo que si no os volvéis y os hacéis como niños no entraréis en el reino de los cielos". "Si no os volvéis", dice. Y por eso le hago yo volverse a mi Jugo». Tampoco la interpretación de esta segunda parte de la novelesca existencia del personaje ofrece dificultad alguna. En Hendaya volvió a sentir Unamuno sobre sus dudas, en su agónica pasión, el influjo aquietador con que obra en él la tierra nativa y el regusto de la niñez que en ella vivió; de esto se ha hablado con suficiente atención en este mismo capítulo para volver sobre ello; quiero tan sólo señalar cómo en la figurada personalidad de U. Jugo de la Raza se eleva a la categoría de símbolo aquella lección que le hizo vivir el destierro, su exilio, forzado primero, voluntario después, de la tierra de Castilla, de la existencia que su desolado paisaje le ayudó a vivir.

Interiormente transformado regresa Unamuno a España el 9 de Febrero de 1930; no voy a hacer historia de las etapas por que atravesó este retorno, con todo el aire de los grandes acontecimientos políticos, utilizado por muchos, amigos y detractores, para quienes el suceso tuvo un significado favorable o adverso, es igual, pero en cualquier caso muy distinto del que Unamuno quiso concederle. Ya en Salamanca, su vida, exteriormente, vuelve a ser la habitual; reanuda la convivencia familiar y la costumbre de sus tertulias y paseos; volverá a entregarse al viejo afán de recorrer, por todas sus rutas, el mapa peninsular; continúa sus lecturas, la copiosa labor de articulista; publica nuevos libros, y, desde luego, sigue consagrado a la política que al año siguiente de su regreso haría vivir a España su segundo experimento republicano. De su existencia de entonces el suceso más decisivo fué la muerte de su esposa en 1934, que le privó del asidero vital que más necesitaba. Para los políticos de la República, Unamuno fué el santón que siempre procuraron halagar; ellos le restituyeron, con carácter vitalicio, en su puesto de Rector de la Universidad salmantina; dieron a las fiestas de su jubilación de profesor carácter nacional, y en 1935 le nombraron primer Ciudadano de Honor. Choca con esta vida exterior, pública, el rumbo que siguió manteniendo su vida íntima, impuesto y gobernado por las experiencias que le deparó el exilio; valdrá para confirmarlo el siguiente texto escrito por Unamuno, en Salamanca, en el otoño de 1930: «me volví para reanudar aquí, en el seno de la patria, mis campañas civiles, o, si se quiere, políticas. Y mientras me he zahondado en ellas he sentido que me subían mis antiguas, o, mejor dicho, mis eternas congojas religiosas, y en el ardor de mis pregones políticos me susurraba la voz aquella que dice: "Y después de esto, ¿para qué todo?, ¿para qué?" Y para aquietar esa voz o a quien me la da, seguía perorando a los creyentes en el progreso, y en la civilidad, y en la justicia, y para convencerme a mí mismo de sus excelencias» [1]. Los sucesos que fueron jalonando la vida social y política nacional bajo la égida republicana, hicieron muy pronto de Unamuno un desengañado y uno de sus más esforzados impugnadores. Casi todos los artículos escritos por él desde 1932 podrían ser citados como testimonio de lo que digo; reproduciré sólo un texto, bien ilustrativo por cierto: «El que esto os dice —escribe en 1934— [2], que ya otra vez tuvo que emigrar de su patria, le estruja el cogollo del

---

[1] *La agonía del Cristianismo;* Prólogo a la edic. esp.; IV, 822.
[2] «Y después, qué...?»; *Ahora;* Madrid, 3 de octubre de 1934.

corazón pensar que tenga que volver a hacerlo y... después de haber pasado de sus setenta años». «Su última época —cuenta de él Ramón Gómez de la Serna— [1] fué de lucha con todos, de disconformidad con los unos y con los otros, como si quisiera evitar por algún medio lo que en lo profundo de su instinto de gran español presentía... Estaba nervioso, excitado, como quien siente la tormenta». Según Ferrater Mora [2], «aún antes de la proclamación de la República ya comenzaba a situarse en cierto modo frente a ella el que más había hecho para que se llegara a proclamar... La amargura de los últimos años de Unamuno comienza ya entonces y no cesará sin dudas hasta su muerte. En los artículos publicados en _El Sol_ y en _Ahora_ deja traslucir insistentemente esta amargura». Previsiones del desastre que muy pronto iba a precipitarse sobre la vida española acibarán todavía más los pensamientos de Unamuno; en su última lección profesoral, que leyó en el Paraninfo de la Universidad salmantina el 30 de Septiembre de 1934, les dijo a los jóvenes que le escuchaban, a quienes serían combatientes antes de cumplirse dos años a contar desde aquel día: «quiero... hacer un llamamiento a la paz, a la paz en la guerra»; les añade: «esa marea de insensateces —de injurias, de calumnias, de burlas impías, de sucios estallidos de resentimientos— no es sino el síntoma de una mortal gana de disolución. De disolución nacional, civil y social. Salvadnos de ella, hijos míos. Os lo pide al entrar en los setenta años, en su jubilación, quien ve en horas de visiones revelatorias rojores de sangre y algo peor: lividces

---

[1] R. Gómez de la Serna: «Don Miguel de Unamuno»; _Retratos contemporáneos;_ 421; Buenos Aires, 1944.

[2] J. Ferrater Mora: _Unamuno. Bosquejo de una filosofía;_ 38-9; Buenos Aires, 1944.

de bilis» [1]. La guerra civil sorprendió a Unamuno en Salamanca; su adhesión a los principios que vino a defender el Alzamiento militar le valió la destitución como Rector por el Gobierno de Madrid (23 de Agosto de 1936), cargo en el que le repuso el Gobierno de Burgos [2]. Un incidente ocurrido durante la celebración del acto académico con que la Universidad conmemoraba la fecha del 12 de Octubre motiva su definitiva deposición del cargo rectoral y el confinamiento en su hogar de la calle de Bordadores que no abandonó hasta que la muerte, inesperada [3], se lo llevó para siempre al morir el día del 31 de Diciembre de 1936.

[1] Cito por la edic. que de esta Lección hizo el Ministerio de Instrucción Pública y Bellas Artes.

[2] Sobre la vida de Unamuno en el escenario de la contienda civil, cf. J. A. Balseiro: *Blasco Ibáñez, Unamuno. Valle Inclán. Baroja. Cuatro individualidades de España;* 110-13; New York, 1949.

[3] Cf. el relato que de su muerte hizo J. M.ª Ramos Loscertales: «Cuando Miguel de Unamuno murió»; Prólogo al libro de B. Aragón Gómez: *Síntesis de Economía Corporativa*; 13-16; Salamanca, 1937.

CAPITULO XXIV

DIVINA COMEDIA

En el destierro comprendió Unamuno cuán irreducible era la oposición existente en él entre la corteza de su personalidad, el renombre y la almendra de la misma, la cual no era otra que aquel viejo anhelo suyo de querer creer en la fe que da vida, de no morir. Desde ahora vive, y con una intensidad hasta entonces desconocida, la lucha que estas dos fracciones de su ser pelean, sin descanso, sobre el escenario de su mundo interior; cierto que tal lucha no es sino la que encendió en él, en fecha ya lejana, su descreimiento, tantas veces simbolizada en sus escritos con el relato bíblico que protagonizan Abel y Caín, ejemplo máximo, y primero, de toda lucha fratricida. Lo que sus vivencias de exilado obraron en esta guerra interior; la lección del destierro, en otras palabras, no fué tanto la recrudecida intensidad con que desde entonces se reanuda aquella pelea íntima, como el deseo que ahora experimenta Unamuno de poner en ella paz, de reconciliar los bandos enemigos en que se desgarra su existencia; más aún, de ahogar su personalidad exterior, la histórica, anegándola en las profundas aguas de la vida eterna que siempre anheló, y ahora como nunca.

Estudiar esta última escena del desenlace en que desemboca

su pasión obliga, posponiendo algo su relato, a exponer primero el significado de un concepto empleado por Unamuno con insistencia; me refiero al término «intrahistoria». Al ámbito en el cual los hombres viven, haciéndolas, sus existencias, y al producto de su hacer, lo que se ha convenido en llamar Historia, se opone otro, asimismo colectivo, pero que se expande en la intimidad de cada existencia: es el mundo intrahistórico; la Historia se encuentra sometida a la férula inexorable del tiempo; la intrahistoria es intemporal, eterna. La presencia de ambos mundos en toda existencia nos dice cómo en ella existe un flanco temporal y otro perdurable; una fracción de su personalidad caduca y otra imperecedera. En Unamuno, esta partición de su ser se perfila muy netamente; al mundo intrahistórico, perdurable, pertenece su niñez, y al histórico o perecedero el resto de su existencia; en la frontera entre ambas zonas, sintiendo su contrapuesta atracción, Unamuno fué haciéndose, agónicamente, su personalidad. Laín Entralgo[1], comentando este envés de su existencia, recuerda un texto escrito por Unamuno en 1898 donde éste se preguntaba, clarividente: «El enredar a los hombres en la lucha por la vida histórica de la nación, ¿no los distrae y aparta de luchar por su propia vida eterna?»[2]; Laín pone de su parte el siguiente comentario: «La historia, en el sentido de Unamuno, es lo consciente de la vida histórico-social —lo ”conciente” diría él—, y la intrahistoria lo irracional e inconsciente... No creo que sea violento establecer una relación inmediata entre la ”intrahistoria” de Unamuno y la tesis del ”inconsciente, sobrepersonal o colectivo” de Jung»[3]. El lec-

---

[1] P. Laín Entralgo: *La generación del Noventa y Ocho;* 263-77; Madrid, 1945.
[2] «La vida es sueño»; *Ensayos;* III, 202.
[3] P. Laín Entralgo: *La generación del Noventa y Ocho;* 269-70; Madrid, 1945.

tor recordará cómo en varias ocasiones se ha recurrido aquí a la psicología junguiana para explicar ciertos aspectos, los más importantes, desde luego, de la personalidad de Unamuno y la pasión que dominó su existencia. Lo dicho sobre la concepción unamunesca de la «intrahistoria» basta para esclarecer el problema que en los años finales de su vida centró la curiosidad intelectual de Unamuno, y que ahora es momento de narrar. Fué aquel problema la interpretación de la existencia entendida como sueño y del hombre que la vive. No era nuevo en Unamuno tal motivo de preocupación, es cierto, pero sí lo es la manera de plantearlo, índice muy demostrativo, como se verá, de los cambios que en su mundo íntimo impusieron los años de exilio, cuanto aprendió haciendo el papel de desterrado. Muchas veces meditó Unamuno la sentencia calderoniana de cómo el hombre en tanto vive sueña, y aquella otra de Shakespeare de que el hombre mismo está hecho de la estofa de los sueños, por lo cual su vida sólo sería sueño de un sueño. Le preocupó sobre todo a Unamuno descubrir la identidad del soñador de ese sueño que es el hombre y también del mundo en el cual son soñados, o mejor, sueñan los hombres que viven; soñador de todo, mundo y seres humanos, que para Unamuno no puede ser sino Dios. Se encara a Él y le pregunta: «¡La vida es sueño! ¿Será acaso también sueño, Dios mío, este tu Universo de que eres Conciencia eterna e infinita?; ¿será un sueño tuyo?; ¿será que nos estás soñando? ¿Seremos sueño, sueño tuyo, nosotros, los soñadores de la vida? Y si así fuese, ¿qué será el Universo todo, qué será de nosotros, qué será de mí cuando Tú, Dios de mi vida, despiertes? ¡Suéñanos, Señor!»[1]. Vuelve a preguntarse, ahora por

---

[1] *Vida de Don Quijote y Sancho;* IV, 388.

23

boca de su personaje Augusto Pérez [1]: «¿No es acaso todo esto un sueño de Dios o de quien sea, que se desvanecerá en cuanto Él despierte, y por eso le rezamos y elevamos a Él cánticos e himnos, para adormecerlo, para acunar su sueño? ¿No es acaso la liturgia toda de todas las religiones un modo de brezar el sueño de Dios y que no despierte y deje de soñarnos?».

Durante los meses de su destierro en Hendaya llegó para Unamuno la hora de despertar del sueño de la vida; el sueño quiere ahora hacerse realidad. Aquí, en Vasconia, mientras acunan sus días recuerdos de la niñez, el espíritu se le abre a un renovado desear la verdad eterna que entonces aprendió a amar; recobrarla supondría romper el nudo agónico de su vida, vencer a la razón que niega y acogerse a la creencia que afirma y salva. Escribe ahora: «Sólo está de veras despierto el que tiene conciencia de estar soñando» [2]. La vida no es ya para él aquella realidad que le mostró su razón atándole a ella, y que para huir de su evidencia, queriendo librarse así de la angustia que en él provocaba, le era preciso negarla arbitrariamente, pasionalmente, y afirmar contra ella, sin lograr creerlo, claro, la verdad de su sueño. Ahora advierte que la razón erraba al imponerle su limitación, negándole la fe en la inmortalidad por él tan anhelada. Y erraba como se equivocaría quien pretendiese tomar la ficción escénica por realidad, cuando sólo lo es en tanto acontece, bajo un tiempo finito y en el espacio acotado del escenario o tablado donde va siendo representada. Igual la vida; real mientras se pone en escena, sea por un hombre, sea por un pueblo, cesa de serlo al tiempo que el telón cae ante ella. El espectador entonces —en la vida a la vez actor y autor de la ficción vivi-

---

[1] *Niebla;* II, 777-78.
[2] *Niebla;* Prólogo a la 2.ª edic.; II, 692.

da— ingresa en la verdadera realidad, despierta a ella; escribió ya Unamuno en 1917: «La sentencia la vida es sueño lleva como correlativo esta otra: la muerte es vela»[1]. Desde los días del exilio quiso Unamuno, aunque no pretendo afirmar que lo consiguiera, dejar de creer en la realidad de la vida para pensar en su relatividad; en otras palabras, admitir la existencia de una vida ultraterrena ante la cual esta del mundo es sólo tránsito. El mundo es escenario, y la vida que en él se vive, la de todos, la suya propia, comedia; Divina Comedia, mejor. Oigámoselo afirmar a Unamuno por boca de uno de los personajes que creó en el destierro; habla el hermano Juan: «En este teatro del mundo, cada cual nace condenado a un papel, y hay que llenarlo so pena de vida»[2]; añade en otra escena[3]: «Todo tramoya es este nuestro mundo». Cuando el mismo personaje, convertido en religioso, pregunta al Padre Teófilo: «Diga, en secreto: fuera del juego, fuera del teatro, ¿qué hay?... ¿No responde? Fuera del teatro, ¿qué hay?», le contesta el interpelado: «¡La empresa y el empresario... de la Divina Comedia!»[4]. La verdadera realidad, la eterna, se encontraría fuera de los estrechos límites del mundo dentro del cual se figuran los hombres poseerla. A esta realidad perdurable se asió el anhelo de Unamuno, el que le llevó a vivir agónicamente, pues no quería morir un día del todo; era su inalcanzable deseo; era su sueño. «El sueño —escribió en 1916—[5] es lo que queda, lo duradero, lo permamente, lo sustancial, y sobre él, sobre el sueño, como sobre el

[1] «La vida es sueño»; *De esto y de aquello;* V, 85.
[2] *El hermano Juan;* Acto 1.º; Esc. I; Madrid, 1934.
[3] *Ibíd.;* Acto 1.º; Esc. VI.
[4] *Ibíd.;* Acto 3.º; Esc. II.
[5] «La torre de Monterrey a la luz de la helada»; *Andanzas y visiones españolas;* I, 697.

mar las olas, pasan rodando nuestros dolores y nuestros goces, nuestros odios y nuestros amores, nuestros recuerdos y nuestras esperanzas. Las olas son del mar; pero las olas pasan y el mar se queda; los dolores y los goces, los odios y los amores, los recuerdos y las esperanzas, son del sueño, del sueño de la vida; pero ellos, dolores, goces, odios, amores, recuerdos, esperanzas, pasan, y el sueño queda». La vida pasa, cierto; deja de ser según la vivimos, pero no así el sueño que la nutre; en Unamuno, aquel sueño que nunca dejó de soñar, esperando siempre poder creer algún día en su realidad, sería el de su propia pervivencia tras la muerte. El sueño perduraría después que la ficción concluyese, fuera del escenario del mundo; habría, por tanto, una razón cuando menos para que el hombre se crea inmortal.

Ligado a esta cuestión de la irrealidad de la vida, del sueño que es y de quien pueda ser su soñador, aparece, en la preocupación de Unamuno, el problema de la personalidad, del personaje que existe mientras el hombre sueña una vida que considera suya y resulta ser sueño soñado por alguien que no es él. Pasemos a conocer lo que acerca del tema dijo Unamuno. Su primer hallazgo, hecho ya en sus más tempranas meditaciones en torno al tema, fué descubrir cómo bajo la individualidad bien perfilada de su existencia, ésta se partía en dos fracciones contrapuestas; escribió en 1906 [1]: «Cabe, en rigor, sostener que cada uno de nosotros lleva dentro de sí muchos hombres, mas por lo menos dos: un yo profundo, radical, permanente, el yo que llaman ahora muchos *subliminal* —de debajo del *limen* o nivel de la conciencia—, y otro yo superficial, pegadizo y pasajero, el *supraliminal*». El personaje superficial, el exterior, es el que se hace cara al mundo, es el histórico, el que vive sobre el

---

[1] «Sobre la consecuencia, la sinceridad»; *Ensayos;* III, 747.

escenario; pero tras él, bajo la máscara con que el anterior lo encubre, vive el personaje intrahistórico, que nadie conoce, en ocasiones ni quien lo lleva consigo. En un artículo escrito durante el Carnaval de 1901, dijo, clarividente, Unamuno: «Para que a uno le desconozcan, nada mejor que disfrazarse de sí mismo»[1]. ¿Cuál de los dos es más uno mismo? Apunta la respuesta que se dió Unamuno a esta pregunta en un escrito fechado en 1923, donde se lee: lo fundamental en cada uno «es lo que se quiere ser y no lo que se es»[2], y en este segundo texto que firmó un año después[3]: «lo más propio, lo más íntimo, lo más profundo de uno no es lo que es, sino lo que quiere ser». Esta convicción suya acerca de la duplicidad de personajes que componen toda existencia humana, y con ella la de la lucha que trabaría a ambos en ininterrumpida guerra, tal como en su personal existencia aconteció, explica el interés demostrado por Unamuno hacia el tema de Caín[4]; de él nos habla en varios artículos, en su *Sentimiento trágico de la vida*, y constituye el nudo argumental de la novela *Abel Sánchez* y de sus piezas dramáticas *Tulio Montalbán y Julio Macedo* y *El Otro*[5]. La razón por la cual Caín mató; quien sostiene en guerra fratricida a los personajes que en él moran, no es otra, según Unamuno, que la pasión de sobrevivir. Frente a las concepciones marxista y freudiana, que lo explican todo aduciendo razones económicas o eróticas, respectivamente, postula Unamuno la pa-

---

[1] «De antruejo»; *De esto y de aquello;* V, 759.
[2] *Aforismos y definiciones;* IV, 730.
[3] *Alrededor del estilo;* IV, 754.
[4] Cf. C. Clavería: «Sobre el tema de Caín en la obra de Unamuno»; *Temas de Unamuno;* 93-122; Madrid, 1953.
[5] Un precedente a *El Otro*, se halla en su relato «El que se enterró», publicado en 1908, recogido por García Blanco en *De esto y de aquello;* V, 1.026-32.

sión de sobrevivir, calificada en un capítulo anterior de esta obra, historiándola en la propia existencia de su defensor, de auténtico instinto, el único que merecería el título de humano; «mata Caín a Abel —nos dice Unamuno— [1] por envidia. No es lo que aquí juega la necesidad física, material, de conservarse ni la de reproducirse, sino la necesidad psíquica, espiritual, de representarse, y con ello de eternizarse, de vivir en el teatro que es la historia de la humanidad». La cuestión es no morir; como lo confirma el figurado redactor de las cartas que componen uno de los últimos relatos escritos por Unamuno [2], «el problema más hondo de la novela, o sea del juego de nuestra vida, no está en cuestión sexual, como no está en cuestión de estómago. El problema más hondo de nuestra novela... es un problema de personalidad, de ser o no ser, y no de comer o no comer, de amar o de ser amado».

El cambio que en sus pensamientos, en la manera de encarar la vida y entenderse a sí mismo, impuso a Unamuno el exilio exacerba este problema de la personalidad y le imprime una orientación nueva. La mudanza se advierte ya en los sentimientos que mueven la figurada existencia del personaje U. Jugo de la Raza, protagonista, lo sabe el lector, del relato *Cómo se hace una novela*; sus obras posteriores muestran conclusa tal inversión. El problema que ahora se plantea Unamuno lo constituye, en opinión de Sánchez Barbudo, «la inquietud de saber *si uno es lo que es,* y también la de saber si uno *seguirá siendo lo que es*» [3]; tal cuestión se enlaza estrechamente con la de sus dudas

[1] *El hermano Juan;* Prólogo; 13; Madrid, 1934.
[2] «La novela de don Sandalio, jugador de ajedrez»; *San Manuel Bueno, mártir, y tres historias más*; II, 1.263.
[3] A. Sánchez Barbudo: «El misterio de la personalidad de Unamuno»; *Revista de la Universidad de Buenos Aires;* XV, 201-54; Buenos Aires, 1950.

religiosas, pues, como nos dice el comentarista citado, aquel problema era, en verdad, «el sentimiento de un contraste entre el hombre externo, el que los demás ven, y el íntimo, el verdadero; y también la caída de uno a otro: es decir, un súbito y doloroso advertir que bajo el Unamuno de la "novela" o leyenda —el Unamuno teatral y exhibicionista, el de la duda y la desesperación— estaba el hombre solitario, verdaderamente angustiado, el que iba a morir de verdad cuando la leyenda acabase», y así, al tratarlo Unamuno en su novela *San Manuel Bueno, mártir*, el problema no era ya «el de no saber si seguirá viviendo o no, y ni siquiera el de no querer morir, sino el de saber que, sin duda alguna y sin esperanza alguna, iba a morir... La raíz del problema de la personalidad en don Manuel, como en Unamuno, era el sentimiento de la Nada, la intuición de la propia muerte»[1]. No todos los críticos de la obra unamuniana y comentaristas de su existencia admitirían estas conclusiones de Sánchez Barbudo; por mi parte, callando mi propia opinión, que nada tiene que hacer en el marco de esta obra, orillando polémicas, voy a remitirme al testimonio de Unamuno reproduciendo algunos textos suyos donde puede colegirse su manera de pensar acerca del tema. En 1905 escribía, dirigiéndose más que al lector de turno a sí mismo: «Te debe importar poco lo que eres; lo cardinal para ti es lo que quieras ser. El ser que eres no es más que un ser caduco y perecedero, que come de la tierra y al que la tierra se lo comerá un día; el que quieres ser es tu idea de Dios, Conciencia del Universo: es la divina idea de que eres manifestación en el tiempo y en el espacio. Y tu impulso querencioso hacia ese que quieres ser no es sino la mo-

---

[1] A. Sánchez Barbudo: «Los últimos años de Unamuno. *San Manuel Bueno* y el vicario saboyano de Rousseau»; *Hispanic Review*; XIX, 281-322; Philadelphia, 1951.

rriña que te arrastra a tu hogar divino» [1]. A partir de esta fecha, seguramente desde mucho antes, Unamuno sobrepuso cuanto pudo el que quiso ser al que en realidad creía que era. Pero nunca hasta la última década de su vida deseó poner término a la lucha que mantenía enfrentados a los dos personajes moradores de su intimidad; la expresión más sincera de este último deseo suyo se lee en *El Otro*, un drama del cual dijo el propio Unamuno: «me ha brotado de la obsesión, mejor de la preocupación, por el misterio —no problema— de la personalidad; del sentimiento congojoso de nuestra identidad y continuidad individual y personal» [2]. En este drama, uno de los mellizos que en él viven su fraterna pelea, tras haber matado, desea arrancar de sí la sombra del que murió, y en un monólogo le oímos decir algo que muchas veces debió repetirse a sí mismo su creador: «cosa tremenda no poder ser uno, uno, siempre uno y el mismo, uno... ¡Nacer solo para morir solo! ¡Morir solo, solo, solo!... Tener que morir con otro, con el otro, con los otros...» [3]. Traslademos este texto a la vida de Unamuno y quedará patente su verdadero significado, trasunto de una situación que empezó a hacer suya Unamuno durante su exilio en Hendaya, la que le permitió dar remate a la indecisión en que naufragaba la existencia del personaje U. Jugo de la Raza: matar la duplicidad de tendencias causa de la guerra que roía su intimidad y recogerse en la creencia capaz de disipar toda duda; retornar a la infancia, a la firme fe de sus años de niñez y mocedad.

En otros términos, todo viene a refluir en un problema religioso, el que movió su existencia entera, si bien ahora encarado

---

[1] *Vida de Don Quijote y Sancho;* IV, 135-36.
[2] Declaraciones de Unamuno en *Índice literario;* I, 26; Madrid, 1933.
[3] *El Otro;* Acto 3.º; Esc. VI; Madrid, 1932.

desde una actitud vital muy distinta de la que hasta entonces se complació en mantener; como dice, acertando en el juicio, Samuel Putnam, «cuando Unamuno se plantea con fines creativos este problema de la personalidad, sigue siendo, en principio, el filósofo y el teólogo» [1]. Los años lo han acercado mucho al término natural de una existencia humana, y si siempre le angustió a Unamuno la previsión de su muerte, más tiene que acongojarle ahora cuando su propia vida orgánica es quien se lo recuerda. «Sólo se pone uno en paz consigo mismo, como Don Quijote, para morir», escribió Unamuno en 1925 [2]; queriendo aliñar la postura con que había de recibir a su muerte, pretende Unamuno poner paz en su vida íntima, pues la muerte, lo dice uno de sus personajes abocado a este trance decisivo, «no es juego» [3]. Anhela paz quien toda su vida quiso creer en una eternidad que fuese prolongación sin término de su agónico dudar; dice ahora, y por él habla Unamuno, el personaje Manuel Bueno, también en trance de muerte: «¡Qué ganas tengo de dormir, dormir, dormir sin fin, dormir por toda una eternidad y sin soñar!, ¡olvidando el sueño!» [4]. Y en un artículo de estos últimos años de su vida, hablando en esta ocasión sin artificio de personajes novelescos, torna a decirnos Unamuno: «Creer es luchar. Pero esta lucha, esta automaquia, ¡cómo cansa! Y para mantener la guerra hace falta en ella, dentro de ella, paz... ¡Paz, sosiego, descanso! Sueño para alimentar la vida» [5].

[1] S. Putnam: «Unamuno y el problema de la personalidad»; *Revista Hispánica Moderna;* I, 103-10; New York, 1935.
[2] *La agonía del Cristianismo;* IV, 830.
[3] *El hermano Juan;* Acto 3.º; Esc. VI; Madrid, 1934.
[4] «San Manuel Bueno, mártir»; *San Manuel Bueno, mártir, y tres historias más;* II, 1.224.
[5] «Ascensión y asunción»; *Visiones y comentarios;* 50; Buenos Aires, 1949.

Cobra así nuevo aire en Unamuno su viejo anhelo de no morir. Cuanto se ha escrito en este capítulo y en los dos precedentes nos confirma en la idea de que Unamuno, mientras su muerte parece acunar ya su vida para el sueño eterno, intentó recuperar la fe que podía salvarle. Manuel Bueno, el párroco de Valverde de Lucena, va a encarnar en su figurada existencia este último deseo de quien le dió vida. No creía este sacerdote, cuenta Unamuno, en la existencia de nueva vida tras la muerte, y cuando a la cabeza de su pueblo, en la iglesia, rezaba a coro, su voz callaba al llegar al «creo en la resurrección de la carne y la vida perdurable»; a su muerte, otro personaje del relato, una mujer, Ángela Carballino, nos confesará que murió don Manuel «creyendo no creer en lo que más nos interesa, pero sin creer creerlo, creyéndolo en una desolación activa y resignada... Creo que Dios Nuestro Señor, por no sé qué sagrados y no escudriñaderos designios, le hizo creerse incrédulo. Y que acaso en el acabamiento del tránsito se le cayó la venda»[1]. Este es el contrapunto esperanzador en la historia de Manuel Bueno, en la agónica existencia de don Miguel de Unamuno; esperanza ya mucho antes confesada y en la que muy posiblemente nunca dejó de creer: «Lo que hemos de acaudalar para nuestra última hora —escribió en 1905—[2] es riqueza de esperanzas, que con ellas, mejor que con recuerdos, se entra en la eternidad. Que nuestra vida sea un perduradero Sábado Santo»; veinte años más tarde nos repite[3]: «un cristiano

---

[1] «San Manuel Bueno, mártir»; *San Manuel Bueno, mártir, y tres historias más;* II, 1.230.

[2] *Vida de Don Quijote y Sancho;* IV, 248.

[3] *La agonía del Cristianismo;* IV, 886.

debe creer que todo cristiano —más aún: que todo hombre— se arrepiente a la hora de la muerte; que la muerte es ya, de por sí, un arrepentimiento y una expiación, que la muerte purifica al pecador». Es enteramente autobiográfico el problema religioso que le hizo vivir su creador a Manuel Bueno; nos lo confirma Unamuno en el prólogo al libro y lo confirma también el comentarista que con mayor minucia ha estudiado este período final de su existencia. «En ningún personaje —escribe este crítico— [1] se pintó él tan esencialmente como en este cura», y añade: «el nombre de "Manuel Bueno" recuerda al de "Quijano el Bueno", en quien Don Quijote se transformó al sentirse morir, arrepentido ya de sus estériles luchas... Nada extraño parece que quien toda su vida se había identificado con el batallador Don Quijote, con ese luchador por la fe, hubiera querido luego, al final, en esa obra de vencimiento y desmayo, de arrepentimiento, que es *San Manuel Bueno, mártir*, identificarse con Quijano el Bueno, y para ello identificar a éste con el párroco» [2]. Quedamos ante la puerta que traspuso Unamuno en brazos de su muerte; está cerrada y ningún nuevo indicio me autoriza a añadir nada a este *Retrato* de su personalidad; tampoco me estaría permitido especular sobre los últimos pensamientos que pudieron alcanzar vida en su mente. ¿Recobró la fe en la creencia capaz de concederle la vida perdurable que siempre anheló?; ¿fué su empeño por poner paz en su guerra íntima algo más que simple propósito? Nunca tendrán respuesta humana estas preguntas, es lo único cierto que encarándolas podemos todos afirmar.

[1] A. Sánchez Barbudo: «Los últimos años de Unamuno. *San Manuel Bueno* y el vicario saboyano de Rousseau»; *Hispanic Review*; XIX. 281-322; Philadelphia, 1951.
[2] A. Sánchez Barbudo: *Ibíd*.

EPILOGO

EPILOGO

MEDITACION ANTE LA TUMBA DE
DON MIGUEL DE UNAMUNO

Méteme, Padre eterno, en tu pecho,
misterioso hogar,
dormiré allí, pues vengo deshecho
del duro bregar.

MIGUEL DE UNAMUNO

Hoy he escrito el último capítulo de este *Retrato de Unamuno* y ahora me hallo ante la tumba que guarda su resto mortal. Su nombre rueda por todo el mundo dándole aquella sombra de inmortalidad por la que tanto peleó en vida; aquí está el hombre, lo que de él queda y volverá a ser vestidura carnal de su alma el Día en que todos seremos convocados.

Cae el sol, y este atardecer de Agosto tiene cierto regusto otoñal; también algo de su melancolía. Salamanca, luciendo los mejores oros de su faz de piedra bajo la luz maravillosa de esta hora, queda a nuestra espalda. Vengo a su cementerio como quien acude a una cita; me acompañan una mujer y la *Antología* que de los versos de Unamuno publicó, hace algunos años, Luis Felipe Vivanco. En no lejana fecha, en este mismo lugar se reunieron los poetas para rendir su homenaje a un hombre que quiso serlo él también; hoy no hay, como aquel día, congregación de nombres ilustres, no hay fotógrafos ni periodistas, tampoco habrá discursos; a decir verdad estamos solos, y esto me agrada. Ante nosotros el nicho 340, que es el suyo; un poco a su izquierda, en el 350, tiene su morada la compañera de su vida, su esposa; está cerca de él como lo estuvo mientras vivió, casi desde la niñez de ambos; conmueve descubrir en la lápida que lleva su nombre los trazos de la limpia caligrafía de Unamuno. También a mi lado está una mujer, y con nosotros, para mejor revivir su recuerdo, el libro donde se guarda su voz poética.

No sé qué diré en este Epílogo; quise escribirlo aquí esperando que el lugar me lo inspirase, pero los primeros pensamientos son indecibles por demasiado personales; al lector, estoy seguro, no llegarían a interesarle. Releo los versos que figuran en la lápida de su nicho; fueron escritos por Unamuno muchos años antes de su muerte y los publicó en su primer volumen de poesías; parecen pensados para figurar un día sobre una losa funeraria; los he copiado, era inevitable, a la cabecera de este Epílogo. Volviéndolos a leer, ahora a media voz, mis pensamientos se orientan por el camino que ellos ofrecen, hacia el cual empuja el lugar y el estado de ánimo que ha dejado en mí convivir la existencia íntima de Unamuno en estas últimas semanas, mientras escribía su retrato. El camino, lo habrás adivinado ya lector, penetra en el portal de la muerte para llevarnos, a ti y a nosotros, a pensar en esa existencia que cobra vida en la muerte, y a meditarla no como tema de abstracta especu-

UNAMUNO.-OLEO DE MANUEL LOSADA

MIGUEL DE UNAMUNO

MOSTER TULA

WAHLSTRÖM & WIDSTRAND

STOCKHOLM

М. УНАМУНО

ДВЕ МАТЕР

БИБЛИОТЕКА «ОГОНЕК»
№ 242
АКЦ. ИЗД. О-ВО «ОГОНЕК»
МОСКВА — 1927

"LA TIA TULA",
VERSION SUECA

"BELA SANCH
VERSION R

UNAMUNO.—BUS
DE V. MACH

lación, sino referida a la concreta, a la personal existencia del hombre que fué don Miguel de Unamuno.

Sabemos, la fe nos da esta certeza, que la muerte, «su» muerte, no pudo ser para él anonadamiento. Lo sabemos, sí, pero la certidumbre nos abandona al pensar si conseguiría hacer suya tal creencia. Sabemos que esta duda no puede aventárnosla nuestra razón, y seguir en ella nos duele, pues de todo corazón desearíamos poder darnos respuesta afirmativa. Al reclamo de estos pensamientos acuden a la mente retazos de versos suyos que releemos en el libro que hace de viático en esta jornada. En sus versos, de muy distintas fechas, transparece aquella necesidad de creer en torno a la cual nunca cesó de rondar su ánimo, anhelándola e incapaz de hacerla suya. La cantó así en 1910:

> Sed de Dios tiene mi alma, de Dios vivo
> *conviértemela, Cristo, en limpio aljibe*
> *que la graciosa lluvia en sí recibe*
> *de la fe. Me contento si pasivo*
>
> *una gotica de sus aguas libo*
> *aunque en el mar de hundirme se me prive,*
> *pues* quien mi rostro ve —*dices*— no vive
> *y en esa gota mi salud estribo.*
>
> *Hiéreme frente y pecho el sol desnudo*
> *del terrible saber que sed no muda;*
> *no bebo agua de vida, pero sudo*
>
> *y me amarga el sudor, el de la duda;*
> *sácame, Cristo, este espíritu mudo,*
> creo, tú a mi incredulidad ayuda.

Más de veinte años después; vive entonces Unamuno las horas desoladas de su destierro en París; un día de Diciembre de nuevo el constante problema inspira al poeta que en él vive:

> *¿De dónde, adónde, para qué y cómo?*
> *Este es todo el afán de la tragedia,*
> *donde se encierra toda enciclopedia*
> *y en piel humana encuadernado el tomo.*

> *De ver punto final ni leve asomo;*
> *la brega del buscar cría acedia,*
> *triste dolencia que nada remedia;*
> *sólo la niñez tierna guarda aplomo.*

> *Y brota desde tierra la pregunta;*
> *acaba la respuesta con un* pero...
> *cuando la cuna al sepulcro se junta;*

> *gira el talón por el mismo sendero,*
> *vuelve lo arado a arar la misma yunta*
> *y vuelve lo último a ser lo primero.*

Una tercera fecha en su vida: la del 29 de Septiembre de 1936; falta poco más de tres meses para que la muerte se lo lleve calladamente, sin agonía; es el aniversario de su nacimiento, cumple setenta y dos años; a su conjuro debió revivir su existencia entera, y resumiéndola escribe esperanzado:

> *Un ángel, mensajero de la vida,*
> *escoltó mi carrera torturada,*
> *y desde el seno mismo de mi nada*
> *me hiló el hilillo de una fe escondida.*

Volvióse a su morada recogida,
y aquí, al dejarme en mi niñez pasada,
para adormirme canta la tonada
que de mi cuna viene suspendida.

Me lleva, sueño, al soñador divino;
me lleva, voz, al siempre eterno coro;
me lleva, muerte, al último destino;

me lleva, ochavo, al celestial tesoro,
y ángel de luz de amor en mi camino
de mi deuda natal lleva el aforo.

Siempre idéntico deseo; siempre, acuciándole, el anhelo de no morir, como meta la reconquista de la fe que abrigó los días de su infancia, y bajo la lucha peleada por su afán de creer con la razón que negaba, orgullosa, su sumisión, una tenue lucecita permitía esperar que un día se haría la paz en la guerra íntima y podría dormir por siempre, sin soñar, dueño de una vida donde ni el dolor ni la muerte hallan posada. Vuelvo otra vez al texto vivo de sus poesías; en una escrita aquí, en Salamanca, el 30 de Septiembre de 1910, y que tituló "Sueño final", se leen estos versos:

Alzame al Padre en tus brazos, Madre de Gracia,
y ponme en los de Él para que en ellos duerma
el alma que de no dormir está ya enferma,
su fe, con los insomnios de la duda, lacia.

Repitiéndolos, hemos rogado a la Madre por la salud eterna de este hijo suyo, y al callar nuestra oración nos disponemos a volver a Salamanca, para seguir haciendo nuestra vida; tú, lector que me lees, también ahora retornarás a la tuya, y acaso no volvamos a encontrarnos. Que Dios te guíe y nos guíe.

En Salamanca, y en el día de San Agustín,
Doctor de la Iglesia, del año 1956.

OBRAS DE DON MIGUEL DE UNAMUNO

> Se reproduce en este primer Apéndice la biblio-
> grafía unamuniana ordenada en tres grupos: El pri-
> mero incluye las obras que publicó Unamuno, in-
> dicando, en las que han sido recogidas ya en sus
> Obras Completas (*), el volumen y páginas que en
> ellas ocupan. El segundo comprende los volúmenes
> aparecidos después de su muerte, donde se recoge
> parte de su obra literaria aún desperdigada en muy
> diversas publicaciones periódicas. El tercero, por úl-
> timo, comprende su Epistolario, en lo que éste es
> conocido.

A) Obras publicadas por Unamuno

En torno al casticismo; Ensayo; Madrid, 1895; III, 1-113.
Paz en la guerra; Novela; Madrid, 1897; II, 13-327.
Nicodemo el fariseo; Ensayo; Madrid, 1899; IV, 13-38.
De la enseñanza superior en España; Ensayo; Madrid, 1899; IV-39-91.
Tres ensayos; Ensayo; Madrid, 1900; III, 209-38.
Amor y pedagogía; Novela; Madrid, 1902; II, 329-515.
Paisajes; Artículos; Salamanca, 1902; I, 121-57.
De mi país; Artículos; Madrid, 1903; I, 159-294.
Vida de Don Quijote y Sancho; Ensayo; Madrid, 1905; IV, 93-394.
Poesías; Verso; Bilbao, 1907.

(*) Editorial Afrodisio Aguado; S. A.; Madrid. Han sido ya publicados los volúmenes siguientes: I (1951); II (1951); III (1950); IV (1950),
y V (1952).

Recuerdos de niñez y mocedad; Autobiografía; Madrid, 1908; I, 17-120.
La Esfinge; Teatro; 1909.
La difunta; Teatro; 1909.
Mi religión y otros ensayos; Artículos; Madrid, 1910; III, 817-955.
Rosario de sonetos líricos; Verso; Madrid, 1911.
Por tierras de Portugal y España; Artículos; Madrid, 1911; I, 295-517.
Soliloquios y conversaciones; Artículos; Madrid, 1911; III, 957-1.122.
Contra esto y aquello; Artículos; Madrid, 1912; III, 1.123-1.290.
Del sentimiento trágico de la vida en los hombres y en los pueblos;
  Ensayo; Madrid, 1913; IV, 459-719.
El espejo de la muerte; Novela; Madrid, 1913; II, 517-672.
La Venda; Teatro; Madrid, 1913.
La princesa doña Lambra; Teatro; Madrid, 1913.
Niebla; Novela; Madrid, 1914; II, 673-869.
Ensayos; Ensayo; Madrid, 1916-18; III, 1-815.
Abel Sánchez; Novela; Madrid, 1917; II, 871-975.
El Cristo de Velázquez; Verso; Madrid, 1920.
Tres novelas ejemplares y un prólogo; Novela; Madrid, 1920; II, 977-
  1.071.
La tía Tula; Novela; Madrid, 1921; II, 1.073-1.177.
Fedra; Teatro; Madrid, 1921.
Soledad; Teatro, 1921.
Raquel; Teatro; 1921.
Sensaciones de Bilbao; Artículos; 1922; I, 771-819.
Andanzas y visiones españolas; Artículos; Madrid, 1922; I, 519-769.
Aforismos y definiciones; 1923; IV, 721-40.
Rimas de dentro; Verso; Valladolid, 1923.
Teresa; Verso; Madrid, 1923.
Alrededor del estilo; Artículos; 1924; IV, 741-817.
De Fuerteventura a París; Verso; París, 1925.
La agonía del Cristianismo; Ensayo; París, 1925; IV, 819-905.
Cómo se hace una novela; Ensayo; París, 1925; IV, 907-85.
Tulio Montalbán y Julio Macedo; Teatro; San Sebastián, 1927. (Reedi-
  tada en 1930 con el título *Sombras de sueño*.)
Romancero del destierro; Verso; Buenos Aires, 1928.
Dos artículos y dos discursos; Artículos; Madrid, 1930.
El Otro; Teatro; Madrid, 1932.
San Manuel Bueno, mártir, y tres historias más; Novela; Madrid, 1933,
  II, 1.179-1.331.
Medea; Teatro; Madrid, 1933.
El hermano Juan o El mundo es teatro; Teatro; Madrid, 1934.

Discurso leído en la solemne apertura del curso académico 1934-1935 en la Universidad de Salamanca; Salamanca, 1934.

B) Obras publicadas después de su muerte

La ciudad de Henoc; Artículos; México, 1941.

Cuenca Ibérica; Artículos; México, 1943.

Temas argentinos; Artículos; Buenos Aires, 1943; IV, 987-1.056.

Paisajes del alma; Artículos; Madrid, 1944; I, 821-1.065.

Visiones y comentarios; Artículos; Buenos Aires, 1949.

De esto y de aquello; Artículos; Publicados los volúmenes: 1.º (V, 11-588); 2.º (V, 589-1.124); 3.º (Buenos Aires, 1953), y 4.º (Buenos Aires, 1954).

Cancionero; Verso; Buenos Aires, 1953.

Teatro. Fedra - Soledad - Raquel encadenada - Medea; Teatro; Barcelona, 1954.

C) Epistolario de Unamuno

Carta a Lino Abeledo. Amaranto A. Abeledo: «Un cuáquero en la Universidad de Salamanca. Referencias de Miguel de Unamuno»; *La Nueva Democracia*; New York, julio de 1951.

Cartas a Juan Arzadun; *Sur*, núms. 119-120; Buenos Aires, septiembre-octubre de 1944.

Cartas a *Azorín. La Estafeta Literaria*; núm. 11; Madrid, 25 de agosto de 1944.

Carta a Ramón de Basterra. Guillermo Díaz-Plaja: *La poesía y el pensamiento de Ramón de Basterra*; Barcelona, 1941.

Carta a José Bergamín. *Revista Nacional de Caracas*; Caracas, noviembre-diciembre de 1946.

Cartas a *Clarín. Epistolario a Clarín*; 33-105; Madrid, 1941.

Cartas a Rubén Darío. Alberto Ghiraldo: *El archivo de Rubén Darío*; 29-56; Buenos Aires, 1945.

Cartas a Fernando Díaz de Mendoza. *Correo Literario*; núm. 71, 8-9; Madrid, mayo de 1953.

Cartas a Nin Frías. Pedro Badanelli: *Trece cartas inéditas del muy vascongado Don Miguel de Unamuno*; Santa Fe, 1944.

Cartas a A. Ganivet. M. de Unamuno y A. Ganivet: *El porvenir de España* (Miguel de Unamuno: *Obras Completas*; IV, 395-458).

Cartas a A. Ganivet. A. Gallego Morell: «Tres cartas inéditas de Unamuno a Ganivet»; *Insula*; núm. 35; Madrid, noviembre de 1948.

Cartas a García Monge. *Repertorio Americano*; San José de Costa Rica, 26 de marzo de 1938.

Cartas a Casimiro González Trilla. H. Benítez: «Nuevo palique unamuniano (Introducción a doce cartas de Unamuno a González Trilla)»; *Revista de la Universidad de Buenos Aires*; VII, 479-551; Buenos Aires, 1950.

Carta a Guillermo Graell Moles; *Destino*, núm. 666; Barcelona, 13 de mayo de 1950.

Carta a Max Grillo. M. Grillo: «Conversando con Unamuno»; *Revista de América*; Bogotá, octubre de 1945.

Carta a Angelo de Gubernatis. E. della Corte: *El Español*; núm. 43; Madrid, 21 de agosto de 1943.

Carta a Nicolás Guillén. N. Guillén: *El son entero*; Buenos Aires, 1947.

Cartas a Ernesto A. Guzmán. *Boletín del Instituto Nacional*; XIV, números 34-36; Santiago de Chile, 1949.

Carta a F. Iscar Peyra. E. Salcedo: «Casi al final (Al margen de una carta inédita de Unamuno)»; *Insula*; Madrid, 15 de abril de 1952.

Cartas a Pedro Jiménez Ilundain. H. Benítez: *El drama religioso de Unamuno*; 199-458; Buenos Aires, 1949.

Cartas a M. Machado; *Correo Literario*; Madrid, 15 de abril de 1952.

Cartas a Juan Maragall: *Epistolario entre Miguel de Unamuno y Juan Maragall*; Barcelona, 1951.

Carta a Joaquín Maurin. *La Torre*; I, núm. 4; 189-90; Puerto Rico, 1953.

Cartas a Ramón Menéndez Pidal. R. Menéndez Pidal: «Recuerdos referentes a Unamuno»; *Cuadernos de la Cátedra Miguel de Unamuno*; II, 5-12; Salamanca, 1951.

Cartas a Camille Pitollet. C. Pitollet: «De mis memorias»; *Boletín de la Biblioteca Menéndez Pelayo*; XXVIII, 50-98; Santander, 1952.

Carta a Eugenio F. de la Pumariega. E. Ranch: «Sobre una carta de don Miguel de Unamuno»; *Boletín de la Sociedad Castellonense de Cultura*; XXVII, 230-33; Castellón de la Plana, 1951.

Carta a José Enrique Rodó. Pompeyo Cruz: «Unamuno epistolar»; *El Español*; núm. 166; Madrid, 29 de diciembre de 1945.

Cartas a Luis Ruiz Contreras. L. Ruiz Contreras: *Memorias de un desmemoriado*; 149-82; Madrid, 1946.

Carta a Mario Santa Cruz. *Repertorio Americano*; XLVIII, 167; San José de Costa Rica, 1954.

Cartas a Teixeira de Pascoaes. Joaquim de Carvalho: «Marginalia. Duas cartas inéditas de Miguel de Unamuno»; *Revista Filosófica*; 5, 177-80; Coimbra, 1952.

Cartas a Teixeira de Pascoaes. *Índice*; núms. 65-66; Madrid, julio- agosto de 1953.

Carta a Dr. José Torras y Bages, Obispo de Vich. J. Roig Gironella, S. J.: «Dos cartas inéditas entre Unamuno y el Dr. Torras Bages»; *Pensamiento*; VII, 355-65; Madrid, 1951.

Carta a Federico Urales. F. Urales: *Evolución de la Filosofía en España*; Tomo II, 205-09; Barcelona, 1934.

Cartas a Miguel Utrillo. M. Utrillo (hijo): «Unamuno-Utrillo, o nada más que un hombre»; *La Estafeta Literaria*; núm. 39; Madrid, 30 de diciembre de 1945.

Carta a Emilio F. Vaamonde. *Madrid Cómico*; Madrid, 16 de abril de 1898. (Recogida por F. Mota: *Papeles del 98*; Madrid, 1950.)

Fragmentos de cartas de Unamuno. Bernardo G. de Candamo: «Unas cartas de Unamuno»; *Santo y Seña*; Madrid, 20 de noviembre de 1941.

BIBLIOGRAFIA CRITICA

*Recoge este segundo Apéndice los libros y tra-
bajos más importantes que se han publicado sobre
la personalidad de Unamuno y acerca de su obra literaria. Quien desee completar esta información biblio-
gráfica deberá consultar las obras del Padre Oromí
y J. A. Balseiro; los trabajos de Sidonia C. Rosem-
baum y H. Juretschke, y sobre todo la sección "Crónica unamuniana" que el Profesor García Blanco
publica regularmente en los Cuadernos de la Cátedra
Miguel de Unamuno.*

Aguado, Emiliano.—LA NARRACIÓN BREVE EN LOS ESCRITORES DEL 98;
Leonardo; I, 237-44; Madrid, 1945.

Aja, Pedro V.—UNAMUNO Y LA INMORTALIDAD DEL HOMBRE CONCRETO;
Revista Cubana de Filosofía; 2, 25-29; 1951.

Alarco, Luis Felipe.—MIGUEL DE UNAMUNO Y EL SENTIDO DE LA EXIS-
TENCIA; Mar del Sur; núm. 9; 53-65; Lima, 1950.

Alarcos Llorach, Emilio.—VARIANTES DE UNA POESÍA DE UNAMUNO; Archivum; II, 426-32; Oviedo, 1952.

Alcalá Galiano, Alvaro.—UNAMUNO O EL ANSIA DE INMORTALIDAD; Figuras excepcionales; 245-57; Madrid, s. f.

Almagro San Martín, Melchor.—GENIO Y FIGURA DE DON MIGUEL DE
UNAMUNO; La Nación; Buenos Aires, 14 de marzo y 18 de abril
de 1943.

Altolaguirre, Manuel.—DON MIGUEL DE UNAMUNO; Revista Hispánica
Moderna; VI, 17-24; New York, 1940.

Alvar, Manuel.—MOTIVOS DE UNIDAD Y EVOLUCIÓN EN LA LÍRICA DE UNA-
MUNO; Cuadernos de la Cátedra Miguel de Unamuno; III, 19-40;
Salamanca, 1952.

Álvarez de Miranda, A.—EL PENSAMIENTO DE UNAMUNO SOBRE HISPANO-AMÉRICA; Cuadernos Hispanoamericanos; 13, 51-74; Madrid, 1950.

Andrenio (E. Gómez de Baquero).—UNAMUNO NOVELISTA; Novelas y novelistas; 271-80; Madrid, 1918.

Andrenio (E. Gómez de Baquero).—«PAZ EN LA GUERRA» Y LOS NOVELISTAS DE LAS GUERRAS CIVILES; De Gallardo a Unamuno; 233-47; Madrid, 1926.

Aranguren, José Luis L.—SOBRE EL TALANTE RELIGIOSO DE MIGUEL DE UNAMUNO; Catolicismo y Protestantismo como formas de existencia; 191-209; Madrid, 1952.

Arbor; núm. 36; Madrid, 1948.

Arjona, Doris King.—LA «VOLUNTAD» AND «ABULIA» IN CONTEMPORARY SPANISH IDEOLOGY; Revue Hispanique; LXXIV, 573-671; New York, 1928.

Azaña, Manuel.—PLUMAS Y PALABRAS; 209-16; Madrid, 1930.

Azaola, José Miguel de.—GOETHE Y UNAMUNO; El Diario Vasco; San Sebastián, 5 y 12 de febrero de 1943.

Azaola, José Miguel de.—APORTACIÓN AL ESTUDIO DE UNAMUNO; Egan (Suplemento del Boletín de la Real Sociedad Vascongada de Amigos del País); 4, 27-32; San Sebastián, 1948.

Azaola, José Miguel de.—EL HUMANISMO EN EL PENSAMIENTO DE MIGUEL DE UNAMUNO; Boletín de la Real Sociedad Vascongada de Amigos del País; IV, 211-34; San Sebastián, 1948.

Azaola, José Miguel de.—LAS CINCO BATALLAS DE UNAMUNO CONTRA LA MUERTE; Cuadernos de la Cátedra Miguel de Unamuno; II, 33-109; Salamanca, 1951.

Azorín (J. Martínez Ruiz).—CLÁSICOS Y MODERNOS; Obras Completas; III, 896-914; Madrid, 1947.

Azorín (J. Martínez Ruiz).—MADRID (Cap. VIII: UNAMUNO); Obras Completas; VI, 204-07; Madrid, 1948.

Balseiro, José A.—MIGUEL DE UNAMUNO, NOVELISTA Y NIVOLISTA; El Vigía; II, 25-122; Madrid, 1928.

Balseiro, José A.—EL QUIJOTE DE LA ESPAÑA CONTEMPORÁNEA: MIGUEL DE UNAMUNO; Madrid, 1935.

Balseiro, José A.—BLASCO IBÁÑEZ. UNAMUNO. VALLE INCLÁN. BAROJA. CUATRO INDIVIDUALISTAS DE ESPAÑA; 77-119; New York, 1949.

Baráibar, Carlos de.—EN TORNO A LAS NOVELAS DE UNAMUNO; Atenea; XXVII, 5-21; Concepción (Chile), 1950.

Barea, Arturo.—UNAMUNO; Cambridge, 1952.

Barja, César.—LITERATURA ESPAÑOLA. LIBROS Y AUTORES CONTEMPORÁNEOS; 39-97; Madrid, 1935.

Baroja, Pío.—UNAMUNO; La Nación; Buenos Aires, 22 de septiembre de 1940.

Baroja, Pío.—VISITAS DE «SANTO Y SEÑA». Pío BAROJA; Santo y Seña; Madrid, 5 de octubre de 1941.

Basave, Jr., Agustín.—MIGUEL DE UNAMUNO Y JOSÉ ORTEGA Y GASSET: UN BOSQUEJO VALORATIVO; 15-73; México, 1950.

Beardsley, W. A.—DON MIGUEL; The Modern Language Journal; IX, 353-62; Menasha, 1925.

Beccari, Gilberto.—UNAMUNO E L'EUROPEIZZANIONE; Cuadernos de la Cátedra Miguel de Unamuno; IV, 5-8; Salamanca, 1953.

Bell, Aubrey F. G.—UNAMUNO; Contemporary Spanish literature; 233-44; New York, 1925.

Benardete, M. J.—PERSONALIDAD E INDIVIDUALIDAD EN UNAMUNO; Revista Hispánica Moderna; I, 25-39; New York. 1934.

Benítez, Hernán. — EL DRAMA RELIGIOSO DE UNAMUNO; Buenos Aires, 1949.

Benítez, Hernán.—NUEVO PALIQUE UNAMUNIANO (Introducción a doce cartas de Unamuno a González Trilla); Revista de la Universidad de Buenos Aires; VII, 479-551; Buenos Aires, 1950.

Benito Durán, A.—IDEARIO FILOSÓFICO DE UNAMUNO EN LA «VIDA DE DON QUIJOTE Y SANCHO»; Cuadernos de Estudios Manchegos; III, 17-34; Ciudad Real, 1949.

Benito Durán, A.—INTRODUCCIÓN AL ESTUDIO DEL PENSAMIENTO DE UNAMUNO. IDEARIO FILOSÓFICO DE UNAMUNO EN LA «VIDA DE DON QUIJOTE Y SANCHO»; Granada, 1953.

Benlliure y Tuero, Mariano.—EL ANSIA DE INMORTALIDAD; Madrid, 1916.

Bergamín, José.—EL CRISTO LUNAR DE UNAMUNO (1940); recogido en La voz apagada; 185-200; México, 1945.

Bergamín, José.—MIGUEL DE UNAMUNO Y EL SANTO OFICIO DE ESCRIBIR; Prólogo a Miguel de Unamuno: La ciudad de Henoc; 9-21; México, 1941.

Bertrand, J. J. A.—SECONDE MORTE DE DON QUICHOTTE; Cuadernos de la Cátedra Miguel de Unamuno; I, 71-4; Salamanca, 1948.

Bilbao Aristegui, Pablo.—EL BAUTISMO DE UNAMUNO; Arriba; Madrid, 6 de agosto de 1944.

Blanco Aguinaga, Carlos.—UNAMUNO, DON QUIJOTE Y ESPAÑA; Cuadernos Americanos; XI, 204-216; México, 1952.

Blanco Aguinaga, Carlos.—INTERIORIDAD Y EXTERIORIDAD EN UNAMUNO; Nueva Revista de Filología Hispánica; VII, 686-701; 1953.

Bo, Carlo.—L'UNAMUNO POETA (1940); recogido en Carta spagnole; 15-9; Firenze, 1948.

Boyd, Ernst.—Don Miguel de Unamuno; Studies from ten literatures; 61-71; New York, 1925.

Bravo, Francisco.—Los juegos florales de 1901; El Español; núm. 36; Madrid, 3 de junio de 1943.

Brenan, Gerald.—The Literature of the Spanish People; Cambridge, 1951.

Brennes, Edin.—The tragic sense of life in Miguel de Unamuno; Toulousse, 1931.

Bromberger, M.—Le drame espagnol. A Salamanque avec Unamuno; Les Nouvelles Littéraires; París, 10 de octubre de 1936.

Calzada, Jerónimo de la.—Unamuno, paisajista; Cuadernos de la Cátedra Miguel de Unamuno; III, 55-80; Salamanca, 1952.

Cansinos Assens, R.—Don Miguel de Unamuno; La nueva literatura; I, 49-70; Madrid, 2.ª edic., 1925.

Caravia, Pedro.—Espejo de la muerte y espejo de Unamuno; Escorial; IX, 151-57; Madrid, 1942.

Cardenal Iracheta, Manuel. — Unamuno y su drama religioso; Clavileño; 15, 576-80; Madrid, 1950.

Cardis Marianne.—El paisaje en la vida y en la obra de Miguel de Unamuno; Tesis de la Universidad de Leeds. Un resumen de la misma en Cuadernos de la Cátedra Miguel de Unamuno; IV, 71-83; Salamanca, 1953.

Casalduero, Joaquín.—Del amor en Don Miguel de Unamuno; Síntesis; IV, 13-27; Buenos Aires, 1930.

Cassou, Jean.—Unamuno deporté; Le Mercure de France; 171, 245-52; París, 1924.

Cassou, Jean.—Portrait d'Unamuno; Le Mercure de France; París, 15 de mayo de 1926. (Recogido, en versión española, en Miguel de Unamuno: *Obras Completas*; IV, 914-23.)

Cassou, Jean.—Unamuno; Littérature Espagnole; 58-71; París, 1929.

Cassou, Jean.—Unamuno, poete; Le Mercure de France; 274; 43-9; París, 1937.

Castro Américo.—Más sobre Unamuno; La Nación; Buenos Aires, 14 de marzo de 1937.

Catalán Menéndez-Pidal, Diego.—«Aldebarán», de Unamuno; Cuadernos de la Cátedra Miguel de Unamuno; IV, 43-70; Salamanca, 1953.

Cejador Frauca, Julio.—Historia de la Lengua y literatura castellana; XI, 128-36; Madrid, 1919.

Cirarda y Lachiondo, José M.ª—El modernismo en el pensamiento religioso de Miguel de Unamuno; Vitoria, 1948.

Clarín (Leopoldo Alas).—Crítica a los «Tres ensayos» de Unamuno, publicada en «Los Lunes», de El Imparcial; Madrid, 7 de mayo de 1900. (Reproducida por M. García Blanco en su estudio *«Clarín y Unamuno».*)

Clarós, C. N. de.—MIGUEL DE UNAMUNO ET L'UNIVERSITÉ ESPAGNOLE; Le Tribune de Genève; Genève, 5 de junio de 1949.

Clavería, Carlos.—TEMAS DE UNAMUNO; Madrid, 1953.

Clyne, Anthony.—MIGUEL DE UNAMUNO; London Quaterly Review; XXVII, 205-14; London, 1924.

Corominas, Pedro.—LA TRÁGICA FÍ DE MIGUEL DE UNAMUNO; Revista de Catalunya; 83, 155-70; Barcelona, 1938. (Reproducido, en castellano, en Atenea; LIII, 101-14; Concepción, Chile, 1938.)

Cossío, José M.ª.—NIEBLA; Arriba; Madrid, 15 de julio de 1948.

Crescioni, Olga.—APUNTES SOBRE ALGUNAS NOVELAS DE UNAMUNO; Alma Latina; núm. 658; 9-14 y 31-33; Puerto Rico, 1948.

Cruz, Pompeyo.—UNAMUNO EPISTOLAR; El Español; núm. 166; Madrid, 29 de diciembre de 1945.

Cruz Hernández, Miguel.—LA MISIÓN SOCRÁTICA DE DON MIGUEL DE UNAMUNO; Cuadernos de la Cátedra Miguel de Unamuno; III, 41-53; Salamanca, 1952.

Cuadernos de la Cátedra Miguel de Unamuno; Salamanca: I (1948); II (1951); III (1952); IV (1953); V (1954).

Cúneo, Dardo.—UNAMUNO Y EL SOCIALISMO; Cuadernos Americanos; VII, 103-16; México, 1948.

Curtius, Ernst Robert.—UEBER UNAMUNO; Die Neue Rundschau; Berlín, febrero de 1926.

Curtius, Ernst Robert.—KRITISCHE ESSAYS ZUR EUROPAISCHEN LITERATUR; 224-46; Bern, 1950.

Chevalier, Jacques.—UN ENTRETIEN AVEC MIGUEL DE UNAMUNO SUR LA CIVILIZATION MODERNE; Annales de l'Université de Grenoble; 12, 53-70; Grenoble, 1935.

Chevalier, Jacques.—HOMMAGE À UNAMUNO; Cuadernos de la Cátedra Miguel de Unamuno; I, 2-28; Salamanca, 1948.

Chicharro de León, J.—LES IDÉES GÉNÉRALES D'UNAMUNO; Cahiers Linguistiques; 10, 18-26; Gap (Hautes Alpes), 1952.

Chicharro de León, J.—TEMAS UNAMUNIANOS. EL SENTIMIENTO DE LA NATURALEZA; Presencia; I, 5-11; París, 1952.

Daniel-Rops, H.—CARTE D'EUROPE; 121-61; París, 1928.

Darío, Rubén.—UNAMUNO, POETA; artículo fechado en Madrid en marzo de 1909 y publicado en La Nación de Buenos Aires. (Reproducido al frente la obra de Miguel de Unamuno: *Teresa*; Madrid, 1923.)

Darío, Rubén.—Miguel de Unamuno; Semblanzas Españolas; Obras Completas; II, 787-95; Madrid, 1950.

Díaz-Plaja, Guillermo.—Estudios sobre el carácter de la literatura española; La ventana de papel; Barcelona, 1939.

Díaz-Plaja, Guillermo.—Modernismo frente a Noventa y Ocho; Madrid, 1951.

Echevarri, L.—Unamuno, poeta; Síntesis; 6, 139-55; Buenos Aires, 1928.

Echevarri, L.—Unamuno y Bilbao; La Nación; Buenos Aires, 15 de abril de 1928.

Echevarri, L.—El sentimiento de la naturaleza en Unamuno; La Nación; Buenos Aires, 27 de mayo de 1928.

Echevarri, L.—La Castilla de Unamuno; Nosotros; 66, 342-51; Buenos Aires, 1929.

Eherenburg, I.—Duhamel, Gide, Malraux, Mauriac, Morand, Romains, Unamuno, vus par un ecrivain sovietique; 171-78; edic. fr.; París, 1936.

Englekirk, J. E.—Unamuno, crítico de la literatura hispanoamericana; Revista Iberoamericana; III, 19-37; México, 1941.

Ergoyen, Antonio de.—Las antiparras de Unamuno y la melena de Eguilor; La Estafeta Literaria; núm. 7; Madrid, 15 de junio de 1944.

Ergoyen, Antonio.—La primera cesantía de Miguel de Unamuno; El Español; núm. 114; Madrid, 30 de diciembre de 1944.

Erro, C. A. — Unamuno y Kierkegaard; Sur; VIII, 7-21; Buenos Aires, 1938.

Esclasans, Agustín.—Miguel de Unamuno; Buenos Aires, 1947.

Fagoaga, Isidoro de.— ¿Unamuno fue vascófilo o vascófogo?; Gernika; núm. 12; 9-16; Saint Jean de Luz, 1950.

Farinelli, Arturo.—Il conflicto trágico nell'anima e nel pensiero di Unamuno; Bulletin of Spanish Studies; XXIV, 117-25; Liverpool, 1947.

Farre, Luis.—Unamuno, William James y Kierkegaard; Cuadernos Hispanoamericanos; núm. 57, 279-99 y núm. 58, 64-88; Madrid, 1954.

Ferdinandy, Miguel de.—Unamuno y Portugal; Cuadernos de la Cátedra Miguel de Unamuno; II, 111-31; Salamanca, 1951.

Fernández Almagro, Melchor.—A propósito de Unamuno, en sus novelas o historias; Cruz y Raya; Madrid, 15 de octubre de 1933; 157-61.

Fernández Almagro, Melchor.—La poesía de Unamuno; Insula; número 14; Madrid, 15 de febrero de 1947.

Fernández Almagro, Melchor.—En torno al 98. Política y Literatura; 99-103; Madrid, 1948.

Fernández Almagro, Melchor.—VIDA Y OBRA DE ÁNGEL GANIVET; nueva edic.; Madrid, 1952.

Ferrater Mora, José.—UNAMUNO. BOSQUEJO DE UNA FILOSOFÍA; Buenos Aires, 1944.

Ferreres, Rafael.—LA POESÍA DE MIGUEL DE UNAMUNO; Escorial; X, 140-52; Madrid, 1943.

Franck, R.—UNAMUNO: EXISTENTIALISM AND THE SPANISH NOVEL; Accent; IV, 83 et seq.; 1948-49.

Gaceta Literaria; NÚMERO HOMENAJE A MIGUEL DE UNAMUNO; Madrid, 15 de marzo de 1930.

García Bacca, Juan David.—NUEVE GRANDES FILÓSOFOS CONTEMPORÁNEOS Y SUS TEMAS; 2 vols.; Caracas, 1947.

García Bacca, Juan David.—UNAMUNIANA. DE ISRAEL A FANUEL; DE LUCHADOR CON DIOS A VIDENTE DE DIOS; Las Españas; VI, 3-5; México, 1951.

García Blanco, Manuel.—LAS CIUDADES Y LOS HOMBRES. SALAMANCA Y UNAMUNO; El Español; núm. 9; Madrid, 26 de diciembre de 1942.

García Blanco, Manuel.—UNAMUNO Y SUS SEUDÓNIMOS; Bulletin of Spanish Studies; XXIV, 125-32; Liverpool, 1947. (Reproducido en Insula; núm. 20; Madrid, 15 de agosto de 1947.)

García Blanco, Manuel.—CRÓNICA UNAMUNIANA (1937-1947); Cuadernos de la Cátedra Miguel de Unamuno; I, 103-26; Salamanca, 1948.

García Blanco, Manuel.—LA UNIVERSIDAD DE SALAMANCA EN ESTOS ÚLTIMOS CINCUENTA AÑOS; La Gaceta Regional; Salamanca, 31 de diciembre de 1950.

García Blanco, Manuel.—CRÓNICA UNAMUNIANA (1948-1949); Cuadernos de la Cátedra Miguel de Unamuno; II, 133-48; Salamanca, 1951.

García Blanco, Manuel.—«CLARÍN» Y UNAMUNO; Archivum; II, 113-39; Oviedo, 1952.

García Blanco, Manuel.—TRES CARTAS INÉDITAS DE MARAGALL A UNAMUNO; Cuadernos de la Cátedra Miguel de Unamuno; III, 5-12; Salamanca, 1952.

García Blanco, Manuel.—CRÓNICA UNAMUNIANA (1950-1951); Cuadernos de la Cátedra Miguel de Unamuno; III, 81-104; Salamanca, 1952.

García Blanco, Manuel.—DON MIGUEL DE UNAMUNO Y LA LENGUA ESPAÑOLA; Discurso inaugural del curso académico 1952-1953; Universidad de Salamanca; Salamanca, 1952.

García Blanco, Manuel.—UN POEMA OLVIDADO DE UNAMUNO Y UNA CARTA INÉDITA DE ANTONIO MACHADO; Cultura Universitaria; XXXIV, 59-70; Caracas, 1952.

García Blanco, Manuel.—RECUERDOS DE RAMÓN Y CAJAL EN UNAMUNO; Boletín de la Real Academia Española; XXXIII, 7-18; Madrid, 1953.

García Blanco, Manuel.—UNAMUNO EN LOS ESTADOS UNIDOS; Insula; núm. 91; Madrid, 15 de julio de 1953.

García Blanco Manuel.—EL ENTUSIASMO DE UNAMUNO POR ALGUNOS LÍRICOS INGLESES; Atlante; I, 3, 144-48; London, 1953.

García Blanco, Manuel.—«PRÓLOGO» A M. DE UNAMUNO: «TEATRO»; 7-35; Barcelona, 1954.

García Blanco, Manuel.—A PROPÓSITO DEL DRAMA «SOLEDAD» DE UNAMUNO; Revista; núm. 85; Barcelona, 1953.

García Blanco, Manuel.—CRÓNICA UNAMUNIANA (1952-1953); Cuadernos de la Cátedra Miguel de Unamuno; IV, 85-105; Salamanca, 1953.

García Blanco, Manuel.—TEIXEIRA DE PASCOAES Y UNAMUNO. BREVE HISTORIA DE UNA AMISTAD; Revista Filosófica; IV, 85-92; Coimbra, 1954.

García Blanco, Manuel.—EL ESCRITOR URUGUAYO JUAN ZORRILLA DE SAN MARTÍN Y UNAMUNO; Cuadernos Hispanoamericanos; 58; 29-57; Madrid, 1954.

García Blanco, Manuel.—EL ESCRITOR ARGENTINO MANUEL GÁLVEZ Y UNAMUNO; Cuadernos Hispanoamericanos; 53; 182-198; Madrid, 1954.

García Blanco, Manuel.—CRÓNICA UNAMUNIANA (1953-1954); Cuadernos de la Cátedra Miguel de Unamuno; V, 185-211; Salamanca, 1954.

García Venero, Maximiliano.—HISTORIA DEL NACIONALISMO VASCO; 230-31; Madrid, 1945.

Gavel, Henri.—QUELQUES SOUVENIRS SUR UNAMUNO; Gernika; 14; 2-7; Saint Jean de Luz, 1951.

Gómez de la Serna, Ramón.—AZORÍN; Buenos Aires, 1942.

Gómez de la Serna, Ramón.—DON MIGUEL DE UNAMUNO; Retratos Contemporáneos; 401-28; Buenos Aires, 1944.

Gómez de la Serna, Ramón.—UNAMUNO EN SALAMANCA; Saber vivir; VIII, 20-23; Buenos Aires, 1950.

Gómez de la Serna, Ramón.—CAMINO DE UNAMUNO; Revista Nacional de Cultura; XII, 36-54; Caracas, 1951.

González Blanco, A.—LOS CONTEMPORÁNEOS; 1.ª serie; 74-145; París, 1906.

González Caminero, S. J.; P. Nemesio.—EL QUIJOTISMO SEGÚN UNAMUNO: PRESUPUESTOS Y CONSECUENCIAS FILOSÓFICAS; Razón y Fe; CXXXV, 294 et seq.; Madrid, 1947.

González Caminero, S. J.; P. Nemesio.—LA MORAL DEL SENTIMIENTO TRÁGICO; Razón y Fe; CXXXVII, 326-39; Madrid, 1948.

González Caminero, S. J.; P. Nemesio.—UNAMUNO, I. TRAYECTORIA DE SU IDEOLOGÍA Y DE SU CRISIS RELIGIOSA; Comillas, 1948.

González Caminero, S. J.; P. Nemesio.—E... NÍTEZ; Razón y Fe; CXLVI, 27-44; Mad...

González Caminero, S. J.; P. Nemesio.—¿Qu... CIÓN DE LA CRÍTICA EN TORNO A SU ACTITUD REL... CXLV, 230-38; Madrid, 1952.

González Caminero, S. J.; P. Nemesio.—LAS DOS ETA... UNAMUNO; Razón y Fe; CXLVI, 210-39; Madrid, 1...

González de la Calle, Pedro U.—RECUERDOS PERSONALES... FESIONAL DEL MAESTRO UNAMUNO; Revista Hispánica... 235-42; New York, 1941.

González Menéndez-Reigada, O. P.; Fray Albino.—¡AY MI CASTILLA LATINA!... DON MIGUEL DE UNAMUNO EN TRANCE CON SU CUITA; El Español; núm. 279, 19-23; Madrid, 10 de abril de 1954.

González Menéndez-Reigada, O. P.; Fray Albino.—ALGO MÁS SOBRE UNAMUNO; El Español; núm. 287; 30-31; Madrid, 5 de junio de 1954.

González Oliveros, W.—UNAMUNO Y MARTÍNEZ ANIDO. PEQUEÑA HISTORIA DE UNA MEDIACIÓN; El Español; núm. 13; Madrid, 23 de enero de 1943.

González-Ruano, César.—VIDA, PENSAMIENTO Y AVENTURA DE MIGUEL DE UNAMUNO; Madrid, 1930.

González-Ruano, César.—MI MEDIO SIGLO SE CONFIESA A MEDIAS; 255-59; Barcelona, 1951.

González Vicén, F.—UNAMUNO UND DAS PROBLEM SPANIENS; Geist der Zeit; XVI, 1-8; Berlín, 1938.

Granjel, Luis S.—EL INSTINTO DE PERPETUACIÓN EN LA VIDA Y EN LA OBRA DE DON MIGUEL DE UNAMUNO; Medicina Clínica; VII, 389-91; Barcelona, 1946.

Granjel, Luis S.—PATOGRAFÍA DE UNAMUNO; Imprenta Médica; XVII, 663-71; Lisboa, 1953.

Grau, Jacinto.—UNAMUNO. SU TIEMPO Y SU ESPAÑA; Buenos Aires, 1946.

Gullón, Ricardo.—INVENTARIO DE MEDIO SIGLO, II. LITERATURA ESPAÑOLA; Insula; núm. 58; Madrid, 15 de octubre de 1950.

Guy, Alain.—MIGUEL DE UNAMUNO, PELERIN DE L'ABSOLU; Cuadernos de la Cátedra Miguel de Unamuno; I, 75-102; Salamanca, 1948.

Hay, Marion J.—INFORMAL GLIMPSES OF DON MIGUEL DE UNAMUNO; Hispania; XVI, 66-8; California, 1933.

Hilton, R.—UNAMUNO, SPAIN AND THE WORLD; Bulletin of Spanish Studies; XIV, 60-74 y 123-37; Liverpool, 1937.

Huarte Morton, Fernando.—EL IDEARIO LINGÜÍSTICO DE MIGUEL DE UNAMUNO; Cuadernos de la Cátedra Miguel de Unamuno; V, 5-183; Salamanca, 1954.

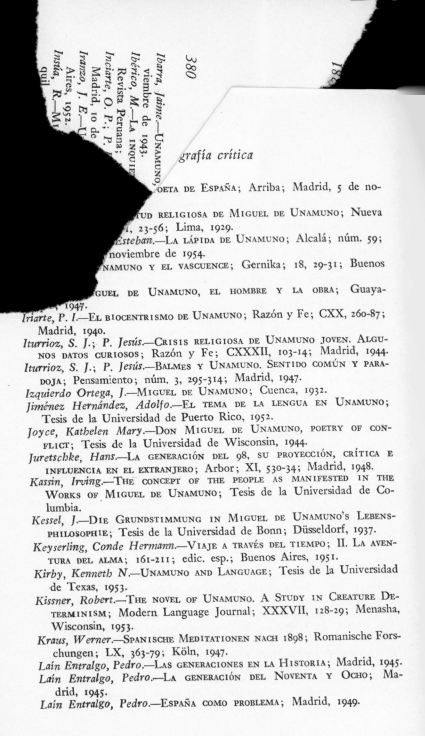

grafía crítica

ᴏᴇᴛᴀ ᴅᴇ Eꜱᴘᴀñᴀ; Arriba; Madrid, 5 de no-

ᴛᴜᴅ ʀᴇʟɪɢɪᴏꜱᴀ ᴅᴇ Mɪɢᴜᴇʟ ᴅᴇ Uɴᴀᴍᴜɴᴏ; Nueva
ı, 23-56; Lima, 1929.
Esteban.—Lᴀ ʟáᴘɪᴅᴀ ᴅᴇ Uɴᴀᴍᴜɴᴏ; Alcalá; núm. 59;
noviembre de 1954.

ɴᴀᴍᴜɴᴏ ʏ ᴇʟ ᴠᴀꜱᴄᴜᴇɴᴄᴇ; Gernika; 18, 29-31; Buenos

ɢᴜᴇʟ ᴅᴇ Uɴᴀᴍᴜɴᴏ, ᴇʟ ʜᴏᴍʙʀᴇ ʏ ʟᴀ ᴏʙʀᴀ; Guaya-
ʲ 1947.

Iriarte, P. I.—Eʟ ʙɪᴏᴄᴇɴᴛʀɪꜱᴍᴏ ᴅᴇ Uɴᴀᴍᴜɴᴏ; Razón y Fe; CXX, 260-87;
Madrid, 1940.
Iturrioz, S. J.; P. Jesús.—Cʀɪꜱɪꜱ ʀᴇʟɪɢɪᴏꜱᴀ ᴅᴇ Uɴᴀᴍᴜɴᴏ ᴊᴏᴠᴇɴ. Aʟɢᴜ-
ɴᴏꜱ ᴅᴀᴛᴏꜱ ᴄᴜʀɪᴏꜱᴏꜱ; Razón y Fe; CXXXII, 103-14; Madrid, 1944.
Iturrioz, S. J.; P. Jesús.—Bᴀʟᴍᴇꜱ ʏ Uɴᴀᴍᴜɴᴏ. Sᴇɴᴛɪᴅᴏ ᴄᴏᴍúɴ ʏ ᴘᴀʀᴀ-
ᴅᴏᴊᴀ; Pensamiento; núm. 3, 295-314; Madrid, 1947.
Izquierdo Ortega, J.—Mɪɢᴜᴇʟ ᴅᴇ Uɴᴀᴍᴜɴᴏ; Cuenca, 1932.
Jiménez Hernández, Adolfo.—Eʟ ᴛᴇᴍᴀ ᴅᴇ ʟᴀ ʟᴇɴɢᴜᴀ ᴇɴ Uɴᴀᴍᴜɴᴏ;
Tesis de la Universidad de Puerto Rico, 1952.
Joyce, Kathelen Mary.—Dᴏɴ Mɪɢᴜᴇʟ ᴅᴇ Uɴᴀᴍᴜɴᴏ, ᴘᴏᴇᴛʀʏ ᴏꜰ ᴄᴏɴ-
ꜰʟɪᴄᴛ; Tesis de la Universidad de Wisconsin, 1944.
Juretschke, Hans.—Lᴀ ɢᴇɴᴇʀᴀᴄɪóɴ ᴅᴇʟ 98, ꜱᴜ ᴘʀᴏʏᴇᴄᴄɪóɴ, ᴄʀíᴛɪᴄᴀ ᴇ
ɪɴꜰʟᴜᴇɴᴄɪᴀ ᴇɴ ᴇʟ ᴇxᴛʀᴀɴᴊᴇʀᴏ; Arbor; XI, 530-34; Madrid, 1948.
Kassin, Irving.—Tʜᴇ ᴄᴏɴᴄᴇᴘᴛ ᴏꜰ ᴛʜᴇ ᴘᴇᴏᴘʟᴇ ᴀꜱ ᴍᴀɴɪꜰᴇꜱᴛᴇᴅ ɪɴ ᴛʜᴇ
Wᴏʀᴋꜱ ᴏꜰ Mɪɢᴜᴇʟ ᴅᴇ Uɴᴀᴍᴜɴᴏ; Tesis de la Universidad de Co-
lumbia.
Kessel, J.—Dɪᴇ Gʀᴜɴᴅꜱᴛɪᴍᴍᴜɴɢ ɪɴ Mɪɢᴜᴇʟ ᴅᴇ Uɴᴀᴍᴜɴᴏ'ꜱ Lᴇʙᴇɴꜱ-
ᴘʜɪʟᴏꜱᴏᴘʜɪᴇ; Tesis de la Universidad de Bonn; Düsseldorf, 1937.
Keyserling, Conde Hermann.—Vɪᴀᴊᴇ ᴀ ᴛʀᴀᴠéꜱ ᴅᴇʟ ᴛɪᴇᴍᴘᴏ; II. Lᴀ ᴀᴠᴇɴ-
ᴛᴜʀᴀ ᴅᴇʟ ᴀʟᴍᴀ; 161-211; edic. esp.; Buenos Aires, 1951.
Kirby, Kenneth N.—Uɴᴀᴍᴜɴᴏ ᴀɴᴅ Lᴀɴɢᴜᴀɢᴇ; Tesis de la Universidad
de Texas, 1953.
Kissner, Robert.—Tʜᴇ ɴᴏᴠᴇʟ ᴏꜰ Uɴᴀᴍᴜɴᴏ. A Sᴛᴜᴅʏ ɪɴ Cʀᴇᴀᴛᴜʀᴇ Dᴇ-
ᴛᴇʀᴍɪɴɪꜱᴍ; Modern Language Journal; XXXVII, 128-29; Menasha,
Wisconsin, 1953.
Kraus, Werner.—Sᴘᴀɴɪꜱᴄʜᴇ Mᴇᴅɪᴛᴀᴛɪᴏɴᴇɴ ɴᴀᴄʜ 1898; Romanische Fors-
chungen; LX, 363-79; Köln, 1947.
Laín Entralgo, Pedro.—Lᴀꜱ ɢᴇɴᴇʀᴀᴄɪᴏɴᴇꜱ ᴇɴ ʟᴀ Hɪꜱᴛᴏʀɪᴀ; Madrid, 1945.
Laín Entralgo, Pedro.—Lᴀ ɢᴇɴᴇʀᴀᴄɪóɴ ᴅᴇʟ Nᴏᴠᴇɴᴛᴀ ʏ Oᴄʜᴏ; Ma-
drid, 1945.
Laín Entralgo, Pedro.—Eꜱᴘᴀñᴀ ᴄᴏᴍᴏ ᴘʀᴏʙʟᴇᴍᴀ; Madrid, 1949.

Laín Entralgo, Pedro.—Miguel de Unamuno o la desesperación esperanzada; La Memoria y la Esperanza. San Agustín. San Juan de la Cruz. Antonio Machado. Miguel de Unamuno. Discurso de recepción en la Real Academia Española; 99-161; Madrid, 1954.

Landsberg, P. L.—A propósito de Unamuno; España Peregrina; I, 105; México, 1940.

Landsberg, P. L.— Piedras blancas, seguido de Experiencia de la muerte y La libertad y la gracia en San Agustín; edic. esp.; México, 1940.

Lázaro Ros, Amando.—Unamuno filósofo existencialista; Apéndice a la edic. esp. de la obra de Marjorie Grene: El sentimiento trágico de la existencia (Existencialismo y existencialistas); 205-95; Madrid, 1952.

Ledesma Miranda, Ramón.—Mi última visita a Unamuno; Arriba; Madrid, 6 de junio de 1943.

Ledesma Miranda, Ramón.—Evocación de don Miguel de Unamuno; Escorial; XV, 119-30; Madrid, 1944.

Legendre, Maurice.—Souvenirs sur Miguel de Unamuno; La Vie Intellectuelle; 428-69; París, 1937.

Legendre, Maurice.—La religión de Miguel de Unamuno; Spes Nostra; I, 8-24; Madrid, 1944.

Legendre, Maurice.—Miguel de Unamuno, hombre de carne y hueso; Cuadernos de la Cátedra Miguel de Unamuno; I, 29-55; Salamanca, 1948.

Levi, Ezio.—Unamuno romanziere; Nella Letteratura Spagnuola Contemporanea; 3-12; Firenze, 1922.

Livingstone, L.—Unamuno and the Aesthetic of the Novel; Hispania; XXIV, 442-50; California, 1941.

López-Morillas, Juan.—Unamuno and Pascal; Publications of Modern Languages Association; LXV, 998-1.010; Menasha, Wisconsin, 1950.

Luque, O. P.; Fray Luis de Fátima.— ¿Es ortodoxo el «Cristo» de Unamuno? (Comentarios a un poema); Ciencia Tomista; 64, 65-83; Salamanca, 1943.

El Unamuno de 1901 a 1903 visto por M. (fragmentos de cartas); Cuadernos de la Cátedra Miguel de Unamuno; II, 13-31; Salamanca, 1951.

MacGregor, Joaquín.—Dos precursores del existencialismo: Kierkegaard y Unamuno; Filosofía y Letras; XXII, 203-19; México, 1951.

Mackay, J.—Don Miguel de Unamuno; Lima, 1919.

Madariaga, Salvador de.—Miguel de Unamuno; Semblanzas literarias contemporáneas; 127-59; Barcelona, 1924.

Madrid, Francisco.—GENIO Y FIGURA DE DON MIGUEL DE UNAMUNO; Buenos Aires, 1943.

Maeztu, María de.—VISIÓN E INTERPRETACIÓN DE ESPAÑA.—VIDA Y ROMANCE, DON MIGUEL DE UNAMUNO, EL HOMBRE; La Prensa; Buenos Aires, 25 de febrero de 1940.

Maeztu, Ramiro.—EL ALMA DEL NOVENTA Y OCHO; Nuevo Mundo; Madrid, 6 de julio de 1913.

Maeztu, Ramiro de.—LA OBRA DEL NOVENTA Y OCHO; Nuevo Mundo; Madrid, 13 de julio de 1913.

Maldonado, Francisco.—SOLIPSIFORME. UNAMUNO, EL ATUENDO Y LA ELEGANCIA; Arriba; Madrid, 31 de diciembre de 1941.

Maldonado, Francisco.—PAISAJE, PAISANAJE, LENGUAJE; El Español; número 13; Madrid, 23 de enero de 1943.

Maloney, Raymond L.—UNAMUNO, CREATOR AND RE-CREATOR OF BOOKS; Tesis de la Universidad de Colorado, 1954.

Marías, Julián.—LA MUERTE DE UNAMUNO (1938); recogido en Aquí y ahora; 106-112; Buenos Aires, 1954.

Marías, Julián.—MIGUEL DE UNAMUNO; Madrid, 1943.

Marías, Julián.—GENIO Y FIGURA DE MIGUEL DE UNAMUNO; La filosofía española actual; 23-71; Buenos Aires, 1948.

Marías, Julián.—LO QUE HA QUEDADO DE MIGUEL DE UNAMUNO; La Nación; Buenos Aires, 30 de mayo de 1954.

Marichal, Juan.—UNAMUNO Y LA AGONÍA DE EUROPA; Buenos Aires Literaria; 6, 5-16; Buenos Aires, 1953.

Marichalar, Antonio.—LA MORT DE UNAMUNO; Le Figaro; París, 2 de enero de 1937.

Menéndez Pidal, Ramón.—RECUERDOS REFERENTES A UNAMUNO; Cuadernos de la Cátedra Miguel de Unamuno; II, 5-12; Salamanca, 1951.

Mejía Nieto, A.—EL DESCONTENTO DE LAWRENCE Y UNAMUNO; La Nación; Buenos Aires, 2 de junio de 1940.

Mistral, Gabriela.—CINCO AÑOS DE DESTIERRO DE UNAMUNO; Repertorio Americano; XV, 265-66; Costa Rica, 1927.

Morales, Rafael.—LARANJEIRA Y UNAMUNO; Escorial; XVII, 438-47; Madrid, 1945.

Mota, Francisco.—MIGUEL DE UNAMUNO EN 1898; Papeles del 98; 12-22; Madrid, 1950.

Mulder, H. J. W.—MIGUEL DE UNAMUNO; Erasmus; VI, 20-6; Rotterdam, 1938.

Navasqués, Luis J.—DE UNAMUNO A ORTEGA Y GASSET; New York, 1951.

Ness, Keneth L.—SELECTED NOVELS OF MIGUEL DE UNAMUNO; Tesis de la Universidad de Columbia, 1950.

Noguer, Jaime H. F.—COMPARATIVE STUDY OF THE NOVEL OF GALDÓS AND THE «NIVOLA» OF UNAMUNO; Tesis de la Universidad de Southern California, 1954.

Nozick, Martín.—UNAMUNO, ORTEGA Y DON JUAN; The Romanic Review; XL, 268-74; 1949.

Nürnberg, Magda.—MIGUEL DE UNAMUNO ALS ROMANSCHRIFTSTELLER; Tesis de la Universidad de Maguncia, 1951.

Obregón, Antonio de.—ANECDOTARIO DE LOS ÚLTIMOS DÍAS DE DON MIGUEL DE UNAMUNO; Domingo; San Sebastián, 2 de enero de 1938.

Obregón, Antonio de.—ENTIERRO DE DON MIGUEL DE UNAMUNO; Vértice, núms. 7-8; 1938.

Onís, Federico de.—EL PROBLEMA DE LA UNIVERSIDAD ESPAÑOLA; Ensayos sobre el sentido de la cultura española; 38-45; Madrid, 1932.

Onís, Federico de.—UNAMUNO, ÍNTIMO; Revista del Colegio libre de Estudios Superiores; XXXV, 241-60; Buenos Aires, 1949.

Onís, Federico de.—UNAMUNO: EL ESCRITOR Y EL POETA; La Nueva Democracia; XXX, 18-21; New York, 1950.

Onís, Federico de.—PRÓLOGO A M. DE UNAMUNO: Cancionero. Diario poético; 7-15; Buenos Aires, 1953.

Ontañón, Eduardo de.—VIAJE Y AVENTURA DE LOS ESCRITORES DE ESPAÑA; 33-8 y 198 *et seq*; México, 1942.

Oromí, P. Miguel de.—EL PENSAMIENTO FILOSÓFICO DE MIGUEL DE UNAMUNO. FILOSOFÍA EXISTENCIAL DE LA INMORTALIDAD; Madrid, 1943.

Ortega y Gasset, José.—UNAMUNO Y EUROPA, FÁBULA (1908); Obras Completas; I, 128-32; Madrid, 1946.

Ortega y Gasset, José.—A LA MUERTE DE UNAMUNO (1937); Obras Completas; V, 261-63; Madrid, 1947.

Ortega y Gasset, José.—UNAMUNO Y SU MUERTE; Revista Ercilla; Santiago de Chile, 18 de enero de 1937.

Padín, José.—EL CONCEPTO DE LO REAL EN LAS ÚLTIMAS NOVELAS DE UNAMUNO; Hispania; XI, 418-23; California, 1928.

Papini, Giovanni.—MIGUEL DE UNAMUNO; Stroncature; 335-43; 5.ª edic.; Firenze, 1916.

Papini, Giovanni.—MIGUEL DE UNAMUNO E IL SEGRETO DELLA SPAGNA; Nuova Antologia; Roma, 16 de enero de 1937. (Reproducido en versión española en Atenea; XXXVII, 4-6; Concepción, Chile, 1937.)

Paris, Carlos.—EL PENSAMIENTO DE UNAMUNO Y LA CIENCIA POSITIVA; Arbor; XXII, 11-23; Madrid, 1952.

Paris, Carlos.—ACTITUD DE UNAMUNO FRENTE A LA FILOSOFÍA; Cuadernos Hispanoamericanos; 29, 175-182; Madrid, 1952.

Pemán, José M.ª—Unamuno o la gracia resistida; A B C; Madrid, 29 de mayo de 1949.

Pérez, S. J.; P. Quintín.—El pensamiento religioso de Unamuno frente al de la Iglesia; Santander, 1947.

Pfandl, Ludwig.—Gesammelte Werke; Literaturblatt für Germanische und Romanische Philologie; XLVII, 111-13; Leipzig, 1926.

Pildain y Zapiain, Excmo. y Rvdmo. Sr. D. Antonio, Obispo de Canarias.—D. Miguel de Unamuno, hereje máximo y maestro de herejías. Carta Pastoral; Las Palmas de Gran Canaria, 1953.

Pinillos, José Luis.—Unamuno en la crítica española de estos años; Arbor; XI, 547-55; Madrid, 1948.

Pitollet, Camille.—Autres souvenirs sur Miguel de Unamuno; Gernika; 20, 185-88; Buenos Aires, 1952.

Pitollet, Camille.—Notas unamunescas por el decano de los hispanistas franceses; Cuadernos de la Cátedra Miguel de Unamuno; IV, 9-42; Salamanca, 1953.

Pomés, Mathilde.—Miguel de Unamuno; Vie des peuples; VI, 833-40; París, 1922.

Pomés, Mathilde.—Unamuno et Valéry; Cuadernos de la Cátedra Miguel de Unamuno; I, 57-70; Salamanca, 1948.

Prieto, Indalecio.—Repatriación de Miguel de Unamuno; Excelsior; México, 17 de noviembre de 1943.

Puccini, Mario.—Miguel de Unamuno; Roma, 1924.

Putnam, Samuel.—Unamuno y el problema de la personalidad; Revista Hispánica Moderna; I, 103-10; New York, 1935.

Rabanal Álvarez, Manuel.— Unamuno y Homero. La gran profundidad de sus conocimientos helénicos; El Español; núm. 114; Madrid, 30 de diciembre de 1944.

Ramis Alonso, Miguel.—Don Miguel de Unamuno. Crisis y crítica; Murcia, 1953.

Ramos Loscertales, José M.ª—Cuando Miguel de Unamuno murió; (16 de enero de 1937); Prólogo al libro de B. Aragón Gómez: Síntesis de Economía Corporativa; 13-16; Salamanca, 1937.

Reding, Katherine.—The generation of 1898 in Spain; Tesis de la Universidad de Menasha, 1936.

Reyes, Alfonso.—Recuerdos de Unamuno; Grata compañía; 178-92; México, 1948.

Richard, Robert, y Mesnard, Pierre.—Aspects nouveaux d'Unamuno; La Vie Intellectuelle; II, 112-39; París, 1946.

Río. Ángel del, y Benardete, M. J.—El concepto contemporáneo de

España. Antología de Ensayos (1895-1931); 74-131; Buenos Aires, 1946.

Rodríguez Alcalá, Hugo.—Ortega, Baroja, Unamuno y la sinceridad; Revista Hispánica Moderna; XV, 107-14; New York, 1949.

Roig Gironella, S. J.; P. Juan.—Dos cartas inéditas entre Unamuno y el Dr. Torras y Bages; Pensamiento; VII, 355-65; Madrid, 1951.

Roig Gironella, S. J.; P. Juan.—Filosofía y vida: Cuatro ensayos sobre actitudes, Nietzsche, Ortega y Gasset, Unamuno; Barcelona, 1950.

Rojas, Ricardo.—Retablo español; 73-84; Buenos Aires, 1948.

Romanones, Conde de.—Unamuno visita al Rey; Domingo; núm. 582; Madrid, 18 de abril de 1948.

Romera, Antonio.—Caricatura y anécdota en la generación del 98; Atenea; LXXXVI, 140-49; Concepción, Chile, 1947.

Romera-Navarro, M.—Miguel de Unamuno. Novelista, poeta, ensayista. Pennsylvania Theses (vol. LXII), 1928.

Romero Flores, H. R.—Unamuno. Notas sobre la vida y la obra de un máximo español; Madrid, 1941.

Rossi, Giuseppe Carlo.—Apuntes sobre bibliografía unamuniana en Italia y Alemania; Cuadernos de la Cátedra Miguel de Unamuno; III, 13-18; Salamanca, 1952.

Salaverría, José M.ª—Unamuno; A lo lejos: España vista desde América; 159-64; Madrid, 1914.

Salaverría, José M.ª—Miguel de Unamuno; Nuevos retratos; 111-70; Madrid, 1926.

Salcedo, Emilio.—Casi al final (Al margen de una carta inédita de Unamuno); Insula; núm. 88; Madrid, 15 de abril de 1953.

Salcedo, Emilio.—«Clarín», Menéndez Pelayo y Unamuno; Insula; núm. 76; Madrid, 15 de abril de 1952.

Saldaña, Quintiliano.—Mentalidades españolas, I: Miguel de Unamuno; Madrid, 1919.

Salinas, Pedro.—Tres aspectos de Unamuno; Literatura española siglo xx; 69-84; México, 1949.

Sánchez Barbudo, Antonio.—Unamuno y Ganivet; Letras de México; México, 15 de diciembre de 1942.

Sánchez Barbudo, Antonio.—La formación del pensamiento de Unamuno. Una conversión «chateaubrianesca» a los veinte años; Revista Hispánica Moderna; XV, 99-106; New York, 1949.

Sánchez Barbudo, Antonio.—La intimidad de Unamuno: Relaciones con Kierkegaard y William James; Occidental; 7, 10 et seq.; New York, 1949.

Sánchez Barbudo, Antonio.—SOBRE LA CONCEPCIÓN DE «PAZ EN LA GUERRA». LA FORMACIÓN DEL PENSAMIENTO DE UNAMUNO; Insula; núm. 46; Madrid, 15 de octubre de 1949.

Sánchez Barbudo, Antonio.—LA FORMACIÓN DEL PENSAMIENTO DE UNA-MUNO. UNA EXPERIENCIA DECISIVA: LA CRISIS DE 1897; Hispanic Review; XVIII, 217- 43; Philadelphia, 1950.

Sánchez Barbudo, Antonio.—EL MISTERIO DE LA PERSONALIDAD DE UNA-MUNO; Revista de la Universidad de Buenos Aires; XV, 201-54; Buenos Aires, 1950.

Sánchez Barbudo, Antonio.—LOS ÚLTIMOS AÑOS DE UNAMUNO. «SAN MANUEL BUENO» Y EL VICARIO SABOYANO DE ROUSSEAU; Hispanic Review; XIX, 281-322; Philadelphia, 1951.

Sánchez Barbudo, Antonio, y Benítez, Hernán.—LA FE RELIGIOSA DE UNAMUNO Y SU CRISIS DE 1897; Revista de la Universidad de Buenos Aires; XVIII, 381-443.

Sánchez Mazas, Rafael.—MUERTE DEL TILO DEL ARENAL; Arriba; Ma-drid, 8 de abril de 1948.

Santamaría, Carlos.—EL HOMBRE QUE BUSCA LA VERDAD; Egan (Suplemento del Boletín de la Real Sociedad Vascongada de Amigos del País); núm. 3, 23-9; San Sebastián, 1949.

Sarmiento, E.—CONSIDERATIONS TOWARDS A REVALUATION OF UNAMUNO; Bulletin of Spanish Studies; XIX, 201-10; XX, 35-48 y 84-107; Liverpool, 1942-43.

Sciacca, Michele Federico.—MIGUEL DE UNAMUNO, IL CAVALIERE DELLA FEDE FOLLE; La Filosofia oggi; 144-74; Milano, 1945.

Seeleman, Rosa.—THE TREATMENT OF LANDSCAPE IN THE NOVELIST OF THE GENERATION OF 1898; Hispanic Review; 226-38; Philadelphia, 1936.

Serna, Víctor de la.—RITO FALANGISTA EN LA MUERTE DE UNAMUNO; Arriba; Madrid, 31 de diciembre de 1946.

Serrano Poncela, Segundo.—EL «DASEIN» HEIDEGGERIANO EN LA GENE-RACIÓN DEL 98; Sur; XVIII, 35-57; Buenos Aires, 1950.

Serrano Poncela, Segundo.—EROS Y LA GENERACIÓN DEL 98 (UNAMUNO, BAROJA, «AZORÍN»); Asonante, núm. 4, 25-44; Puerto Rico, 1951.

Serrano Poncela, Segundo.—EL PENSAMIENTO DE UNAMUNO; México, 1953.

Sevilla Benito, Francisco.—LA IDEA DE DIOS EN DON MIGUEL DE UNA-MUNO; Revista de Filosofía; XII, 473-95; Madrid, 1952.

Sevilla Benito, Francisco.—LA FE EN DON MIGUEL DE UNAMUNO; Crisis; I, 361- 85; Madrid, 1954.

Sorel, Julián (Modesto Pérez).—LOS HOMBRES DEL 98. UNAMUNO; Ma-drid, 1917.

Tharaud, Jerome et Jean.—Le desperado; L'Echo de Paris; 5 de enero de 1937.

Thomas, Lucien-Paul.—Don Miguel de Unamuno et la tragedie de l'Espagne; Le Flambeau; XX, 193-205; Bruxelles, 1937.

Toro, M. de.—Miguel de Unamuno; Larousse Mensuel Illustré; X, 851-52; París, 1937.

Torre, Guillermo de la.—Miguel de Unamuno en cuerpo y alma presente; Revista Cubana; VIII, 50-8; La Habana, 1937.

Torre, Guillermo de la.—El rescate de la paradoja (1937); La aventura y el orden; Buenos Aires, 1943.

Torre, Guillermo de la.—Unamuno y Ortega; Cuadernos Americanos; II, 157-76; México, 1943.

Torre, Guillermo de la.—Tríptico del sacrificio: Unamuno, García Lorca, Machado; Buenos Aires, 1948.

Torre, Guillermo de la.—Unamuno, poeta y su «Cancionero» poético; Insula; núm. 87; Madrid, 15 de Marzo de 1953.

Torrente Ballester, Gonzalo.—La generación del 98 e Hispanoamérica; Arbor; XI, 505-14; Madrid, 1948.

Torrente Ballester, Gonzalo. — Panorama de la Literatura Española Contemporánea. 151-169. Madrid, Ediciones Guadarrama, 1956.

Tovar, Antonio.—«Paisajes del alma», de Unamuno; Escorial; XVI, 141-43; Madrid, 1944.

Tovar, Antonio.—Unamuno y su tiempo y el nuestro; Arriba; Madrid, 31 de diciembre de 1946.

Tovar, Antonio.—Carta abierta a Hernán Benítez; Correo Literario; núm. 9; Madrid, 1.º de octubre de 1950.

Trend, J. B.—Unamuno; Cambridge, 1951.

Ugarte, Francisco.—Unamuno y el quijotismo; Modern Language Journal; XXXV, 18-23; Menasha, Wisconsin, 1951.

Urales, Federico.—Evolución de la Filosofía en España; Vol. II; 203-13; Barcelona, 1934.

Val, Mariano Miguel de.—El idealismo místico: Miguel de Unamuno; Ateneo; IX, 142-58; Madrid, 1910.

Valli, Luigi.—Miguel de Unamuno e la moral eroica; Scriti e discorsi della grande vigilia; 111-42; Bologna, 1924.

Vallis, Maurice.—Miguel de Unamuno et le sentiment tragique de la vie; Le Mercure de France; CXV, 47-60; París, 1916.

Vallis, Maurice. — Miguel de Unamuno; Revue de Paris, 850-69; París, 1921.

Vautier, E.—Introduction a l'oeuvre de Miguel de Unamuno; Revue de l'Université de Bruxelles; 32, 544-59; Bruxelles, 1927.

Verdad, M.—MIGUEL DE UNAMUNO; Roma, 1925.

Viola, Raffaello.—UNAMUNO Y PASCOLI; Insula; núm. 14; Madrid, 15 de febrero de 1947.

Viqueira, J. V.—LA FILOSOFÍA DE UNAMUNO; Boletín de la Institución Libre de Enseñanza; 44, 47-9; Madrid, 1925.

Wills, Arthur.—ESPAÑA Y UNAMUNO: UN ENSAYO DE APRECIACIÓN; New York, 1938.

Zambrano, María.—SOBRE UNAMUNO; Nuestra España; núm. 4, 21-7; La Habana, 1940.

Zambrano, María.—UNAMUNO Y SU TIEMPO; Universidad de La Habana; VIII, 52-82; IX, 7-22; La Habana, 1943.

Zanete, E.—MICHEL DE UNAMUNO; Convivium; XIII, 87-95; Torino, 1941.

ÍNDICE

LIBRO QUINTO: LA ANGUSTIA VITAL

TERCERA PARTE

La Pasión

LIBRO SEXTO: HAMBRE DE INMORTALIDAD